문라이트 사가

1

문라이트 사가 1

ⓒ 마라 울프 2016

초판1쇄 인쇄	2016년 2월 19일
초판1쇄 발행	2016년 2월 25일

지은이	마라 울프
옮긴이	채민정

펴낸이	박대일
편집	이문영 · 임유리 · 신지연
교정	김필균
마케팅	송재진 · 임유미
디자인	박현주
일러스트레이션	이지선

펴낸곳	파란썸(파란미디어)
출판등록	2004년 9월 14일 제313-2004-00214호

주소	121-897 서울시 마포구 성지1길 32-36(합정동)
전화	02.3141.5589(영업부) 070.4616.2012(편집부)
팩스	02.3141.5590
전자우편	paranbook@gmail.com
카페	http://cafe.naver.com/paranmedia
페이스북	http://www.facebook.com/paranbook

ISBN	978-89-6371-261-1(04850)
	978-89-6371-260-4(전2권)

문라이트 사가

1

물빛 눈동자

파란

언제나 엠마와 캘럼을 믿어 주었던
사라에게 이 책을 바친다.

우리는

누군가나 무엇, 기쁨이나 행복을 잃어버릴지언정

그 모든 게 다시 한 번 황홀하게 찾아오리라는 사실을

단 한 순간도 의심해서는 안 된다.

결국 떨어져 나가야만 하는 건 떨어져 나가고

남아 있을 건 남아 있게 되며

삶의 모든 건 순리대로 흘러가는 법이다.

우리는 이를 감히 내다보거나 판단할 수도 없으면서

삶을 받아들이기는커녕 저항하거나 거부하곤 한다.

우리는 스스로의 삶을 살아 내야 하며

삶 전체를 바라볼 수 있어야 하며

수백만 가지의 가능성과 삶의 크기와 미래의 그 어떤 것도

의미 없이 흘러가거나 잃어버리는 게 아니라는 사실을

깨달아야만 한다.

_ 라이너 마리아 릴케

프롤로그

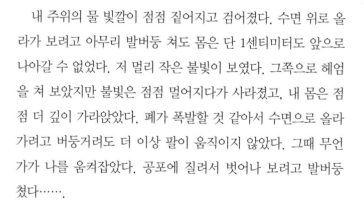

내 주위의 물 빛깔이 점점 짙어지고 검어졌다. 수면 위로 올라가 보려고 아무리 발버둥 쳐도 몸은 단 1센티미터도 앞으로 나아갈 수 없었다. 저 멀리 작은 불빛이 보였다. 그쪽으로 헤엄을 쳐 보았지만 불빛은 점점 멀어지다가 사라졌고, 내 몸은 점점 더 깊이 가라앉았다. 폐가 폭발할 것 같아서 수면으로 올라가려고 버둥거려도 더 이상 팔이 움직이지 않았다. 그때 무언가가 나를 움켜잡았다. 공포에 질려서 벗어나 보려고 발버둥 쳤다……

1장

한밤중에 잠에서 깨어났다. 어릴 때 가끔 그랬던 것 외에는 드문 일이었다. 몽롱하게 어둠을 응시하며 사물들의 윤곽이 드러나기를 기다렸다. 탁자 위의 물컵이 반짝였다. 컵을 집었다. 물은 얼음처럼 차가웠고 비린 맛이 났다. 겨우 몇 모금을 삼켰다. 열린 창문으로 바람이 들어와 하얀 커튼을 흔들었다. 그때마다 커튼 사이로 얇은 틈이 생겨서, 커다란 황금빛 달이 언뜻언뜻 비쳤다. 나는 보름달이 뜬 밤과 차가운 밤의 냄새가 좋았다. 두꺼운 담요 속으로 파고들며, 거실에서 들려오는 익숙한 소리에 귀를 기울였다. 거의 잠이 들 무렵, 이상한 느낌이 들었다.

지나치게 고요했다.

그러자 잠이 확 깨 버렸다. 귀를 기울여 보았지만 아무 소리도 들리지 않았다. 엄마 브렌다가 소파에서 뒤척이며 바스락거리는 소리나 와인 잔을 탁자에 내려놓는 소리도, TV 소리도 들리지 않았다. 어찌나 고요한지 마치 아무도 없는 것 같았다.

일어나 가운을 몸에 걸치고 차가운 바닥 위를 걸어가 불을 켰다.

"엄마?"

대답이 없었다. 핸드폰을 켜 보니 메시지 함은 비어 있었다. 엄마한테 전화를 걸어 보았지만 받지 않았다. 집 안은 여전히 조용했다. 다시 방으로 돌아와, 가운을 벗고 아직 온기가 남아 있는 침대에 누웠다. 책을 한 권 집어 들고 읽어 보려 했지만, 불안감을 떨쳐 버릴 수는 없었다.

갑자기 시끄러운 초인종 소리가 울렸다. 이 밤중에 누구야? 짜증이 나서 이불을 뒤집어쓰는 바람에 책이 바닥으로 떨어졌다. 초인종이 계속 울려대자 불안감이 커져 갔다.

문을 열자, 여경 두 명이 내 앞에 서 있었다.

"네가 엠마니? 엠마 테이트?"

고개를 끄덕였다.

"잠깐 들어가도 될까?"

그들 중 한 명이 미소 띤 얼굴로 물었고, 나는 그들을 묵묵히 거실로 들였다.

"엄마 이름이 브렌다 테이트 맞지?"

금발의 여경이 머뭇거리며 묻는 말에 다시 한 번 고개를 끄덕여 보였다.

"지금 혼자 있니?"

"네."

아주 작은 목소리로 대꾸했다.

"엠마, 어떻게 위로해 주어야 할지 모르겠구나."

금발 여경의 목소리가 약간 떨리더니 말을 잇지 못했다. 잠시 후, 그녀의 동료가 대신 말해 주었다.

"엄마가 사고를 당하셨어. 아마 과속을 했나 봐. 차가 완전히 굴렀어……."

사고라고? 고개를 세차게 저었다. 엄마가 사고를 냈을 리 없다. 게다가 과속이라니! 오히려 지나치게 천천히 운전하곤 했기 때문에 엄마 차를 타는 게 싫을 정도였다.

"차가 다리 위에서 뒤집어져서 포토맥 강[1] 아래로 떨어졌어. 우리가 구조했을 땐 이미……."

이 모든 상황이 이해되지 않았다. 엄마는 비정상적일 정도로 물을 무서워했다. 머릿속이 뒤죽박죽이었다. 뭔가 오해가 있는 게 분명했다. 엄마는 아마 토요일에 먹을 크루아상을 사다 주러 잠깐 마트에 간 걸 거예요. 이제 곧 열쇠로 현관문을 열고 들어오겠죠, 하고 말하고 싶었지만 입속에서만 맴돌 뿐,

---

1 워싱턴 시를 흐르는 강.

목소리가 나오지 않았다.

"넌 여기 혼자 둘 순 없어."

금발 여경이 마침내 입을 열었다.

"넌 돌봐 줄 다른 사람이 있니? 우리가 전화해 줄게."

기계적으로 고개를 저었다.

"아무도요."

"친구는?"

여경이 눈썹을 치켜뜨고 물었다. 나는 핸드폰에서 제나의 번호를 찾아 금발 여경에게 건네주었다. 지금 이 순간, 날 도와줄 수 있는 건 가장 친한 친구인 제나뿐이었다. 마치 솜으로 귀를 틀어막은 것처럼 모든 대화가 웅웅대는 가운데 몇몇 단어만 알아들을 수 있었다. 사고, 죽음, 혼자 남겨진.

전화를 건 지 30분도 채 안 되어 제나가 자기 부모님과 함께 문 앞에 나타났다. 오히려 제나네 엄마가 계속 훌쩍거렸다. 어쨌든 여경들은 나를 떠맡아 줄 사람이 나타나서 안심한 눈치였다. 이제는 당장 필요한 물건을 챙겨 제나네 집으로 갈 수밖에 없었다. 집을 나서기 직전까지만 해도 엄마가 문을 열고 들어오지 않을까 기대해 봤지만, 그런 일은 일어나지 않았다.

엄마의 죽음을 수습하는 일은 어린 내가 겪기엔 지나치게 끔찍했다. 마치 현실이라는 악몽 속을 거니는 것 같았다.

제나네 집은 한 명이 더 얹혀살기에 비좁았기 때문에 거기에 계속 머무를 수는 없었다. 하지만 달리 갈 데가 없었다. 나에겐 이모나 삼촌, 큰아빠나 할아버지 할머니도 없었다. 심지어 아빠가 누군지조차 몰랐으니까.

연락할 데라곤 스코틀랜드에 살고 있다는 외삼촌뿐이었다.

엄마가 스코틀랜드를 떠나온 건 내가 태어나기 전이었고, 17년 동안 단 한 번도 가 본 적이 없었기 때문에 외삼촌이라고는 해도 얼굴조차 본 적이 없었다. 모든 게 정말 막막했다.

며칠이 지나 제나, 스튜어트 부인과 함께 집에 가 보았다. 거기서 엄마의 전화번호 수첩을 찾아 스튜어트 부인에게 주었다. 엄마 없이 단 며칠이 지났을 뿐인데도 집 안은 황폐하기 이를 데 없었다. 공기는 탁했고 가구에는 뿌연 먼지가 내려앉아 있었다. 마치 내가 알던 곳이 아닌 것처럼 낯설었다. 말없이 여행 가방 두 개에 중요한 물건들을 담았다. 옷가지, 화구 용품, 그림들, 엄마의 사진과 여권……

그런 다음 마지막으로 집 안을 한 번 더 둘러보았다. 엄마를 떠올릴 수 있을 만한 물건을 하나 가져가고 싶었다.

엄마와의 여행 기념품들이 담긴 장식장 앞에 서서 물건들을 바라보다가 하트 모양의 돌멩이 하나를 바지 주머니에 넣었다. 몇 년 전 엄마와의 도보 여행 중에 발견한 거였다. 또 엄마가 '피리로 만들려던' 나뭇가지 하나도 넣었다. 뭐, 엄마는 최선을 다했었다. 우리는 어떻게든 소리를 내 보려고 끙끙거렸고, 마침내 삑 소리가 한 번 났을 땐 둘 다 방 안을 굴러다니며 웃었다. 그 기억에 미소 짓고 말았다.

마지막으로 기타를 챙긴 다음 모든 짐을 차에 실었다. 나머지 물건들은 복지 사업국에서 처분하겠지……. 작별하는 심정으로 2층 창문을 바라보았다. 거기에 서서 종종 창밖의 활기찬 삶을 내려다보곤 했었다.

장례식 일주일 후에 외삼촌에게서 편지가 왔다. 내키지 않는 마음으로 편지를 열어 보았다. 예상대로 자기네 가족과 함께 살자고, 스코틀랜드로 오라고 쓰여 있었지만 마음이 내키지 않았다. 멍하니 제나 방에 깔린 양탄자의 꽃무늬만 바라보았다.

가능하면 추억들과 멀어지고 싶지 않았다. 하지만 이미 집을 처분하고 엄마의 장례식을 치렀기 때문에 제나네 집에 더 머무를 핑계가 없었다. 제나가 부모님께 애원까지 해 보았지만 어쩔 수 없었다.

이제는 외삼촌이 있는 스코틀랜드로 날아가는 수밖에.

비행기가 착륙할 무렵, 바깥은 칠흑같이 어두웠다. 가방을 챙긴 후 같은 열에 앉아 있던 두 명이 일어날 때까지만 기다리자고 생각했다. 뭐가 그리 내키지 않았던 걸까. 결국에는 기장이 혼자 앉아 있는 나를 발견할 때까지 앉아 있다가 어쩔 수 없이 몸을 일으켰다.

비좁은 비행기에 갇혀서 스카이 섬[2]에 하나밖에 없는 착륙장

---

2 스코틀랜드 북서부에 있는 섬.

에 떨어지는 데에만 20시간이 넘게 걸린 셈이었다. 그 20시간 내내, 앞으로 닥쳐올 삶을 받아들이려고 노력해 보았다. 하지만 그리 쉽지는 않았다.

불안하게 삐걱대는 비행기 계단을 내려간 다음 착륙장 위에 서서 차가운 공기를 깊게 들이마셨다. 눈을 들어 보니 칠흑같이 검은 하늘 가득히 별들이 빛나고 있었다. 이런 광경은 난생처음이었다. 워싱턴 하늘과 비교할 수 없이 청명한 밤하늘을 바라보다, 재킷을 여미고 발걸음을 옮겼다.

비행기에 오래 타고 있었던 탓인지 몸이 구겨진 듯 녹초가 되었다. 걸음을 멈추고 주위를 둘러보았다. 저쪽 활주로 맞은편의 가건물에서 키 크고 마른 남자 하나가 나오더니 내 쪽으로 걸어왔다. 엄마 연배거나 약간 더 나이가 들어 보였다. 머리칼은 엄마처럼 숱이 많았고, 나와 같은 곱슬머리였다. 긴장으로 몸이 굳어졌다.

"네가 엠마니?"

그가 따뜻하고 맑은 목소리로 물었다.

"내 이름은 에단이다. 네 외삼촌이란다."

"안녕하세요."

"여기까지 오느라 많이 힘들었지?"

그가 걱정스러운 눈으로 바라보았다. 나는 말없이 고개를 끄덕였다.

"가자. 피곤할 때는 집이 최고란다."

외삼촌이 가방을 들어 주며 말했다. 갑자기 여자 목소리가 들렸다.

"여보! 엠마! 다들 여기 있었네!"

붉은 머리의 아름다운 중년 여성이 우리 쪽으로 다가오더니 말 건넬 틈도 없이 나를 끌어안았다. 반사적으로 몸이 굳어 버렸지만, 상대방은 아무것도 알아채지 못한 것 같았다. 그녀는 내 볼에 입을 맞추고는, 내 얼굴을 보기 위해 한 발짝 물러섰다.

"어쩜, 브렌다를 쏙 빼닮았네!"

여자가 외쳤다.

"난 네 외숙모야. 브리 외숙모라고 부르렴. 외숙모라고만 부르면 왠지 늙은이 같으니까, 알았지?"

브리 외숙모가 끝도 없이 재잘거리면서 내 어깨를 감싸 안아 주었다.

에단 외삼촌과 브리 외숙모는 스카이 섬 중심지인 포트리 시 근교에 살고 있었다. 다행히 포트리 시까지는 30분이 채 걸리지 않았지만 차 안에서는 내내 자는 척했다. 별로 떠들고 싶지 않았기 때문이다. 포트리 시내에 도착해서야 과장된 몸짓으로 하품을 해 보이며 기지개를 켰다. 브리 외숙모가 뒤를 돌아보며 말했다.

"거의 다 왔어."

출발 전에 포트리 시에 대한 정보를 인터넷에서 찾아보았지만 스카이 섬에서 가장 큰 도시라는 것 외에는 별다른 정보가 없었다. 실제로 본 포트리 시는 생각보다도 더 작았다. 아마 영화관이나 극장조차 없을지 모른다는 생각에 한숨이 나왔다.

시내에서 벗어나 조금 더 달리니 어느덧 목적지에 도착했다. 차에서 내리자 새벽 여명 속에 아름다운 집 한 채가 빛나고 있었다. 완벽하고 아름다운 집이었다. 어찌나 한적하고 평화로워 보이던지 밤에 문도 잠그지 않을 것 같았다. 어제까지의 정신없던 내 삶에 비하면 이런 평화와 여유로움은 완벽한 반전이었다.

회색빛 자연석으로 지어진 집 외벽은 장미 덩굴로 둘러싸여 있었다. 좁고 긴 돌계단 끝에는 짙은 초록색의 단조로운 현관문이 보였다. 집 주위로는 정원이 있었는데 작은 돌들이 깔린 길 사이로 초목과 식물이 우거져 있었다.

집 앞으로는 항구와 도시 전체가 한눈에 보였다. 얕은 잔디가 가볍게 바람에 흔들리는 초원 위로 회색 베일처럼 안개가 드리워졌고, 안개 너머에는 짙은 녹음이 펼쳐져 있었다.

외삼촌이 트렁크를 열고 짐을 꺼냈다. 많지는 않았다. 지나온 내 인생이 여행 가방 두 개에 담겨 있다는 게 왠지 슬펐다. 외삼촌이 가방을 옮기는 모습을 물끄러미 바라보며, 외롭고 절박한 심정으로 배낭을 꼭 끌어안았다. 그러고는 기타를 든 외숙모의 뒤를 따랐다.

집에 들어서니 작은 복도 끝에 큰 방이 보였는데, 그쪽이 거실이라고 외숙모가 말해 주었다. 집 안에서 라벤더와 바닐라 향기가 났다. 거실 한 면에는 커다란 벽난로가 설치되어 있었다. 벽난로 위에 놓인 사진 안에 아이들의 얼굴이 보였다. 아마 외사촌들인 것 같았다.

"오늘 밤은 여기 아래층 작은 방에서 자는 게 어떠니?"

브리 외숙모가 속삭였다.

"내일 아멜리랑 좀 친해져 본 다음에 네 방을 따로 쓸지 아니면 아멜리랑 같이 쓸지 결정하는 게 어때?"

솔직히 당장이라도 방은 따로 쓰고 싶다고 말하고 싶었지만 일단은 말없이 고개만 끄덕였다. 내일 말해도 늦지 않을 것 같았다.

외숙모가 안내해 준 방 안에는 붉은 와인 색에 흰색 자수 무늬의 침대보를 씌운 낡은 침대가 놓여 있었고, 베이지 색 벽지에는 어두운 붉은색 줄무늬가 있었다. 창 아래에는 서랍장이 있었고 다른 쪽에는 작은 책상이 있었다. 마음에 들었다. 외숙모가 크림색 커튼을 쳐 주었다.

"예전에 너희 엄마가 쓰던 방이야. 가구는 고쳤고 벽지도 새로 발랐어."

외숙모가 커튼을 쓰다듬으며 말을 이었다.

"욕실도 보여 줄게."

외숙모가 작은 서랍장에서 수건과 목욕 타월을 꺼내 건네준 다음, 욕실로 데려다주었다. 그러고는 욕조 끄트머리에 걸터앉아 나를 바라보았다. 왠지 내 눈치를 보는 것 같아서 불편했다.

"우린 네가 여기서 계속 지냈으면 좋겠다."

몸을 일으키며 건네는 외숙모의 말에 나는 머뭇거리며 고개를 끄덕였다. 외숙모는 다행히 금방 욕실에서 나가 주었다.

따뜻한 물줄기를 만끽하며 샤워를 한 후, 뻣뻣하고 긴 갈색 머리칼을 빗으며 거울을 들여다보았다. 얼굴 속에서 지난 몇 주 동안 겪었던 고통의 흔적을 찾아보았지만 평소처럼 약간 창백할 뿐이었다. 거울 속 은회색 눈동자 아래에는 다크 서클이 드리워져 있었다.

"어쩌겠어. 그냥 이렇게 생겨 먹은걸."

혼자 중얼거린 다음 집에서 가져온 잠옷으로 갈아입었다. 복도를 지나서 방으로 돌아와 옷가지를 작은 서랍장 안으로 구겨 넣고는 침대에 누워 천장을 바라보며 내 인생에 대체 무슨 일들이 일어난 건지 곰곰이 생각해 보았다. 지난 몇 주 동안 매일 밤 그랬듯이 엄마에 대한 추억이 떠올랐고, 눈물이 솟구쳐 올랐다. 그래서 낯설고 차가운 이불을 코까지 끌어 올리고 울면서 잠이 들었다.

아침이었다. 새소리와 함께 열린 창 사이로 가느다란 햇살이 쏟아져 들어왔다. 가만히 침대에 누워 새소리를 듣고 있자니 계속 가슴을 짓누르던 삶의 무게가 잠시나마 가벼워진 것 같았다. 물론 오래가지는 않았다.

현관 쪽에서 차 소리가 들려서 몸을 일으켜 앉았다. 옷을 다 입기까지는 시간이 좀 걸렸다. 이제 뭘 해야 하지? 부엌에 먼저 가 봐야 하나, 아니면 일단 씻을까? 고민하고 있는데 문이 벌컥 열리면서 두 명의 어린 소녀가 들이닥쳤다. 둘은 지나치게 흥분한 나머지 서로의 몸뚱이에 깔릴 뻔했다.

"엠마 언니죠?"

자매가 동시에 외쳤다. 둘은 계란 두 개처럼 똑같은 얼굴이었다. 길고 붉은 머리칼에 이목구비가 예뻤고, 하얀 피부 위에는 주근깨가 20개 정도 박혀 있었다. 애들이 아마 아홉 살 된 내 쌍둥이 외사촌이겠지. 하지만 당분간은 누가 누군지 절대로 구분해 내지 못할 것 같았다.

한 명은 활달해 보였고, 다른 한 명은 약간 수줍어 보였다. 수줍은 쪽 소녀가 말을 더듬으며 물었다.

"언니, 같이 점심 먹을래요?"

벌써 점심이라니, 몇 시간이나 잔 건지 손가락을 꼽아 보았다. 외숙모가 예의 없다고 생각하지는 않았을까? 하지만 깨우지 않고 자게 둔 걸 보면 그런 걱정은 안 해도 될 것 같았다.

"아빠는 아멜리 언니, 피터 오빠랑 시내 나갔거든요. 아마 금방 돌아올 거예요. 그럼 같이 점심 먹자고 엄마가 언니한테 말해 주고 오라고 했어요."

침대에서 일어나는데 수줍은 쪽 쌍둥이가 내 손을 잡으며 올려다보았다.

"전 한나예요."

아이가 속삭였다. 그럼 활달한 아이의 이름은 앰버일 거다.

부엌에 내려가니 외숙모가 미소 지으며 인사했다.

"꼬맹이들이랑 인사 끝났어? 널 깨우고 싶어서 어찌나 안달이던지. 미안해. 난 좀 더 자게 놔두려고 했는데."

외숙모의 배려가 고마웠다.

"편하게 앉아. 커피? 아니면 차?"

외숙모가 부엌 한복판에 놓인 거대한 떡갈나무 식탁으로 이끌며 물었다. 갓 내린 신선한 커피 향기가 코를 향긋하게 자극했다.

"커피 주세요."

머그컵을 들고, 외숙모가 고기와 감자를 굽고 야채를 썰고 식탁을 차리는 걸 바라보며 급하게 커피를 홀짝이다가 혀를 데고 말았다. 외숙모는 요리를 하는 동안에도 쌍둥이가 나를 귀찮게 하지 못하게 하려고 자잘한 심부름을 시키느라 바빴다.

"제가 좀 도울까요?"

머뭇거리며 물었다.

"아니."

외숙모가 웃으며 고개를 저었다.

"거의 끝났으니까 아무 걱정 말고 커피 마시고 있어."

브리 외숙모를 보고 있자니 자동적으로 엄마가 떠올랐다. 엄마는 전혀 가정적인 편은 아니었다. 자주 이사를 다녀야 했고 한 집에서 오랫동안 산 적도 없었다. 또 엄마가 일 때문에 늘 바빴기 때문에 학교 이외의 시간에는 친구들과 어울리거나 수영을 다니며 보냈다. 그래서인지 어쩌다 한 번씩 엄마와 갖는 시간이 더욱 소중하고 기억에 남았던 것 같다. 그리고 엄마가 늘 뭔가 숨기는 게 있다는 걸 알면서도 친구처럼 스스럼없이 지내곤 했다.

"브리 외숙모."

외숙모의 이름을 친근하게 부르는 게 아직은 익숙하지 않았다. 외숙모가 내 쪽을 돌아봤다.

"왜?"

"제 방 말인데요, 괜찮으시다면 어제 묵었던 방을 계속 쓰고 싶어요. 방도 마음에 들고……. 전 혼자 있는 걸 좋아하거든요."

식탁을 내려다보며 빈 커피 잔을 손바닥 위에서 만지작거렸다.

"그러렴! 혹시 방이 작을까 봐 걱정했을 뿐이란다. 마음에 든다니 정말 잘됐다!"

방 문제가 해결되자 마음이 놓였다.

"벽에 그림 몇 장만 걸어도 되나요?"

내친김에 조금 더 용기를 냈다.

"대단한 건 아니고요……. 예전을 추억할 만한 걸 몇 개 가져왔거든요."

"당연하지, 아가야. 직접 그린 거니?"

외숙모는 대답을 듣기도 전에 계속 수다를 떨었다.

"피터도 그림 그리는 걸 좋아하거든. 내가 보기엔 실력이 나쁘진 않은 것 같아."

외숙모가 자랑스러운 듯 말했지만, 쌍둥이는 웃음을 참으면서 어이없다는 듯 고개를 흔들었다.

"너만 좋다면, 피터가 나중에 바닷가 쪽에 있는 절벽에도 데려가 줄 거란다. 경치가 멋져서 그림 그리기 좋을 거야."

그때 문가에서 인기척이 났다. 시내에 나갔던 가족들이 돌아온 모양이었다. 엠버는 내 손을 잡고, 다섯 명이 서 있기에는 비좁아 보이는 거실 복도로 이끌었다. 세 명은 외투와 신발을 벗어서 현관 쪽에 있는 커다란 장 속에 쑤셔 넣고 있었다.

"엠마, 안녕?"

아멜리가 내 쪽을 돌아보며 손을 내밀었다. 아멜리는 밝은 빛이 도는 긴 금발 머리를 하고 있었는데, 전체적으로 강한 웨이브가 져 있었다. 외숙모를 쏙 빼닮은 미인이었다. 상아 같은 얼굴에 박힌 초록색의 커다란 눈이 나를 훑어보았다. 동갑내기라고 들었지만, 그 애 옆에 있자니 좀 굴욕적이었다.

"난 피터라고 해."

아멜리를 옆으로 밀쳐 내고, 한 살 많은 사촌이 인사했다. 아멜리가 그의 등짝을 때렸지만 히죽 웃으며 장난스럽게 말을 이었다.

"네가 바로 베일이 싸여 있었던 사촌이군?"

"너야말로 이 집 '예술 담당'이라며?"

나도 지지 않고 쏘아붙였다.

"뭐? 설마. 무슨 얘길 들은 거야?"

피터의 얼굴이 창백해졌다.

"제발 엄마가 쓸데없는 얘긴 안 했어야 하는데!!"

짓궂은 표정을 지어 보이자 피터가 크게 웃으면서 내 어깨에 팔을 둘렀다.

"밥 다 됐어!"

브리 외숙모가 외쳤다.

음식은 정말 환상적이었다. 생각해 보니 비행기에 타기 전 아무것도 먹지 못했고 기내 음식조차 입에도 안 댔던 게 떠올랐다. 몇 끼를 굶었는지조차 모르겠다.

"엠마, 워싱턴은 어때?"

피터가 물었다. 그에게 어깨를 으쓱해 보이며 되물었다.

"뭐가 궁금한데?"

"워싱턴 애들은 뭐 하고 노는지, 어디 학교에 다녔는지, 무슨 수업을 들었었는지 그런 거."

"잠깐!!"

브리 외숙모가 제동을 걸었다.

"먼저 배 좀 채우게 하자꾸나. 밥 다 먹고 나서 엠마 데리고 산책 갔다 와. 바닷가 절벽에서 경치도 좀 보여 주고. 그때 천천히 얘기 들으면 되지, 그치?"

외숙모가 내게 눈치를 주었다.

"피터한테 너무 시시콜콜한 것까지 다 말해 주진 마. 다음 날이면 도시 전체가 다 알게 되거든."

피터가 냅킨을 구겨서 엄마한테 던졌다.

"걱정은 접어 두시죠! 시체처럼 조용히 있을 거라니까요!"

식탁에 앉았던 가족 모두에게서 폭소가 터져 나왔다.

"피터는 학교에서도 유명한 수다쟁이야."

아멜리가 내게 속삭였다.

"피터의 순진무구한 얼굴에 속아서 자기 비밀을 털어놓은 여자애들이 얼마나 많은데."

피터가 여동생을 노려보았다. 그때 에단 외삼촌이 끼어들었다.

"잠깐, 엠마 환영식을 거행하자꾸나."

외삼촌이 디저트 스푼으로 유리컵을 가볍게 두드렸다. 나는 얼굴이 달아올라 애처로운 눈빛으로 외삼촌을 쳐다봤다.

"짧게 할게."

외삼촌이 약속했다.

"자, 엠마야. 우리 가족은 네가 여기 머물기로 한 걸 정말 기쁘게 생각한단다. 물론 너에게 일어난 모든 일들…… 특히 나에겐 너무나 슬프구나. 우리 애들은 네 엄마를 단 한 번도 만나 보지 못했거든. 나랑 여기 앉은 우리 모두는 네가 여기서 가족처럼 느끼고 행복했으면 좋겠다. 우리가 늘 곁에 있어 줄게. 우리 집에 온 걸 환영한다!"

식탁에 앉은 모두가 박수를 치며 미소 띤 얼굴로 나를 바라보았다.

"감사해요."

더는 무슨 말을 해야 할지 몰랐다. 눈물을 보이지 않으려고 꽤나 노력해야 했다.

식사 후에 피터가 바닷가에 데려가 주었다. 그의 길게 땋은 갈색 머리가 바람에 나부꼈다. 그 모습이 왠지 마음을 사로잡을 정도로 평온해 보였다. 피터는 같은 남매라고 해도 아멜리와는 달리 미남 축에는 들지 않았다. 하지만 어딘가 굉장히 믿음직스러운 구석이 있어서 여자들이 쉽게 마음을 여는 것도 이해가 됐다.

피터는 내가 제나와 예전 학교에 대해 말하는 동안 주의 깊게 들어 주었고 단 한 번도 말을 끊지 않았다. 게다가 엄마에 대해 묻지 않아서 기뻤다.

"피터, 여기 수영장 있어? 전에 살던 데서 수영 팀에 있었거든. 수영은 계속 하고 싶어서."

"여기도 수영 팀 있으니까 한번 신청해 봐. 내가 알기로는 몇 주 뒤에 수영 팀 선발 심사가 있어. 한번 알아봐 줄게."

절벽에 다다랐을 때쯤 그가 조심스레 물었다.

"그런데 왜 한 번도 우릴 만나러 오지 않았던 거야?"

절벽 아래로 거친 파도가 사정없이 암벽을 때리며 부서졌다. 가슴 가득히 신선한 바닷바람을 들이마셨다. 미세한 해수 입자가 절벽 위까지 날아와서 피부에 닿았다. 발밑으로 펼쳐지는 경치는 정말이지 평생토록 기억에 남을 것 같았다.

"정말 아름다워."

나는 작은 목소리로 감탄했다.

"조심해. 너무 절벽 끝으로 다가갔다가는 지반이 무너져서 바닷물 속에 처박힐 수도 있으니까 말야. 귀여운 사촌 동생을 상봉하자마자 잃어버릴 수는 없지."

그가 장난스럽게 말했다. 그러고는 저 멀리 수평선을 바라보았다.

"난 여기 그림 그리러 자주 오거든. 여기서 바라보는 풍경은 매번 달라."

"나도 같이 와도 돼? 그림 그리러."

"너도 그림 그려?"

"취미 삼아서 가끔 그려. 아마 우리 가족 내력인가 봐?"

집으로 돌아오는 길에는 태양이 어찌나 아름답게 내리쬐던지, 근처의 큰 공원에 앉아 햇살과 따스함을 즐겼다.

"너 아까 내가 절벽 위에서 물어본 거, 아직 답 안 해 줬잖아."

피터가 넌지시 물었다.

"대답 못 해. 나도 엄마가 왜 그랬는지 모르니까."

내가 대꾸했다.

2장

　　"엠마! 잠꾸러기! 일어나 봐!"

　　아멜리가 내 방으로 들이닥쳤다.

　　몸을 돌려서 이불을 뒤집어쓰고는 베개 밑에 얼굴을 파묻었다. 하지만 결국엔 눈을 비비고 겨우 일어나 앉았다.

　　어느덧 2주라는 여유롭던 시간이 흘러가 있었다. 2주 동안 집이나 바닷가에서 한적하게 산책을 하거나 그림을 그렸지만, 내일부터는 포트리 시에 있는 학교에 가야 했다. 그나마 위로가 되는 건 대부분의 수업을 아멜리와 함께 들을 수 있다는 사실이었다. 우리는 동갑내기였는데 아멜리가 나보다 생일이 한달 빨랐다. 아무튼 전체 10학년[3] 수가 46명밖에 안 되기 때문에

_____

3 우리나라로 말하면 고1.

수업도 소규모인 데다가, 교사들의 집중적인 지도를 받을 수 있다고 했다.

"얼른 일어나! 네가 애기야? 아예 점심때까지 자지그래! 지금 다들 나가 보려고 해. 해변가에 큰일이 일어난 것 같은데, 우리가 도와줄 게 있나 보러 갈 거야. 아빠가 너도 데려간대!"

후다닥 할 말을 마친 아멜리가 내 방에서 나갔다.

잠에 취에서 욕실로 가 찬물에 세수하고 이까지 닦고 나서야 정신이 좀 들었다. 수건으로 물기를 닦고 머리를 빗은 후에 청바지와 티셔츠로 갈아입었다.

부엌에서는 제각기 떠들어 대느라 정신없었다. 브리 외숙모가 커피 한 잔을 건넸고, 그걸 받아 들면서 도대체 무슨 일이 일어난 건지 가늠해 보느라 가족들의 대화에 귀를 기울였다. 그리고 마침내 대충 알아들었을 땐 내 귀를 의심할 수밖에 없었다. 고래? 지금 TV에서나 보던 거대한 바다 생물 얘기를 하는 거야? 고래들이 저 앞 해안에 떠밀려 와 있어서 난리가 난 모양이었다.

에단 외삼촌과 피터는 격렬한 논쟁 중이었는데, 아무리 노력해도 대화 내용의 반밖에 이해하지 못했다. 무슨 수중 음파 탐지기니, 반향이니 음향 따위의 단어가 계속 튀어나왔다. 브리 외숙모가 둘을 제지했다.

"이제 그만들 좀 해. 아침이나 마저 먹은 다음에 다 같이 해변에 나가 보자. 아마 우리가 도울 게 있을 거야."

브리 외숙모와 아멜리가 식탁을 정리하는 동안, 에단 외삼촌, 피터와 나는 집 안에 있는 양동이라는 양동이는 몽땅 차에 실었다.

"오늘 너희는 얌전히 집에 있거라. 일단 어른들이 가서 무엇을 도와야 하는지 살펴보고 올 테니까. 집에 얌전히 있겠다고 약속해 줄 수 있니?"

외삼촌이 쌍둥이에게 당부하고는 우리 쪽에 다급하게 외쳤다.

"삽도 챙겨!"

외삼촌의 말에 앰버는 고개를 끄덕였지만, 한나는 불만에 찬 얼굴이었다.

"쟤들이 우리 몰래 해변가에 나타난다고 해도 놀랍지는 않겠군."

외삼촌이 조수석에 앉은 외숙모에게 말했다.

"내기할까요?"

피터가 말했지만 외삼촌의 얼굴은 진지했다. 우리는 쌍둥이에게 손을 흔들어 준 후 차에 시동을 걸었다.

하늘엔 구름이 잔뜩 드리워져 있었고, 해변에 도착하기도 전에 굵은 빗방울이 차창에 쏟아졌다. 차에서 내렸을 땐 다른 사람들도 해변에 모여 있었다. 우리는 사람들 쪽으로 다가갔다.

나는 곧 내 눈을 의심했다. 젖은 해변 위로 열두 마리 정도의 새까만 고래들이 줄지어 올라와 있었던 것이다.

"대체 무슨 일이 일어난 거야?"

피터에게 물었다. 그가 고래 쪽으로 다가가 손으로 그들을 쓰다듬으며 낮은 목소리로 진정시켰다. 처음 겪는 일은 아닌 것 같았지만, 그 침착함이 놀라웠다.

고래의 눈은 공포에 질려 있었고, 그것만으로도 그들에게 닥친 죽음의 위기를 느낄 수 있었다. 나도 그들에게 다가가, 놀랄 정도로 매끄러운 고래의 살 위에 조심스레 손바닥을 대 보았다.

"수가 너무 많아."

피터가 중얼거렸다.

"일단 고래 피부가 마르지 않게 수분을 공급해 줘야 해. 안 그러면 다 죽어. 몇 마리는 이미 죽었어."

머리칼이 희끗한 남자가 우리 쪽으로 다가오며 말했다.

"엠마, 이분은 에릭슨 박사님이셔."

피터가 그를 내게 소개했다.

"에릭슨 박사님, 미국에서 온 제 사촌 엠마라고 합니다."

그러자 에릭슨 박사가 나를 이상스러울 정도로 천천히 뜯어보았다. 그 눈빛이 좀 부담스러워서 나도 모르게 고개를 돌려 버렸다.

"네가 브렌다의 딸이구나."

그가 고개를 끄덕이며 말했다.

"박사님! 일단 어떤 놈을 먼저 도와야 할지 알려 주세요!"

피터가 다급하게 끼어드는 바람에 어색함을 모면할 수 있었다.

살아 있는 고래에게는 각각 두세 명씩 달라붙어서 집에서 가져온 양동이에 바닷물을 담아 끼얹어 주었다. 몇 분도 지나지 않아서 온몸이 흠뻑 젖었다.

"피터, 이런 식으로는 안 돼. 이건 계란으로 바위 치는 격이야!"

내가 외쳤다. 비라도 계속 내렸다면 얼마나 좋았을까. 안타까운 마음에 하늘만 올려다보았다.

"아빠랑 얘기 좀 해 볼게."

피터가 외삼촌 쪽으로 사라졌다. 나와 아멜리는 작은 새끼 고래에게 물을 퍼 날랐다. 어미 고래는 어디에 있을까? 우리는 기진할 정도로 해변을 달리며 물을 퍼 날랐다. 바람과의 전쟁이었다. 아무리 물을 끼얹어도 바람이 불면 고래의 피부가 금세 말라 버렸기 때문이다.

"여자들이 침대보를 가져오기로 했어!"

피터가 우리에게 외쳤다.

침대보가 도착하기까지의 몇 십 분이 몇 시간처럼 느껴졌다. 외숙모를 비롯한 마을 여자들이 침대보를 들고 나타나자, 우리는 침대보를 펼쳐서 고래 위로 덮고 물을 뿌려 주었다. 그러자 훨씬 나았다.

"이제 고래들을 바다로 돌려보내야 해! 계속 물을 뿌려 줄 수는 없어. 해군은 대체 언제쯤 나타나는 거야?"

"몇 시간은 걸릴 거야! 오늘 해상 훈련이 있어서 당장은 여력이 없대!"

남자들 중 하나가 바다를 가리키며 외쳤다.

"밀물이 들어오면, 아마 몇 놈은 살 수 있을지도 모르지……."

에릭슨 박사가 말했다. 하지만 그의 목소리에는 확신이 묻어나지 않았다.

나는 그가 고래 쪽으로 걸어가는 동안, 뒤를 따라가며 물었다.

"박사님은 고래들이 살아남을 수 없다고 생각하는 거죠?"

"엠마, 이미 다섯 마리가 죽었고 나머지도 너무 약해졌어. 기적이라도 일어나지 않는 한은……."

그는 내 뒤편 바다를 응시하며 말했다.

"기적 말이다."

그러고는 몸을 돌려 고래 쪽으로 사라졌다.

아멜리에게 가 보니, 우리가 돌보던 새끼 고래가 가쁜 숨을 몰아쉬고 있었다. 나는 내 뺨을 고래의 차가운 피부에 대고 속삭였다.

"살려면 싸워야 돼. 듣고 있어? 살아남는 거야!"

새끼 고래의 눈빛이 약간 진정되는 것 같았다.

"다 잘될 거야!"

그러고는 양동이를 들고 바다로 달렸다.

곧 밀물이 시작되어 해변까지 바닷물이 차오를 터였다. 하지만 고래들이 너무 약해져 있었기 때문에, 과연 깊은 바다까지 헤엄을 쳐 갈 수 있을지가 의문이었다.

아멜리와 나는 지친 모습으로 남자들이 모닥불을 지펴 놓은 곳으로 가서 따뜻한 차를 마셨다.

"고래들이 좀 더 쉽게 헤엄칠 수 있도록 방향을 돌려놓아야 해."

피터가 중얼거렸다.

"하지만 어떻게? 녀석들이 얼마나 무거운데. 우리한테는 아무 장비도 없어. 해군이라면 또 모를까."

누군가가 어깨를 으쓱해 보이며 말했다.

"화물차는 해변까지 내려올 수 없어. 모래에 바퀴가 파묻힐 거야."

에단 외삼촌이 말했다.

"지프차는 어떨까요?"

내가 제안했다.

"지프차라면 바퀴가 모래에 묻히진 않을 거예요."

처음에는 다들 회의적이었지만, 한 명씩 신중하게 고개를 끄덕였다.

"지프를 여기 아래까지 몰고 와서 고래와 연결한 다음 바다까지 끌고 갈 수 있을 거야. 시간을 잘 맞추는 게 관건이야. 물이 너무 차올라 있어도 안 되고 너무 얕아도 안 돼!"

에단 외삼촌이 말했다.

"그럼 서둘러야 될 거야."

에릭슨 박사님이 말했다.

"게다가 한번 물속으로 들어간 고래들이 어떻게 행동할지 모르기 때문에 조심해야 될 걸세."

"마을에 지프차가 몇 대나 있지?"

누군가가 거친 목소리로 물었다.

자원할 수 있는 사람들이 손을 들자, 에단 외삼촌이 수를 세었다.

"모두 다섯 대 쓸 수 있겠어. 이거면 충분해. 어차피 한 마리씩 끌어야 하니까 교대로 몰면 되겠군!"

에단 삼촌이 모닥불 위에서 두 손을 비볐다.

"당장 고래를 묶을 수 있는 벨트를 준비해야 돼!"

남자들이 차를 가지러 간 사이, 새끼 고래에게 가 보았다. 아멜리가 침대 시트를 흠뻑 적셔 놓는 동안 고래를 쓰다듬으며 진정시켜 준 후, 그 부드러운 몸에 기대고 앉아서 계속 말을 걸어 주었다.

물론 고래가 내 말을 알아듣지 못한다는 건 알고 있었다. 하지만 녀석이 외롭지 않게 지켜 주고 싶었다. 난 외로움이 어떤 건지 사무치도록 잘 알고 있었으니까.

요란한 자동차 엔진 소리 때문에 정신이 번쩍 들었다. 차들은 최대한 조심스럽게 해변으로 진입했지만, 엔진 소리 때문에 고래들이 동요했다.

그때 어떤 남자가 눈에 띄었다. 그렇게 잘생긴 사람은 처음이었다. 심장이 거세게 요동쳤다. 바람에 흐트러진 그의 붉은 갈색 머리칼이 석양 아래 빛났다. 균형 잡힌 상체가 드러나는 회색 티셔츠 아래에는 검은색 청바지를 받쳐 입고 있었다. 촌스러운 초록색 장화조차 잘 어울렸다. 그는 쌀쌀한 날씨에도 불구하고 옷을 얇게 입고 있었다. 그런 그를 보노라니 양털 외투를 입고 있었는데도 살갗에 소름이 돋았다.

가장 눈에 띄었던 건 그의 얼굴이었다. 마치 미술 시간에 봤던 그리스 조각상 같은 이목구비는 섬세하면서도 독특했다. 그의 피부는 다른 스코틀랜드 남자들처럼 창백하지 않고, 마치 따뜻한 남쪽 나라의 태양 아래에서 휴가를 보내다 온 사람 같았다. 그는 슬프고도 진지한 눈으로 고래들을 둘러보다가 화가 난 듯 입술을 꾹 다물었다. 그의 옆에서는 에릭슨 박사가 쉬지 않고 떠들어 대고 있었다. 그들이 무슨 이야기를 하는지는 몰랐지만 에릭슨 박사의 말을 들은 그가 몇 번이나 고개를 저었다. 그러다 그와 눈이 마주쳤다. 그의 시선이 아주 잠깐, 내게 못 박힌 듯 머물렀다. 하지만 곧 인상을 찌푸리더니 다시 박사 쪽으로 시선을 돌렸다. 머쓱해져서 벌떡 일어나 흐트러진 머리칼을 귀 뒤로 쓸어 넘겼다. 우연히 멋진 남자를 만나기에는 때와 장소가 적합하지 않았다. 아멜리가 내 곁에서 키득거렸다.

"잘생겼지?"

아멜리가 속삭였다.

"쟤는 에릭슨 박사의 양자인 캘럼인데……."

하지만 아멜리의 말을 끝까지 듣기도 전에 새끼 고래의 상태가 좀 이상하다는 걸 느꼈다. 고래가 죽을 것 같은 예감이 들었다.

"제발……."

아멜리가 중얼거렸다.

"포기하면 안 돼! 할 수 있어."

나도 굳은 목소리로 힘주어 말했다.

남자들이 고래를 벨트에 묶고 천천히 지프를 움직이는 동안, 우리는 바닷물이 고래를 바다 쪽으로 움직이기에 충분하기만 빌었다. 그런 다음에는 모두 힘을 합쳐서 고래를 바다 쪽으로 밀었다. 저 앞쪽에서 캘럼의 머리가 보였다. 그는 고래에게 무언가를 속삭이는 데 열중하고 있었다. 그런 그가 신기했다. 고래가 자기 말을 알아듣는다고 생각하는 걸까? 바닷물이 고무장화 높이만큼 차오르는 곳에서 걸음을 멈추었다. 차갑고 검은 바닷물이 장화 안으로 들어오자 오래된 두려움이 몸속 깊은 곳에서 느껴졌다.

바닷물이다.

어릴 때부터 야외의 깊고 짙은 색 물에 대한 공포증이 있었다. 엄마 때문이었다. 그래서 단 한 번도 바다나 강에서 수영한 적이 없었다. 실내 수영장만은 예외였다. 바닥까지 들여다보이는 쾌적한 실내 수영장에서만큼은 물을 만난 물고기처럼 수영을 했다.

한 발짝씩 천천히 뒷걸음치며 전신에 요동하는 두려움을 억눌렀다. 결국 해안가에 홀로 남아 다른 사람들이 고래를 밀고 끌고 하는 모습을 지켜보았다. 사람들이 하나둘 해안가로 돌아오고 난 후에도 캘럼은 끝까지 고래 곁을 지켰다. 순식간에 그의 가슴께까지 바닷물이 차올랐고, 고래가 헤엄을 칠 만한 높이가 되었다. 그때 고래가 캘럼 쪽으로 고개를 돌렸다. 스스로도 말도 안 되는 상상이라고 생각했지만, 마치 그에게 고개를 끄덕인 것 같았다.

고래가 이윽고 힘차게 지느러미를 움직이며 앞으로 나아가기 시작했다. 성공이었다. 모두들 기쁨의 환호성을 질렀고, 아멜리와 나도 얼싸안고 기뻐했다.

"캘럼 녀석이 해낼 거라 믿었지."

내 곁에 서 있던 에릭슨 박사가 자랑스럽다는 듯 말했다. 캘럼이 물에서 나오자 담요를 건넸지만, 그는 사양한 후 곧바로 다른 고래 쪽으로 향했다.

몇 번이고 같은 과정이 반복되었다. 어느덧 밤하늘엔 둥근 달이 떠올라 차가운 은회색 달빛을 해변 위로 뿌렸다. 사방은 고요했지만 어쩐지 평화로웠다.

고래를 바닷물에 놓아 줄 때마다, 캘럼이 맨 마지막까지 고래 곁을 지켰다. 하지만 그에게서 추위나 두려움은 느껴지지 않았다. 고래가 겁을 먹고 단 한 번만 잘못 움직여도 자신이 죽거나 다칠 수 있었는데도 말이다.

드디어 가장 마지막에 새끼 고래 차례가 왔다. 나는 고래의 차가운 피부 위에 내 볼을 대고 속삭였다.

"다 잘될 거야."

지프차가 움직이는 내내 새끼 고래의 곁을 지켰다. 최대한 같이 있어 주고 싶었다. 다른 편에서는 캘럼이 서서 고래를 돌봐 주었다. 그의 가늘고 긴 손가락이 고래의 등을 쓰다듬다 내 손과 닿았다. 그는 알아들을 수 없을 정도로 작게 속삭였지만 새끼 고래의 눈빛에서 두려움이 사라지는 것이 느껴졌다. 도대체 어떻게 한 거지?

우리는 천천히 바닷물 속으로 나아갔다. 바닷물이 정강이까지 차오르자 또다시 두려움이 엄습했다. 마치 두려움의 스위치가 켜진 것처럼 몸이 덜덜 떨렸고 도저히 제어할 수 없었다. 캘럼이 나를 살폈다. 그의 바다색 눈동자가 곤혹스럽게 빛났다.

"이제 괜찮으니까 돌아가도 돼."

그가 부드럽게 말했다.

고개를 끄덕였지만, 바닷물이 내 종아리를 휘감자 더 이상 두려움을 억누를 수 없었다. 다리가 마비되는 게 느껴졌다. 그때 캘럼이 내 손을 잡았다.

"왜 그래?"

순간 안도감이 밀려왔다. 마치 익사하기 직전의 사람처럼 그를 움켜잡았다. 온몸이 덜덜 떨렸다.

"물 공포증이 있어."

가까스로 그에게 속삭였다.

그가 이해했다는 듯 고개를 끄덕였다.

"넌 해안으로 돌아가. 걱정하지 마."

하지만 그의 손은 여전히 나를 붙잡고 있었다. 그의 바다색 눈동자가 몸을 관통하는 것 같았다. 그때 에릭슨 박사가 다가왔다. 캘럼이 나를 놓자마자, 두려움이 온몸을 마비시켜 버려서 그대로 고꾸라졌다. 에릭슨 박사의 부축을 받아, 간신히 해안으로 돌아올 수 있었다.

"안심해라. 나머지는 캘럼이 알아서 할 거야."

그의 목소리에는 캘럼을 향한 전적인 신뢰가 묻어났다.

아멜리가 담요를 덮어 주며 투덜거렸다.

"뭐야, 관심이라도 끌고 싶었어?"

하지만 갑자기 입을 다물더니 진지한 눈으로 내 얼굴을 살피며 말했다.

"하! 여기 누가 불 좀 꺼 줘야겠는걸. 뜨겁다. 뜨거워."

그 말에, 목부터 새빨개져서 까칠한 담요 속에 얼굴을 파묻었다.

세상의 끝까지 날아와서 어떤 남자를 좋아하게 되는 게 가능한 걸까? 어쩌면 첫눈에 반하게 된 이 모든 상황이 착각에서 비롯된 건지도 몰랐다. 일단 고래와 하루 종일 겪은 이 모든 일이 마치 동화처럼 비현실적이었다.

이미 바다로 돌아간 고래들이 저 멀리에서 맴돌았다. 마치 마지막 타자를 지켜보는 것 같았다. 오랜 시간이 걸려서 캘럼이 고래를 놓아 주었지만, 새끼 고래는 움직이려 하지 않았다.

내 옆에서 피터가 중얼거렸다.

"아마 상당히 겁을 먹은 모양이야."

그때 바다 가운데에서 마치 새끼 고래를 부르기라도 하듯, 고래들이 일제히 노래를 부르기 시작했다. 새끼 고래도 그 노래에 화답하려는 듯 소리를 냈지만, 가냘픈 신음만 흘러나왔다.

새끼 고래는 여전히 움직이려 하지 않았다. 그러자 캘럼이 고래를 밀면서 헤엄치기 시작했다. 오른팔로 고래를 꽉 잡고 깊은 바닷속으로 나아갔다. 저 멀리서 그와 고래의 푸른 실루

엣이 수면 위에 반짝였다. 모두들 그 광경을 넋을 놓고 바라보았다. 숨 쉬는 것조차 잊을 정도였다. 고래 무리에서 한 마리가 새끼 고래와 캘럼을 마중 나오며 새끼 고래를 불렀다. 캘럼이 큰 고래를 2~3미터 앞두고 손을 놓아 주자 새끼 고래는 마침내 무리 속으로 돌아갔다. 그는 모든 게 확실해질 때까지 잠시 기다렸다가 새끼 고래가 헤엄치는 것을 보고서야 해안가로 헤엄쳐 돌아왔다. 모두들 안도의 숨을 몰아쉬었다.

캘럼이 해안가에 닿자마자, 남자들의 무리가 그를 에워싸고 말을 걸면서 어깨를 두드려 주었다. 에릭슨 박사가 무리를 밀치고 나아가서는 그의 어깨에 모포를 걸쳐 주고는 함께 차에 탔다. 차에 오르기 전, 그의 시선이 아주 잠시 동안 내게 머물렀다. 이번에도 마치 몸을 꿰뚫는 것처럼 날카롭고 깊은 눈빛이었다. 당황해서 나도 모르게 담요를 여몄지만 살갗 위에 소름이 돋았다.

3장

모두들 오늘 하루 동안 벌어진 일들로 녹초가 되었고, 나도 돌덩이처럼 무거운 몸을 침대에 뉘였다. 하지만 내일 학교를 쉴 수는 없었다. 에단 외삼촌이 학교는 꼭 가야 한다고 강조했기 때문이다. 항의해 보았지만 소용없었다. 외삼촌은 이 지역 고등학교의 교장이었고, 하루라도 빨리 나를 일상으로 돌려보내는 게 도움이 될 거라고 철석같이 믿고 있었다.

처음으로 등교하던 날의 날씨는 마치 내 기분같이 음산했다. 굵은 빗방울이 온 대지를 적셨고, 하늘에는 마치 회색 천을 씌워 놓은 것 같았다. 지면에서는 짙은 안개가 스멀스멀 피어올랐다.

나와 아멜리는 피터의 차를 타고 가기로 했고, 에단 외삼촌은 학교에 일찍 가서 우리를 맞기로 했다.

부엌에서 피터가 걱정하지 말라는 듯 어깨를 툭툭 쳐 주었지만, 긴장 때문에 아무것도 먹지 못하고 커피만 마셨더니 오히려 상태가 더 심해지는 것 같았다. 브리 외숙모가 간식 봉투를 건네며 가볍게 안아 주었다. 봉투 안에는 샌드위치와 사과, 물병이 들어 있었다. 나는 차에 올라타 아멜리 곁에 앉았다.

학교에 도착했을 때, 교정은 마침 텅 비어 있었다. 주차장은 이미 꽉 차서, 빈자리를 찾느라 애를 먹었다. 학교는 흰색과 파란색이 섞인, 현대적인 2층 건물이었다. 높이가 낮은 건물은 체육관인 것 같았다.

피터는 곧장 수업을 받으러 교실로 향했고, 나와 아멜리는 학교 사무실로 갔다.

"서둘러!"

아멜리가 재촉했다.

"아마 그리 나쁘진 않을 거야. 내가 보장할게!"

하지만 내 몸은 점점 더 딱딱하게 굳어 갔다. 사무실로 들어서니, 사무용 책상 건너편에서 두 명의 사무원이 나를 의아한 듯 바라보다가 아멜리를 발견하고는 이내 미소를 머금으며 인사를 했다.

"오랜만이구나, 아멜리!"

갈색 머리 사무원이 말했다.

"아빠는 안에서 기다리고 계셔."

에단 외삼촌은 자기 사무실 책상에 앉아 전화 중이었다. 아멜리는 안으로 들어갔지만 나는 아멜리가 빌려준 교복을 매만지면서 문가에 서 있었다.

외삼촌은 우리가 온 사실을 눈치 채지 못하다가, 통화가 끝나자 일어나서 우리를 맞았다.

"우리 아가씨들이 드디어 납셨구나! 5분 후에 수업이 시작되니 서두르자."

외삼촌이 내가 입은 검은색 치마와 흰 블라우스, 학교 문장이 새겨진 검은색 재킷을 바라보며 말했다.

"교복이 잘 어울리는구나!"

나는 곤혹스러운 표정을 지어 보였다. 아멜리 말로는 검은색 청바지를 입어도 된다고 했으니, 가능한 한 빨리 한 벌 구입해야겠다고 다짐했다. 치마는 질색이었다.

에단 외삼촌이 축축한 교정을 가로지르며 학교 시설을 설명해 주었다.

"저기 왼편이 체육관이란다."

예상대로였다.

"저 앞쪽 건물은 저학년이 쓰고 있고, 이쪽은 10학년부터 12학년까지 쓰고 있지."

외삼촌이 건물 정문을 힘차게 밀어서 우리를 내부로 안내했다. 걸음이 어찌나 빠르던지 도저히 따라잡을 수가 없었다. 우리는 잽싸게 2층으로 올라가 어떤 교실로 들어갔다. 이미 자리에 앉아 있던 모든 학생들이 우리를 쳐다보자 뺨이 붉게 달아올랐다. 이놈의 수줍음도 병이다!

에단 외삼촌은 길게 떠들어 대는 걸 싫어하는 데다가 한시라도 빨리 나를 소개하고 싶어 안달이 나 있었다. 아무튼 고맙게도 짧게 해 주었다.

"전학생을 소개하마. 이름은 엠마 테이트, 내 조카다."

호기심 어린 시선이 집중되었다.

"엠마야, 이분은 10학년을 맡고 계신 베켓 선생님이시다. 나머지는 아멜리가 천천히 알려 줄 게다. 그럼 행운을 비마!"

그러고는 외삼촌이 교실을 나갔다. 사실 학교 가는 걸 조금만 더 연기할 수 있기를 바랐다. 아니면 내 소개 없이 좀 더 조용하게 시작할 수도 있었을 터다. 하지만 화를 낼 겨를도 없다. 모두가 기대 어린 눈으로 나를 바라보고 있었다.

"반갑다, 엠마!"

베켓 선생님이 침묵을 깨 주었다.

"우리 학교에 다니게 된 걸 환영한다. 여기가 마음에 들었으면 좋겠구나. 제이미 옆자리가 비어 있으니 거기에 앉거라."

나는 제이미라는 여자애 옆으로 가서 털썩 앉았다.

"반가워. 난 제이미 반스라고 해."

짧게 헝클어진 붉은 머리의 제이미가 인사를 건넸다.

수업을 따라가려고 노력은 해 보았지만, 여러 가지 생각들이 머릿속을 맴돌았다. 마침내 종이 울렸다. 제이미가 책을 넣으며 물었다.

"넌 이다음 수업 뭐야?"

그 말에 처음으로 시간표를 들여다보았다.

"체육."

"좋았어! 같이 가면 되겠다."

제이미가 활달하게 내 손을 잡아끌자 한편으로는 고맙기도 했다.

우리는 굵은 빗방울이 쏟아지는 교정을 지나서 체육관으로 갔다. 체육 시간에는 농구 수업이 진행되었다. 그리 잘하는 편은 아니었지만 전에 학교에서 몇 번 해 본 적이 있었기 때문에 그럭저럭 따라갈 만했다. 첫 시작이 생각보다 나쁘지는 않은 것 같았다.

점심시간쯤 구름이 걷혔다. 나는 제이미, 아멜리와 함께 교정의 담벼락에 앉았다. 따스한 태양 광선이 지면 위에 내리쬐었지만, 나는 겉옷을 단단히 여민 채 주위의 호기심 어린 시선을 피했다. 학교 교장의 조카가 전입했다는 사실이 그렇게나 대단한 건지, 아니면 단지 이런 새로운 '사건'이 너무 오랜만이라 다들 들뜬 건지 모르겠다. 아마 두 번째 추측이 맞겠지. 게다가 많은 사람들이 엄마를 알 거다.

제이미가 선생님이나 수업에 대해서 쉴 새 없이 떠들어 대는 걸 흘려듣다가 캘럼을 발견했다. 왜 그가 이 학교에 다닌다는 걸 몰랐지? 가슴이 두근거렸다. 그는 몇 발짝 떨어진 나무에 기대어 서 있었고, 이쪽은 신경 쓰지 않는 것 같았다. 그래서 좀 더 느긋하게 관찰한 결과, 첫눈에 반한 것도 무리가 아니라는 결론을 내렸다. 어제보다 더 멋있었기 때문이다. 그의 곁에는 예쁜 소녀 하나가 서서 그에게 열심히 말을 걸고 있었지만 그는 마치 다른 데 정신이 가 있는 것 같았다. 우리 사이에는 수없이 많은 학생들이 지나가고 있었는데, 그 사이로 우리의 눈이 마주쳤다. 깜짝 놀라서 얼른 얼굴을 돌렸지만 이미 늦었다. 그의 짙은 푸른색 눈동자 때문에, 살갗에 또다시 소름이 돋고 말았다.

약간 시간이 지난 후에 다시 그를 조심스럽게 바라보았더니 그가 여전히 나를 쳐다보고 있었다. 어딘가 기분 나쁘고 암울한 눈빛이었지만 그에게 빠져드는 걸 멈출 수 없었다.

"들어가자."

제이미가 말했다.

"비가 또 쏟아질 것 같아."

어느덧 태양은 거대한 회색 구름 속으로 자취를 감추어 버렸다. 유럽의 4월 날씨란 변덕스럽다는 사실을 체감했다. 한숨을 쉬며 자리에서 일어났다.

"왜 쟤도 여기 학교 다닌다고 말 안 해 줬어?"

캘럼 쪽을 가리키며 아멜리에게 속삭였다.

"네가 안 물어봤잖아."

아멜리가 어깨를 으쓱했다.

"저 여자앤 누구야?"

나는 투덜대며 물었다.

"발레리."

캘럼과 발레리가 우리 앞을 지나쳐서 교실로 들어갔다. 하지만 뭘 더 물을 순 없었다. 머리 위로 굵직한 빗방울이 쏟아졌기 때문이다.

다음은 프랑스어 시간이었다. 아멜리나 제이미는 다른 수업을 들었기 때문에 혼자 남게 되었다. 교실에 들어서자 칠판 앞에서 투고 선생님이 미소 띤 얼굴로 나를 맞았다. 그녀는 나이든 프랑스인이었다.

"네가 엠마구나."

투고 선생님이 매력적인 프랑스 억양으로 인사를 건넸다. 나는 고개를 끄덕였다.

"마크 옆자리가 비어 있으니 거기에 앉거라."

자리에 앉자, 짧고 붉은 머리의 활달해 보이는 남자애가 인사를 했다.

"난 마크라고 해. 아까 영어 같이 들었는데."

어깨를 으쓱해 보이며 속으로 중얼거렸다. 미안, 그렇게 주변을 열심히 둘러보진 않았거든. 다행히 곧 수업이 시작되었다. 아직 책을 받지 못했기 때문에 빈 책상에 앉아 있자니 마크가 자기 책을 내 쪽으로 건네주었다.

"고마워."

그 말에 용기를 얻었는지 마크가 팔이 닿을 정도로 바짝 엉겨 붙는 것이었다. 아마도 다음번에는 그가 기분 상하지 않게 자리를 옮길 수 있는 방법을 궁리해야 할 것 같았다.

오후 4시에 모든 수업이 끝났다. 에밀리와 함께 학교 사무처에서 책을 받아 피터의 차를 타고 집으로 돌아왔다. 수업이 끝난 게 기뻤지만, 동시에 완전히 녹초가 되어 있었다. 계속 억지웃음을 짓느라 광대뼈가 아플 정도였다. 좋은 인상을 주고 싶었냐고? 물론이다. 하지만 오래는 못 갈 게 뻔했다.

"언제 포트리 시에 있는 도서관 좀 안내해 줄 수 있어?"

차를 마시다 아멜리에게 물었다. 브리 외숙모가 쿠키와 샌드위치를 내 왔다. 앞으로는 먹는 걸 좀 더 신경 써야 할 듯싶다. 이대로 가다간 금방 포동포동해질 거다.

"당연하지. 말만 해."

지루하다는 듯 신문을 보며 음식을 씹던 아멜리가 대꾸했다.

"도서관은 학교 안에 있어."

시립 도서관이 학교에 있을 거라는 생각은 못 했다. 괜한 부탁을 했다는 생각에 한숨이 나왔다.

"아직 열었을 거야. 매일 6시까지 하거든. 갔다 올까? 잘됐다. 너 등록할 때 나도 책 좀 반납해야지."

워낙 책 읽는 걸 좋아하긴 했지만, 방금 학교에서 돌아왔는데 다시 가야 한다는 건 끔찍했다. 차라리 서점이나 가자고 할걸. 첫 등교일은 도서관에 대한 실망으로 마무리되었다.

"아멜리! 우리 늦었다고!"

발을 동동 구르며, 2층 계단 아래에서 외쳤다. 미국과 달리 영국 학교는 9시까지만 등교하면 되는데도, 매번 지각을 면치 못했다.

"다들 너 기다리고 있어!"

원래는 같이 아침을 먹을 생각이었지만, 시간을 보니 먼저 시작해야 할 것 같았다.

"다 됐어!"

아멜리가 완벽한 모습으로 계단을 뛰어 내려왔다. 아침나절의 그 짧은 시간 안에 어떻게 저렇게 꾸미고 내려올 수 있는지는 정말 미스터리다. 정말이지 아멜리가 우리 학년 최고의 미녀라는 걸 부정할 사람은 아무도 없을 터다. 거기에 비하면 난…… . 한숨이 나왔지만 뭐 어쩔 수 없지.

부엌에서는 브리 외숙모가 계란 프라이와 베이컨을 굽고 있었다. 나는 삐걱거리는 의자에 털썩 앉았다.

"좋은 아침이야 아가씨들!"

외숙모가 밝게 인사를 던졌다.

우리는 대꾸도 없이, 허겁지겁 계란 프라이를 입속으로 집어넣었다.

"좀 더 일찍 일어났어야지!"

뭐, 처음 듣는 잔소리는 아니었다.

"그이랑 피터는 벌써 출발한 지 오래야. 아멜리! 네가 피터 차 끌고 갔다 와."

우리는 냅킨으로 입을 쓱싹 닦아 낸 후, 벌떡 일어나 자동차까지 냅다 달렸다.

1교시는 생물이었는데, 생물 담당 교사인 버클리 선생님은 수업에 늦는 걸 싫어했다. 차에서 내리니 비 때문에 길이 미끄러웠다. 빗방울을 피하느라 후드 티 모자를 뒤집어쓰고, 고개는 살짝 숙여서 발밑을 바라보았다. 길에 깔린 사각형 마름돌 사이의 금을 밟지 않기 위해서였다. 물론 미신이었지만 바닥의 금을 밟으면 불행이 찾아온다고 엄마가 늘 말했었기 때문이다. 하지만 불행은 그런 거 안 가리고 찾아오나 보다. 발밑만 보다가 바로 앞의 누군가와 꽝 부딪힌 다음 뒤로 나가떨어졌다.

"젠장!"

바지는 다 젖어 버렸고 온몸에는 젖은 잎사귀가 달라붙었다. 부딪혔던 사람이 다가와 손을 내밀어 나를 일으켜 주었다.

캘럼이었다.

가까이서 보니 정말 흠 없는 얼굴이었다. 심장이 튀어나올 것같이 두근거렸고, 입술이 바짝 말랐다. 그의 푸른 눈동자를 보고 있자니 정신을 놓아 버릴 것 같았다. 여전히 찌푸린 얼굴에 불친절한 눈빛이었지만 말이다. 마치 사냥꾼과 마주친 토끼처럼 온몸이 마비되어 그의 얼굴만 바라보고 있는데, 아멜리가 다가왔다.

"엠마, 괜찮아? 좋은 아침이야, 캘럼!"

하지만 캘럼은 대꾸도 없이 계속 나를 노려봤다. 그제야 내가 그의 손을 꼭 붙들고 있다는 걸 깨달았다. 빨개진 얼굴로 그의 손을 놓으면서 말했다.

"미안해."

그러고는 옷에 붙은 잎사귀를 털어 냈다. 그는 말없이 바닥에 곤두박질쳤던 내 가방을 건네준 후, 그대로 몸을 돌려 건물로 들어가 버렸다. 아멜리가 고개를 흔들며 폭소를 터뜨렸다.

"하고 많은 사람 중에 하필이면 쟤랑 부딪히니!"

아멜리는 생물 실험실에 들어가 앉을 때까지도 킥킥거렸다.

지각은 간신히 면했지만 수업에 집중할 수가 없었다. 실험실 파트너는 팀이라는 남학생이었는데, 나름대로 인사도 건네고 말도 걸다가, 내가 별로 반응이 없자 머쓱해하더니 기분이 상한 것 같았다. 하지만 나는 다른 생각에 빠져 있었다.

캘럼은 왜 나를 싫어하는 거지? 아무리 고민해 봤자 소용없다는 걸 알고는 있었지만, 내 의지대로 되지 않았다. 머리를 쥐어뜯었지만 아무런 결론에 이르지 못했다. 지난번 고래 사건으로 좀 친해질 법도 한데 말이다.

결국에는 오후가 되어 집으로 돌아오는 길에 아멜리에게 캘럼에 대해 물어보았다.

"혹시 에이든이 캘럼에 대해 얘기한 적 없어?"

에이든은 아멜리의 남자 친구로, 우리 학교 축구부 주상이었다. 내 타입은 아니었지만 에밀리는 그에게 빠져 있었고 아무튼 기쁜 일이었다. 비록 내 쪽은 전혀 진전이 없었지만 말이다. 캘럼 때문에 다른 남자애들의 데이트 신청을 거절한 게 한두 번이 아니었다.

"에이든은 말이 많은 타입이 아니거든. 아마 피터가 더 잘알 거야. 종종 같이 어울리곤 하니까."

피터와 캘럼은 같이 듣는 수업도 몇 개 있는 것 같았다. 물론 전에 몇 번 캘럼에 대해 슬쩍 물어본 적은 있었지만 성과는 별로였다.

"내 생각에, 캘럼은 피터나 바보 같은 피터 친구들보다는 나이가 많은 것 같아."

그 '바보 같은' 친구들 중에 자기 남자 친구도 끼어 있다는 생각이 들었는지, 아멜리가 콧잔등을 찌푸리며 말했다. 나는 어깨를 으쓱하며 말했다.

"캘럼은 똑똑한 편이라던데."

피터가 말해 준 정보는 그게 다였다. 아멜리가 과장스럽게 탄식했다.

"너—무 완벽한 남자 아니니? 발레리가 정신 못 차리는 것도 이해는 가."

캘럼의 주위를 맴돌던 그 소녀까지 떠올라서 기분이 더욱 가라앉았지만 아멜리는 오히려 흥이 나서 학교의 최근 이슈에 대해 떠들어 댔다.

내 눈은 그 후로도 습관처럼 캘럼을 좇았다. 그는 내 건강에 도움이 되지 않을 정도로 자주 눈에 띄었다. 몇 번인가 학교 카페에 피터와 그 친구들 틈에 앉아 있는 것도 보았다. 그때마다 심장이 요동했지만, 그는 내게 눈길조차 주지 않았다.

결국에는 나도 그를 무시하기로 마음먹었지만 별로 효과는 없었다. 어쨌거나 그의 관심을 끌 가능성은 제로에 가까웠기 때문이다. 게다가 모든 사람에게 똑같이 친절했기 때문에, 거의 모든 여자들이 그에게 빠져 있는 것 같았다.

4장

"아멜리, 일어나!"

아멜리의 침대 위에 책상다리를 하고 앉으며 말했다.

"저리 가!"

아멜리가 으르렁댔다.

"네가 일어날 때까지 이러고 있을 건데?"

내가 협박했다.

결국 한숨 섞인 탄식과 함께 일어나 앉으면서, 아멜리가 노려봤다.

"누가 도대체 이 짜증 나는 인간을 집 안에 들인 거야?!"

투덜거림과 함께 욕실로 비척대며 걸어가는 아멜리를 바라보며, 씩 웃어 주고는 창문을 활짝 열었다.

"아악, 추워! 창문은 왜 연 거야! 미친 거 아냐?"

욕실에서 돌아온 아멜리가 비명을 질렀다.

"좋게 생각해. 외삼촌이 널 깨우지 않은 게 어디야."

속옷 차림의 아멜리를 훑어보며 옷가지를 던져 주었다.

"짜증 나지만 맞는 말이네."

아멜리가 투덜거렸다. 그리고는 옷을 챙겨 입은 후, 내 볼에 입을 쪽 맞추어 주었다. 화가 나도 오래가지 않는 게 아멜리의 최대 장점 중 하나였다. 그런 후에는 곱슬머리를 묶어 보더니 영 아니라는 표정을 지어 보이고는 예쁘게 땋아 내렸다. 뭘 어떻게 해도 예쁜, 금발의 긴 곱슬머리가 정말 부러웠다. 반면에 내 갈색 머리카락은 뭘 해도 지루해 보였다. 화장을 마친 아멜리가 내게 립글로스를 건네주었다. 한숨을 쉬며 립글로스를 발랐다. 저항해도 소용없었기 때문이다. 아멜리 말로는 나를 처음 만났을 때 열일곱 살짜리 여자애가 거의 화장을 하지 않는다는 걸 알고는 기겁을 했다고 한다.

"약간만 화장하면 진짜 확 달라 보일걸? 눈매도 훨씬 또렷해 보일 거고."

이런 식으로 나를 줄곧 괴롭혀 왔다.

"날 돋보이게 해 주는 건, 화장이 아니라 햇빛일걸."

내가 대꾸했다. 정말 햇빛 한 번 보는 게 소원이었지만, 스코틀랜드에서는 태양이 어떻게 생겼는지 잊어버리게 생겼다. 우리는 쿵쾅거리며 층계를 내려가 차에 올라탔다.

"또 비……. 싫다."

"그만 좀 해. 네가 설탕이야? 비 좀 맞는다고 녹아?"

아멜리가 빈정거렸다.

"어떻게 이런 날씨에 기분이 좋을 수 있어? 잠깐이라도 좋으니까 해를 좀 보고 싶다고!"

"해는 언젠가 뜰 거고, 우리는 그동안 좋은 세상이나 만들자고."

말이야 쉽겠지. 자기는 평생 이 섬나라에서 살아왔으니 말이다. 하지만 난 줄곧 다른 곳에서 살아왔고, 예를 들어 지난주처럼 일주일간 비가 오는 그런 날씨는 처음 겪는단 말이다. 물론 워싱턴이 캘리포니아처럼 해가 쨍쨍한 지역은 아니지만, 이곳 포트리 시에서는 왠지 온몸이 물렁거리고 곯아 있는 느낌이었다.

피터는 한참 전에 시립 회관에 도착해 있었다. 그러고는 우리가 도착하자 초조한 얼굴로 우리 손에 엄청난 양의 리플릿을 안겨 주었다. 오늘은 '돌핀'이라는 이름의 학교 동아리에서 고래 스트랜딩[4] 현상에 대한 강연과 워크숍을 계획했다. 우리는 다른 학생들과 함께 리플릿을 제작하는 등 이번 행사를 준비해 왔다. 오후 내내, 거의 2주 동안 말이다. 아무튼 오늘은 사람들에게 리플릿을 나눠 주거나 질문에 답해 줘야 했다.

약 3시간 후, 아멜리가 내 쪽으로 왔다.

"어휴, 1분만 더 서 있다간 발바닥에 뿌리가 돋아날 거야. 너

---

4 고래 떼가 해안으로 올라와 집단 자살을 하는 현상.

무 많이 떠들었더니 입술도 부르텄어."

아멜리가 투덜거리면서 입술을 비죽 내밀었지만 예쁘기만
했다. 립글로스도 여전히 곱게 발려 있었다. 아까 내 입술 위에
도 같은 걸 발랐던 것 같은데 말이다.

"세상을 변화시키기 위해 그 정도 희생은 각오해야지."

아멜리의 등을 토닥거려 주며 내가 말했다. 아멜리가 얼굴
을 찡그렸다.

"카푸치노 한잔 마시는 사이에 지구가 멸망하겠어?"

"설마."

나도 수긍했다.

"그치?"

아멜리가 화려하게 꾸민 커피 판매대 쪽으로 내 손을 잡아
끌었다.

"안녕 아가씨들! 잘되고 있어?"

판매대 뒤에서 소피가 쾌활하게 물으며 우리에게 카푸치노
잔을 내밀었다. 그녀는 에릭슨 박사의 아내로, 포트리 시에 하
나뿐인 서점을 운영하고 있었다. 늘 색상이 강렬한 의상과 스
카프, 찰랑거리는 팔찌를 여러 개 차고 다니는 이국적인 스타
일의 여성이었다. 솔직히 이 동네에서 그녀가 제일 마음에 들
었다. 게다가 오늘은 자원봉사를 자청하고 나선 모양이었다.
아멜리가 안도의 숨을 내쉬며 바의 의자에 걸터앉았다.

"오늘 이렇게 많이들 올 거라고는 생각도 못 했어."

아멜리가 브라우니를 집으며 말했다.

"섬사람들 절반은 여기 모인 것 같아!"

"지난번 고래 스트랜딩 사건 때문일 거야. 그때 많은 사람들이 사태의 심각성을 알게 되었을 테니까 말야. 그날 죽은 고래들이 얼마나 많은데."

소피가 말했다.

그때 에릭슨 박사와 캘럼이 들어왔다. 에릭슨 박사는 원래 '교수'지만 여기 사람들은 그냥 박사라고 불렀다.

"우리도 맛있는 카푸치노 한 잔씩 얻어 마실 수 있을까?"

박사가 아내를 따스하게 바라보며 말했다. 그러고는 나와 아멜리를 돌아보았다.

"아가씨들! 자네들이 주최한 이번 행사가 얼마나 성공적으로 잘 진행되고 있는지 칭찬해 주고 싶구나."

나는 무성의하게 고개를 끄덕이며, 빈 카푸치노 잔만 들여다보았다. 캘럼은 아멜리와 한담을 나누면서도 내게는 눈길조차 주지 않았다. 그러고는 카푸치노를 건네받은 뒤 아버지와 함께 사라졌다. 그들이 사라지고 나서야 긴 한숨을 토해내는 내게 아멜리가 말했다.

"엠마. 그냥 잊어버려. 그게 최선이야. 우리가 넘볼 수 있는 세계가 아니라고."

나는 허탈하게 고개를 끄덕이며 대꾸했다.

"'우리 세계'가 아니고 '내 세계' 사람이 아닌 거지. 적어도 너랑은 얘기했잖아. 이제는 무시당하는 것도 익숙해졌어."

"그런데 좀 이상하긴 해."

아멜리가 두 번째 브라우니를 집어 먹으며 말했다.

"캘럼은 원래 모든 사람들한테 친절하거든. 뭐, 약간 거리는 두지만. 아무튼 아까 나한테 한 것처럼 말은 거는데, 유독 너한테만 저렇게 구는 거야. 인사 한마디가 그렇게 어려운 것도 아닌데 말이야."

나는 긴 한숨을 내쉬며 얼굴을 감싸 쥐었다.

"만약 캘럼이 인사 한마디라도 던져 준다면, 그걸 시작으로 내 망상병이 도질지도 몰라. 상상이 꼬리에 꼬리를 물고……. 그렇게 되면 잠은 다 잔 셈이지."

아멜리가 폭소를 터뜨리자 소피가 호기심 어린 얼굴로 우리를 바라보았다. 얼른 아멜리의 옆구리를 푹 찔렀다.

"뭐가 그렇게 재미있어?"

소피가 미소 지으며 물었다. 다행히도 아멜리가 세 번째 브라우니를 잘못 삼켜서 콜록거리는 바람에 대답을 회피할 수 있었다. 아멜리의 기침이 약간 진정되자, 나는 화가 나서 속삭였다.

"다른 사람들한테 말하기만 해 봐!"

내가 협박했다.

"뭐? 무슨 얘긴지 모르겠는데?"

아멜리가 순진무구한 눈으로 대꾸했다.

"솔직히 말해서 너 좋다는 남자애들이 얼마나 많은데, 좀 바보 같아 너. 괜히 못 오를 산은 꿈도 꾸지 말고……."

나는 다시 한 번 화가 난 눈빛을 쏘아 주었지만, 아멜리 말이 맞긴 했다. 이제 캘럼은 잊어버려야 한다. 공공장소에서 저 정도로 무시한다는 건, 나에 대한 관심이 정말 요만큼도 없다는 뜻일 테니까 말이다. 어쩌면 내가 너무 좋아하는 티를 낸 걸까.

"아멜리, 일어나자. 다시 리플릿 나눠 줘야지."

바 의자에서 내려오며 내가 말했다. 당장은 뭐라도 하는 게 낫다. 슬픔에 잠기는 건 나중에 외로운 방 안에서 충분히 하게 될 테니. 그래, 불쌍한 자신을 위해 슬퍼해 주는 건 내 전문이다.

소피가 힘내라는 듯 손을 흔들어 주었다.

이후의 며칠은 아주 느리게 흘러갔다. 먼저 수영 팀 지망자들을 위한 수영 심사가 있었다. 이날을 얼마나 고대했는지 모른다. 무조건 수영 팀에 들어가고 싶었다.

전문 용어로는 공수증hydrophobia이라고 하는 물 공포증이 있긴 했지만, 우습게도 수영하는 건 좋아했다. 물론 호수나 바닷물에는 절대 못 들어갔지만, 실내 수영장에서 수영하는 건 문제없었다. 예전에 상담을 받으러 간 곳에서, 내 공포증이 엄마에게서 전이된 거라고 들었다. 아무튼 걸음마를 배우기도 전에 수영을 먼저 배웠고, 수영 하나는 자신 있었다.

수영 심사 전까지 교내 수영 시설에서 열심히 연습해 오다가 드디어 팀 선발 심사일이 되었다. 생각보다 더 긴장되는 것 같았다. 워싱턴에서 연습하던 것에 비하면 연습을 많이 못 한 게 사실이었다. 왠지 불길한 예감이 들었다. 왜 더 자주 연습하지 않았을까?

"자, 모든 참가자들은 옷 갈아입고 물건을 정리해 둘 것!

10분 후에 시작합니다!"

수영 코치인 팔렌 씨가 수영장 정문을 닫으며 말했다. 그는 키는 작지만 단단해 보이는 체구에 짧은 더벅머리를 하고 있었다.

후보자들은 탈의실로 달려갔다. 내가 오늘 가져온 수영복은 검은색의 '승부 수영복'이었다. 이걸 입고 몇 번 메달을 땄기 때문이다. 오늘도 행운을 가져다주면 얼마나 좋을까!

탈의실에서 나오니, 제이미와 아멜리의 모습이 보였다. 응원차 와 준 거였다.

"너 그거 입으니까 죽이는데?"

제이미가 감격했다. 솔직히 기뻐해야 할지 화를 내야 할지 복잡했다.

몇 주 전, 수영 팀 참가 심사를 보러 가겠다는 내 말에 아멜리는 들뜬 나머지 응원하러 오겠다면서 난리를 쳤고, 제발 오지 말아 달라고 부탁했음에도 오히려 협박까지 했다.

"만약 한마디만 더 투덜거리면, 사람들 더 많이 데리고 갈 거야."

그 말에 항복할 수밖에 없었다.

수영장 안에 들어선 나는, 그 자리에 얼어붙고 말았다. 팔렌 씨 옆에 캘럼이 서 있었기 때문이다. 참가자들 사이에 들어가자 그가 나를 바라보았다. 그의 음침하고 차가운 시선이 느껴졌다.

"잘 부탁드려요."

다른 사람들을 향해 작은 목소리로 인사했다.

"반갑다, 엠마. 자, 이제 시작하자!"

팔렌 씨가 말했다.

모두 출발대 쪽으로 향했다. 나는 갑작스러운 캘럼의 등장에 긴장한 나머지, 바닥만 쳐다보며 걸었다.

"정면 보고 걸어. 안 그럼 다른 사람이랑 부딪히거나 넘어질 테니까. 타일 바닥은 길바닥보다 더 아플걸."

내 등 뒤에서 캘럼이 속삭였다.

그가 말을 걸 거라고는 상상도 못 했기 때문에 무어라 대답도 못 하고 멍하니 서 있기만 했다. 무어라 설명할 수 없는 기묘한 기분이었다. 그때 팔렌 씨가 규칙을 설명했다.

"지금부터 전원 200미터 배영, 200미터 자유형을 실시한다. 그중에서 14명을 추려서 두 명씩 경쟁을 붙일 거다. 최종 합격자는 딱 10명이다. 빨리 헤엄치는 것도 중요하지만 수영하는 자세도 본다는 걸 명심하도록! 그럼 모두들 행운을 빈다!"

모두 출발대 위에 섰고, 차례대로 한 사람씩 수영을 했다. 프로 정도의 실력인 사람도 많았다. 캘럼 차례가 되었다. 그가 수영하는 모습은 놀라웠다. 무엇보다도 수영 스타일이 독특했는데, 속도도 빨랐지만 몸이 마치 물속에 녹아든 것처럼 과도한 움직임이 없었다. 그가 물에서 나와 젖은 머리칼을 쓸어 넘긴 다음 나에게 미소를 지어 보였다. 그의 행동이 너무도 의외였기 때문에 마치 온몸에 전기가 오르는 것 같아서 팔로 몸을 감싼 후 고개를 돌려 버렸다. 혹시 그가 수영하는 모습을 넋을 놓고 바라본 걸 들킨 걸까? 하지만 그의 완벽한 모습 때문에 자꾸만 시선이 가는 걸 어쩔 수 없었다. 가늘고 긴 손가락으로 젖은 머리칼을 쓸어 넘기는 모습도 우아했지만, 보기 좋게 근육이 잡힌 상체 위에 맺힌 물방울이 바닥으로 떨어지는 모습조차 마치 영화 속의 한 장면 같았다. 다른 여자애들도 넋을 잃고 그를 바라보고 있었다. 안 돼, 집중해야 돼. 나는 깊게 심호흡을 했다. 자꾸만 그에게 빠져드는 자신에게 화가 났다. 아무리 몇 주 만에 말을 걸었다고 해도 이렇게 쉽게 흔들리고 말다니. 왠지 심장 건강에도 안 좋을 것 같았다.

"캘럼, 아주 잘했어!"

팔렌 씨가 외쳤다.

"다음이 누구 차례지? 엠마! 이쪽으로 빨리 오거라. 이번엔 네 차례다."

출발대에 오르는 동안에는 긴장이 되었지만, 입수는 잘했다. 나는 빠른 속도로 물살을 갈랐고, 자유형으로 돌아왔다. 제대로 해냈다는 상쾌한 기분이었다. 물 밖으로 나왔을 땐, 모두가 나를 바라보고 있었다. 머리에서 물기를 훑어 내며 물었다.

"제가 뭘 잘못했나요?"

"아니, 그게 아니라……. 대단하구나. 방금 네가 우리 학교 여학생 신기록을 깬 것 같다."

팔렌 씨가 놀라며 말했고, 나도 놀랐다. 캘럼과 눈이 잠깐 마주쳤는데, 그는 또다시 인상을 찌푸리고 있었다. 이건 또 뭐지? 짜증이 났다. 한눈에도 그가 화가 났다는 걸 알 수 있었다.

한순간이었지만 그의 눈동자 색이 평소보다 밝은색으로 보였다. 원래는 짙은 푸른색인데, 하늘색으로 변한 것 같았다. 물론 착각이겠지. 그의 곁에는 발레리가 서 있었는데, 핑크색 수영복을 입은 모습이 감탄을 자아낼 정도로 예뻤다. 아멜리 말로는, 내가 나타나기 전까지는 발레리의 기록이 최고였다고 했다. 발레리의 눈동자가 증오로 이글거렸다.

나는 풀에서 올라와 가운을 걸친 후, 아멜리와 제이미 곁에 앉았다.

"쟤 몸에서 분노가 불꽃처럼 이글거리는 게 보여?"

아멜리가 놀라워했다.

"만날 지가 최곤 줄 알고 나대더니!"

이후에는 두 명씩 짝지어서 우열을 가리는 시합이 벌어졌다. 실력이 비슷한 사람끼리 묶어서 경쟁해야 했기 때문에 발레리와 시합하게 되었다. 출발대 위에 서는데, 캘럼의 차가운 눈빛이 느껴졌다. 화가 나서, 그가 시선을 돌릴 때까지 쏘아보았다. 이젠 물러서지 않을 생각이었다.

입수한 후에는 온 힘을 다해 물살을 갈랐다. 분노가 오히려 힘을 실어 준 듯 발레리를 보기 좋게 눌러 버렸다.

"좋아!"

경기가 끝난 후, 팔렌 씨가 외쳤다.

"결과는 며칠 후에 알림판에 공지하마. 수영 팀 정규 연습은 수요일과 금요일 저녁 9시니까 잊지 말도록!"

팔렌 씨의 말이 끝나자마자 짐을 챙겨서 최대한 빨리 그곳을 빠져나왔다. 아멜리와 제이미는 벌써부터 축하의 말을 퍼부으며 들떠 있었다.

"아직 결과는 모르는 거잖아."

들뜬 분위기를 진정시키려 해 보았지만 둘은 들은 척도 하지 않았다.

"엠마가 수영하는 걸 봤어야 하는데."

저녁 식사 시간, 아멜리가 떠들어 댔다.

"아멜리, 제발!"

나는 기어이 화를 내고 말았다. 아멜리가 아랑곳없이 깔깔대며 웃었다.

"우리 학교에 두 번째 스타가 탄생한 거지! 누군가는 그 과대망상증 환자 발레리를 끌어내려야 했어!"

"혹시 캘럼이랑 시합한 거야?"

피터가 호기심 어린 얼굴로 물었다.

"아…… 아니. 왜?"

나는 얼떨떨한 얼굴로 되물었다.

"그냥 궁금해서. 누가 이길까 하고. 캘럼 진짜 빠르거든."

"말도 마. 어찌나 엠마를 쳐다보던지. 둘이 시합하면 그냥 져 줄지도 몰라. 발레리는 지금쯤 화병 나서 죽을 지경일걸."

머리가 멍해져서 접시 위의 음식만 휘저었다. 제발 얼굴이 빨개진 걸 아무에게도 들키지 말아야 할 텐데. 아멜리 말이 정말일까? 화난 눈빛이 아니었다고? 하지만 그가 나를 마음에 들어 하지 않는다는 건 확실했다. 그리고 그 이유에 대해서는 전이나 지금이나 알 길이 없었다.

"외삼촌, 혹시 근처에서 기타 배울 만한 데 없어요?"

대화 주제를 다른 데로 돌리고 싶었다.

"전에 조금 배운 적이 있거든요. 돈이라면 엄마한테서 물려
받은 게 조금 있으니까……."

에단 외삼촌의 말에 따르면, 엄마가 돌아가시면서 나에게
상당한 액수의 유산을 물려주셨다고 했다.

"글쎄? 여보. 혹시 기타 레슨 해 줄 만한 사람 알아?"

외삼촌이 브리 외숙모에게 물었다.

"에릭슨 박사님한테 물어보면 되지 않을까? 아마 알고 계실
거야."

외숙모가 미소 지으며 식탁 위에 큰 과일 접시를 내려놓았다.

"얼마나 배웠는데?"

외삼촌이 물었다.

"2년요. 재미있었어요. 음악에 소질은 없지만 계속 배워 보
려구요."

"학교 다니고 수영 팀 활동 하면서 기타까지 할 수 있겠어?"

사과 한 쪽을 베어 물며 외삼촌이 물었다.

"아마도요."

사실 학교 성적은 전 과목 다 상위권이었다. 이 조용한 동네
에서 할 거라곤 공부밖에 없었기 때문이다.

"최선을 다해 보려고요. 아직은 수영 팀에 들어간 것도 아니
고……."

외삼촌이 고개를 끄덕였다.

"알았다. 알아보도록 하마."

며칠 후, 게시판에 수영 팀 최종 합격자가 공고되었다. 그 앞에 서서 이름을 읽었다. 내가 나타나니 모두들 숙연해진 듯, 아무도 말을 걸어오지 않았다. 거기에는 내 이름 이외에도 캘럼과 발레리의 이름이 쓰여 있었다. 앞으로 발레리 때문에 골치깨나 썩겠지만 상관없었다. 일주일에 두 번이나 캘럼을 볼 수 있었으니까. 아랫배에서 나비가 날갯짓하는 것 같은 설렘이 느껴졌다.

"축하해. 성공했네?"

그는 아무런 인기척도 없이 내 뒤로 다가와 있었다. 그의 숨결이 느껴지자 목과 등에 약한 전류가 흐르는 것 같았다. 그를 무시하겠다고 다짐해 왔건만, 한순간에 무너질 위기였다. 하지만 왠지 비꼬는 것처럼 들렸기 때문에 뒤를 휙 돌아보았다. 그의 눈동자는 이번에도 하늘색이었다. 게다가 차갑고, 음울했다.

"내가 뭐에 성공했다는 건데?"

그는 내 물음에 침묵하며, 내 눈을 정면으로 쏘아보았다. 그 눈빛이 어찌나 강렬하던지 다리에 점점 힘이 풀렸다. 다행히도 다리가 푸딩처럼 물렁해지기 전에, 그가 몸을 휙 돌리더니 가 버렸다. 나는 힘없이 몸을 벽 쪽으로 털썩 기대었다.

간신히 몸을 가눌 수 있게 되자 화가 치밀었다. 도대체 날 뭐라고 생각하는 거지? 어쩌면 자기 여자 친구의 수영 신기록을 깨 버렸기 때문에 화가 난 걸까? 그렇다면 완전히 바보 머저리였다. 나는 화가 머리끝까지 오른 채 다음 수업을 받으러 교실로 돌아갔다.

5장

〰️〰️〰️

　화요일 오후, 방과 후에 시내에 들렀다. 오랜만에 날씨도 따뜻했지만 소피가 운영하는 작은 서점에 다녀오고 싶었다. 외삼촌 댁은 조용히 책을 읽거나 생각에 잠기기에는 너무 왁자지껄했기 때문이다.

　이곳에 도착한 직후, 따분한 일상에 약간의 기분 전환이 필요했다. 뭔가 신비스럽고 두근거리는 작은 모험 같은 것 말이다. 그러다 소피가 운영하는 서점을 찾아냈고 큰 위로를 얻을 수 있었다. 소피의 서점은 보물 창고 같았다. 이 서점이 없었다면 여기에 이렇게 빨리 적응하진 못했을 거다.

　서점 문을 열고 들어서니 낮게 도어 벨이 울렸다. 처음 서점을 방문했던 날 느꼈던 신비로움이 다시 한 번 느껴졌다. 이곳은 물건을 판매하는 곳이라기보다는 비밀의 화원 같았다. 은은

한 조명 아래, 내부는 조용했다. 기하학적 무늬가 섬세한 음각으로 장식된 유리문을 조심스레 닫으니, 낡은 종이 냄새와 금방 내린 신선한 홍차 향기가 났다. 내가 좋아하는 바닐라 향이 블렌딩 된 홍차였다. 차르르…… 수백 개의 알록달록한 유리 구슬을 꿴 차양이 서로 부딪히는 소리와 함께 소피가 나를 맞았다.

"어머나, 엠마! 어서 와!"

소피의 목소리에 기쁨이 묻어났다.

"이렇게 와 주어서 정말 기쁘구나. 잠깐 안을 둘러보고 있으렴. 방금 차를 내렸는데 약간 더 우러나야 맛있어. 요새 학생들은 지나치게 학교에만 묶여 있는 것 같아서 불쌍해. 홍차를 마시면 힘이 좀 날 거야!"

소피가 고개를 흔들며 차양 뒤로 사라졌다. 그녀의 따뜻함에 절로 미소가 떠올랐고, 정말 하루 동안의 피로가 좀 가시는 것 같았다.

소피는 책을 절대 체계적으로, 그러니까 작가 이름이나 분야별로 분류하지 않았다. 그래서 오래된 가죽 장정으로 싸인 고서와 신간이 한데 섞여 있었다. 호기심 어린 눈으로 오래된 책들을 꺼내 보았다. 《로빈슨 크루소의 모험》이 프랑스 요리책 옆에 꽂혀 있었다. 어린 시절 정말 좋아했던 책이다. 책장을 넘기니, 고전풍의 일러스트가 눈에 들어왔다. 책을 훑어본 후에 원래 자리에 꽂아 놓았다. 하지만 어디에 꽂아 놓으나 상관없을 것 같았다.

서점 곳곳에는 독서 등이 설치되어 있었다. 은은한 불빛 아래로 보물 같은 책들이 눈에 띄었다. 마키아벨리의 《군주론》 옆에는 《모비 딕》이, 율리우스 카이사르의 《갈리아 전쟁기》 옆에는 《오만과 편견》의 개정판이 꽂혀 있었다. 엄마가 좋아했던 버지니아 울프의 《댈러웨이 부인》은 한 무디기의 《내셔널 지오그래픽》 지 아래에 파묻혀 있었다. 《댈러웨이 부인》을 꺼내서 가죽 표지 위를 손으로 훑었다. 그러자 엄마에 대한 기억이 아련하게 떠올라, 마음 한구석이 아렸다. 엄마가 세상을 떠난 지 10개월 정도밖에 되지 않았다니…….

꿈꾸듯이 다른 쪽으로 걸음을 옮겼다. 온통 셰익스피어만 꽂혀 있는 책장이 있었는데, 이곳에서는 유일하게 체계적으로 정리되어 있었다.

캘럼이 셰익스피어를 좋아한다는 건 알고 있었다. 그래서 서점 내에 있는 셰익스피어 책은 그가 직접 여기에 정리해 두었다고 소피가 말했었다. 그의 손길을 느끼며 책들을 어루만졌다.

"왜 남자들은 그렇게 꼼꼼한 걸 좋아하는 걸까?"

소피가 풍성하고 숱이 많은 머리칼을 좌우로 세차게 흔들며 불만스럽게 말했다.

"우리 남편은 내가 여기서 뭘 찾아낸다는 걸 신기해해. 하지만 여기는 내 가게니까 마음대로 할 거야. 대신 집에서는 남편이 알아서 하도록 놔두고 있어. 모든 책이 딱딱 정리가 되어 있지. 심지어 제자리를 찾기 전에는 책장에 못 집어넣게 한다구."

"캘럼이 원하면, 그 애가 하고 싶어 하는 대로 놔둡시다. 만약에 뭘 정리하겠다면 그냥 하라고 해요."

소피가 웃으면서 남편의 목소리를 흉내 냈다.

"전 자유로운 방식이 좋아요. 예를 들면, 아무렇게나 정리해 둬야 평소에 들춰 보지 않을 책도 우연히 발견하게 되니까요."

내 말에 소피가 기쁜 눈빛으로 고개를 끄덕이며 말했다.

"따뜻한 차 마시면서 계속 얘기하자꾸나."

우리는 책장 사이를 지나 입구 쪽으로 가서 삐걱거리는 오래된 가죽 소파에 앉았다. 탁자 위에는 따뜻한 차와 작은 쿠키가 준비되어 있었다.

재킷을 벗어서 두꺼운 카펫 위에 가방과 함께 내려놓고는 찻잔에 우유와 설탕을 넣고 저었다. 차 마시는 문화에도 익숙해졌는지, 더는 스타벅스 표 라테 마키아토가 그립지 않았다.

"그나저나, 여기서 지내는 건 어떠니?"

소피가 물었다.

"그냥……. 가끔 엄마가 그리워요. 대도시에서의 삶도요."

머뭇거리다 털어놓았다.

소피가 이해한다는 표정으로 고개를 끄덕였다.

"나도 처음 이 도시에 왔을 때는 모든 게 낯설고 끔찍하게 촌스러워 보였단다. 남편과 파리에서 만나서 첫눈에 사랑에 빠졌다는 이야긴 안 했었지?"

소피가 잠시 쓸쓸하게 웃었다.

"난 항상 충동적인 데가 있었거든. 그이 아버지가 갑작스럽게 위급하다는 소식을 받고, 함께 이곳으로 오게 된 거지. 엄마 아빠는 난리를 쳤지만 우리를 막을 순 없었어."

연두색 카프탄을 입은 소피의 손목에서 여러 개의 팔찌가 찰랑거렸다. 그 모습을 바라보고 있자니, 1960년대의 파리에서 젊고 매력적인 여성과 스코틀랜드 출신의 열정적인 청년이 사랑에 빠진 순간을 어렵지 않게 상상해 볼 수 있었다.

"처음 이곳에 왔을 때에는 충격이 컸지. 극장도, 무도회도 심지어 도서관도 없었어. 하지만 사랑하는 사람이 곁에 있었으니까 견뎌 낼 수 있었단다. 우리는 종종 에든버러[5]에 갔어. 남편이 스코틀랜드에도 풀밭이나 산, 양 떼 말고 문화라고 부를 만한 게 있다는 걸 보여 주고 싶어 했거든. 여기 온 지 50년이 넘었지만 몇몇은 아직도 나를 외지인이라고 생각해. 하지만 지금은 여기가 내 집이란다."

아마 아무도 소피가 곧 70세가 된다는 사실을 믿지 못할 것이다. 소피가 나를 지그시 바라보며 말했다.

"이곳이 언젠가는 너에게도 집이 되었으면 좋겠구나."

"에단 외삼촌과 브리 외숙모가 절 여기로 데려와 주어서 다행이라고 생각해요. 항상 혼자였기 때문에 형제가 있다는 게 어떤 건지 몰랐거든요. 솔직히 처음에는 두려웠어요."

"지금은 어떠니?"

나는 어깨를 으쓱해 보였다.

---

5 Edinburgh. 스코틀랜드의 중심 도시.

"정신없고, 시끄럽고, 돌발 상황도 많죠. 기대했던 것 이상이에요."

그녀가 그윽한 눈빛으로 나를 바라보았다.

"지금 제가 바라는 건 단 하나, 햇빛을 좀 보는 거예요. 안 좋은 날씨가 이어지니까 우울해지더라고요."

"맞아. 날씨가 안 좋을 때 할 일은 읽고, 읽고, 또 읽는 것밖에 없어."

무겁게 가라앉은 분위기를 쫓아 버리겠다는 듯, 소피가 벌떡 일어나며 말했다.

"뭔가 가슴을 탁 치는 이야기를 찾는다 이거지?"

고개를 끄덕였지만, 그녀가 정확히 무슨 의미로 말하는지는 몰랐다.

"여자 관광객들이 여름휴가 동안에 읽어 젖히는 삼류 소설 말고, 뭔가 좀 더 특별한 걸 찾아볼까?"

소피가 손가락을 나비처럼 팔락이며 책장으로 향했고 나도 조용히 그 뒤를 따라가 보았다. 부드럽게 책 표지를 훑는 모습에 어떤 책을 골라 줄지 기대가 되었다. 그녀가 마침내 책 한 권을 꺼내서 내밀었다. 레프 톨스토이의 《안나 카레니나》였다. 처음 보는 책이었다. 책 소개 글을 훑어보니 왠지 수준 높은 책 같았다.

"미리 말해 두지만, 아마 울게 될 거야. 아주 아름다우면서도 슬픈 이야기란다."

그녀가 다른 책장을 훑어보며 말했다. 그러고는 셰익스피어

쪽에서 멈췄다.

"《로미오와 줄리엣》은 읽어 봤을 거고."

소피가 중얼거렸다.

"《오델로》에 도전해 봐. 다음번에 이 책이 어땠는지 얘기해 주렴. 오늘은 이거 두 권이면 충분할 거야."

소피가 권해 주는 책들은 언제나 적절했고 재미있었다. 나는 미소를 지어 보였다. 그게 내가 할 수 있는 최소한의 보답이었다. 돈을 지불하려 하면 언제나 거절했기 때문이다. 오늘도 내가 돈을 내겠다고 억지를 부리는 바람에 1파운드만 받았다. 대신에 종종 서점의 잔일을 돕곤 했다.

짐을 챙겨서 감사 인사를 했다. 벌써 해가 저물어 가고 있었다.

"고마워 할 필요가 전혀 없단다, 아가! 네가 여기 와 주는 것만으로도 정말 기쁘니까."

그녀는 내 볼에 입을 맞추어 주었다. 문을 열고 밖으로 나가려는 순간, 안으로 들어오던 누군가와 정면으로 부딪혔다. 캘럼이었다.

그가 나를 가슴팍에서 떼어 내다가, 내 얼굴을 알아보고는 움찔했다. 짧은 순간이었지만 그의 손이 닿았던 부분이 화끈거렸다.

"캘럼! 좀 더 빨리 오지 그랬니. 엠마랑 티타임 가졌었는데."

소피의 목소리가 들렸지만, 뒤도 돌아보지 않고 도망치듯 그곳을 빠져나왔다. 서점의 도어 벨 소리만 계속 귓가에 맴돌았다.

드디어 봄의 시작을 알리듯, 따스한 날씨가 계속되었다.

"다음 주말에 친구들이랑 다 같이 수영하러 파다 호수[6] 갔다 올 생각이야. 같이 갈 거지?"

아멜리가 즉흥적으로 제안했다.

"음……. 수영하기엔 아직 좀 이르지 않아? 해 뜬 지 며칠밖에 안 됐잖아."

나는 당황해서 얼버무렸다.

"어휴! 이 약골. 물 온도는 10도나 12도 안팎일 거야."

아멜리가 졸라 댔다. 호수에 들어간다니, 생각만 해도 무서워서 핑계를 짜내느라 머리를 굴렸다.

"내가 약골이면 넌 북극곰일 거야."

"넌 어차피 물 근처에도 안 갈 거잖아. 그냥 선탠만 해. 어쩌면 쪼잔한 스코틀랜드의 태양이 자비를 베푸셔서 네 피부를 노릇노릇하게 구워 줄지도 모르잖아. 너야말로 요새 북극곰 같아 보이거든?"

"알았어. 가는 쪽으로 생각해 볼게."

못 이기는 척했지만, 내 물 공포증을 유머러스하게 넘겨 준 게 고맙긴 했다.

"또 누가 가는데?"

---

6 스카이 섬에 있는 호수.

"일단 물어보고. 피터도 친구 몇 명 데리고 올 거래. 완전 재밌겠다!"

저녁 식사 시간이 되자 성질 급한 아멜리가 외삼촌과 외숙모에게 곧장 허락을 구했다.

"엠마랑 토요일에 친구들 몇 명 데리고 호수 갔다 올게요. 괜찮죠?"

"좋은 생각인데? 모처럼 섬을 좀 둘러볼 기회고 말이야. 몇 시쯤 출발할 건데?"

브리 외숙모가 물었다.

"한 12시쯤?"

"알았어. 그럼 우리는 한나랑 앰버 데리고 에반스 씨네 집에 갔다가 저녁에 피자집에서 기다리고 있을게. 오랜만에 다 같이 외식이나 하자꾸나. 엠마, 너도 아마 거기가 마음에 들 거다. 걱정 말고 재미있게 놀다 오렴!"

내 쓸쓸한 표정을 본 외숙모가 말을 덧붙였다. 나는 마지못해 고개를 끄덕였다.

토요일이 되자 아멜리는 오전 내내 소풍에 필요한 것들을 꾸렸다. 자기 말로는 '필수' 항목이라지만 좀 주관적인 생각 같았다. 따뜻한 차도 보온병으로 몇 개나 준비했고, 음식 저장실을 수도 없이 기웃거리며 먹을거리를 챙겼다.

"부대 하나를 먹일 셈이야?"

아멜리는 내 비아냥에도 아랑곳없었다. 그래서 아멜리를 돕는 건 포기하고, 방으로 돌아와 비키니를 입을지 원피스 수영복을 입을지 고민하다가 남색 스포츠 타입 비키니와 비치 타월, 가운을 챙겨 넣었다. 바깥은 21도였는데, 미국에서는 5월 중순 정도의 날씨에 불과했지만 이곳 스코틀랜드에서는 상당히 따뜻한 날씨였다. 하지만 오늘 수영복을 입을 수나 있을까 걱정이 되었다. 생각만 해도 추울 것 같았지만, 흥겨운 분위기에 찬물을 끼얹고 싶진 않았다.

우리는 정확히 정오에 출발했다. 중간에 제이미도 태웠다.

"다른 사람들은 호수에서 만나기로 했어."

아멜리가 씨익 웃었는데, 무슨 꿍꿍이가 있는 것 같았지만 정확히 누가 오기로 했는지는 말해 주지 않았다.

"피터! 누가 또 오는데?"

조수석 뒤에 앉은 피터와 제이미를 돌아보며 내가 물었다.

"그냥 친구들 몇 명한테 물어봤을 뿐이야. 아멜리도 자기 친구들한테 물어봤고. 에이든은 확실히 온다고 했는데 누가 더 올진 나도 잘 몰라."

누가 올지 잘 모르겠다니! 왠지 상당히 지루한 하루가 될 것 같은 불길한 예감이 들었다. 만일을 대비해서 《오델로》를 가져오긴 했다. 한마디로 '나 방해하지 마시오' 표지판인 셈이었다.

차로 30분 정도 걸려서 목적지에 도착했다. 여태껏 스카이 섬을 둘러볼 기회가 거의 없었는데, 이렇게 아름다울 거라고는 상상도 못 했다. 호수 표면에 반사된 햇빛이 무지개 색으로 빛났고, 호수 주변에는 초록색의 낮은 산봉우리가 푸른 하늘을 향해 솟아 있었다.

"예쁘지?"

아멜리가 내 옆으로 와서 섰다.

"오늘 날씨 완전 제대론데?"

제이미가 끼어들었다.

"후딱 짐 풀어 놓고 얼른 물에 들어가자!"

호수 주위에는 낮은 언덕이 여러 개 있었는데, 그 주위로 작은 노란색 꽃들이 만발했다. 그 광경만으로도 봄이 느껴졌다.

"다른 사람들은?"

나는 길 쪽을 두리번거리며 물었다.

"금방 도착할 거야."

아멜리가 대꾸했다.

우리는 깔개와 소풍 바구니를 들고 와서 호숫가 주변에 펼쳐 놓았다. 아멜리와 제이미가 옷을 벗고 있는 동안 두 대의 자동차가 도착했다. 햇빛이 시야를 가려서 손바닥을 이마에 짚으며 자동차를 바라보았다. 첫 번째 차에서는 수영 팀 선발 때 봤던 남자 두 명과 낯선 여자애 두 명이 내렸다. 두 번째 차에서는 마크, 에이든, 발레리와 캘럼이 내렸다.

캘럼을 발견한 순간, 심장이 쿵 내려앉는 것 같았다. 이미 잘 넘어지는 덜렁이라는 걸 들켰는데 이제는 물에도 못 들어가는 겁쟁이라는 사실까지 들키게 생겼다. 얼마나 비웃음을 당할까! 아멜리를 째려봤지만 아랑곳없다는 듯 씩 웃기만 했다. 모두들 반갑게 인사를 나눴고 발레리는 캘럼 곁에 딱 붙어 있었다.

짐을 풀기도 전에 모두들 괴성을 지르며 물속으로 뛰어 들어갔다. 물론 나는 물 밖에 있었다. 캘럼도 물에 들어가지 않았다. 우리는 작은 바위 위에 서서 호수를 바라보았다. 뭘 해야 할지 막막해졌다. 난생처음으로, 물을 무서워한다는 게 정말이지 어리석게 느껴졌다. 그런데 나는 그렇다 치고, 캘럼은 왜 물에 들어가지 않는 거지? 그때 그가 내 뒤로 가까이 다가왔다. 우리 사이의 공기조차 떨고 있는 것 같았다. 제발 내가 긴장하고 있다는 걸 들키지 말아야 할 텐데!

"왜 물을 무서워해?"

그는 내 물 공포증을 기억하고 있었다. 하지만 왜 그 이야길 지금 꺼내는 건지, 게다가 내게 말을 걸었다는 게 혼란스러웠지만 놀리려는 의도는 아닌 것 같았다. 나는 고개를 좌우로 흔들다 한숨을 내쉬었다. 어차피 비웃음밖에 더 사겠어.

"설명은 잘 못 하겠어. 그냥 깊고 어두운 물이 무서워. 그게 어두움 때문인지 그 안에 괴물이 살고 있다고 생각해서인지는 몰라. 그냥 맘대로 생각해."

자기가 생각하고 싶은 대로 생각하라지. 어차피 상관없었다.

"괴물에 대한 공포심은 바람직한 거야."

그가 대꾸했다. 이제야 본격적으로 놀리기 시작한 것 같다. 나는 몸을 돌려 그를 똑바로 바라보았다. 하지만 그의 진지한 눈빛 때문에 몸의 균형을 가누기가 힘들었다.

"맘대로 생각해. 놀리는 말에는 익숙하니까."

최대한 아무렇지도 않은 듯, 어설프게 쿨 한 척해 보았다. 그가 먹이처럼 던져 주는 말 몇 마디에 목을 매는 멍청한 여자애들과는 다르다는 걸 보여 주고 싶었다. 내 말에 그가 놀란 듯 눈을 치켜뜨더니 몸을 돌려서 호수 근처 깔개 쪽으로 가 버리자, 오히려 당황한 건 내 쪽이었다. 이제는 말 한마디조차 나눌 수 없게 되어 버렸다. 너무 과민 반응 해 버렸나? 비참한 기분으로 입술을 깨물었다.

조심스럽게 바위를 손으로 짚으며 물가로 다가갔다. 발부터 천천히 들어가 보면 괜찮을지도 모른다. 물이 너무 차가울까 봐 겁이 나서 일단 물가의 바위 위에 앉아서 발끝으로 물장구를 쳐 보았다. 물 온도는 괜찮은 것 같아서 천천히 깊은 곳으로 나아갔다. 발바닥에 모래의 감촉이 느껴지자 약간 안도감이 들었다. 정강이까지 물이 차올랐다. 생각처럼 물이 차지는 않았다. 그때 뭔가가 다리에 엉겨 붙는 느낌이 들었다. 몸이 덜덜 떨리기 시작했다. 길고, 미끌거리고, 흐물거리는 감촉이었다. 비명을 지르고 싶었지만 목소리가 나오지 않았다. 떨림이 점점 심해졌다. 그 순간 캘럼의 목소리가 나를 패닉에서 끌어냈다.

"엠마, 무슨 일이야? 거기서 나와! 내 손 잡아."

하지만 움직일 수가 없었다.

"음……. 몸 돌리지 마. 내가 들어가서 꺼내 줄게."

그의 목소리를 들으니 좀 진정되는 것 같았다. 천천히 몸을 돌리니 그의 걱정스러운 표정이 보였다. 손을 내밀어 그의 손을 잡자, 그가 마치 깃털을 건지듯 나를 안아 올렸다. 그러고는 내 얼굴을 살피며 물었다.

"대체 무슨 일이야?"

"뭔가가 내 다리를 잡았어!"

더듬거리며 말했다.

"물풀이야. 사방에 자라고 있거든. 물속에는 왜 들어간 거야? 공포증 있다며."

그가 어이없다는 듯 한숨을 쉬었지만 대꾸조차 할 수 없었다. 숨을 제대로 쉴 수 없었기 때문이다.

"저기 햇빛 비치는 쪽으로 데려다 줄게. 좀 진정될 거야."

그의 목소리가 한결 누그러졌다. 그가 내 어깨에 팔을 둘러 자기 쪽으로 바싹 끌어당겼다. 그 순간 마치 몸속으로 전류가 타고 지나간 듯 찌릿한 느낌 때문에 소스라치게 놀라고 말았다. 그도 뭔가 느꼈는지 곧바로 내 몸에서 손을 뗐다.

"여기."

그가 내 가운을 집어서 건네주었다. 가운을 입으니 몸이 따뜻해져서 한결 나아지는 것 같았다. 그가 보온병에서 따뜻한 차를 한 잔 따라 건네주었다. 차마 그를 쳐다볼 엄두가 나지 않아서 깔개 위에 앉아 무릎을 세우고 얼굴을 파묻었다.

"어쩌다 그렇게 된 거야?"

그가 호기심 어린 목소리로 물었다. 그에게 대답해 줘야 할 필요가 있을까? 대답을 하는 게 망설여졌다. 들춰내고 싶지 않은 비밀이었기 때문이다.

"설명하자면 복잡해."

그의 짙은 바다색 눈동자와 시선이 만나자 또 온몸의 힘이 빠지는 것 같았다. 찻잔을 꼭 움켜쥐고 고개를 돌렸다.

"얘기해 줘."

그의 목소리가 부드럽게 속삭였다. 그가 내 옆으로 와서 앉자, 긴장이 돼서인지 피부가 화끈거렸다.

"뭐랄까……. 모든 종류의 물을 다 무서워하는 건 아니야. 게다가 수영하는 건 정말 좋아해. 마치 물이 나를 잡아끄는 것 같은 기분이 들어."

떨리는 목소리로 입을 열었다.

"정말 그런 것 같더군."

그가 미소 지으며 말했다.

"도대체 나한테 왜 이러는 거야?"

내 갑작스러운 질문에 캘럼이 되물었다.

"뭐가?"

바로 이런 거 말야! 분명 지난주까지만 해도 그렇게 무시하더니 왜 이제 와서 이렇게 친한 척하는 거지? 하지만 차마 물어볼 수 없었다. 어떤 대답을 듣든 괴로울 것 같았기 때문이다. 어쩌면 일부러 무시하려던 게 아닐 수도 있으니까.

"아무것도 아냐. 아무튼 엄마는 내가 호수나 바다 근처에 못 가게 했었어. 종종 같이 도보 여행을 가도 물가엔 안 갔어. 좀 더 나이가 들었을 때는 호수나 바다에 안 들어가겠다고 맹세를 한 후에야 청소년 캠프에 참가할 수 있었고."

잠시 침묵한 후 다시 입을 열었다.

"물론 쉬운 건 아니었지만 약속은 약속이니까. 그런데 어느

샌가 그게 물 공포증으로 변해 있더라고."

엄마와의 추억에 나도 모르게 눈물이 고이더니, 볼을 타고 흘러내렸다.

"왜 울어?"

"엄마가 돌아가신 지 얼마 안 됐어."

"……많이 그립겠군."

그가 나지막이 말했다. 손등으로 얼른 눈물을 훔친 후에 마음을 진정시켰다.

"물 공포증이 그냥 심리적인 문제라는 건 알아. 하지만 나도 어쩔 수가 없어. 오늘도 별로 오고 싶지 않았는데……."

"그런데?"

"아멜리가 같이 오자고 어찌나 졸라 대던지 거절할 수가 없었어. 아멜리가 조르면 당해 낼 사람이 없거든."

잠시 침묵이 이어졌다.

"여기가…… 마음에 들어?"

그가 물었다.

"왜 묻는 건데?"

의아하다는 표정으로 그를 바라보았다.

"글쎄."

그가 미소 지었다. 그를 무시하겠다던 모든 절개와 기상은 그 미소 한 번에 와르르 무너져 버렸다.

"처음엔 힘들었어. 하지만 조금씩 좋아지는 것 같아. 아멜리는 내 가장 친한 친구야. 가끔 까탈스럽게 굴어서 그렇지. 마음에 드는지…… 아직은 거기까진 잘 모르겠어."

다시 한 번 침묵이 흘렀다. 우리는 저 멀리 호수를 바라보았다.

"오늘 네가 여기 와 주길 바랐어."

그가 작게 속삭였다. 그래서 정말 그렇게 말했는지 확신이 서지 않았다. 눈이 마주치자, 또다시 그의 강렬한 눈빛에 빠져들었다.

"다른 애들이 수영하고 있는 동안에 장작을 모아 놓자."

캘럼이 먼저 일어났고, 대화는 그걸로 끝이었다. 우리는 근처의 작은 숲을 돌아다니면서 운반할 수 있을 만큼의 마른 나뭇가지를 모았다. 그는 아까처럼 우리 몸이 닿지 않도록 조심하는 것 같았다.

다른 애들이 물에서 나왔을 땐, 따뜻한 모닥불이 타고 있었고 꼬챙이에는 감자와 소시지가 타닥거리며 익어 가고 있었다. 우리는 달콤한 마시멜로도 구워 먹었다.

아멜리가 나를 뜯어보았다. 아마 캘럼과 무슨 이야기를 나눴는지 나중에 꼬치꼬치 캐묻겠지. 아멜리의 레이더망을 피해 갈 수는 없을 테니 말이다.

식사 후에는 에이든과 캘럼이 기타를 가져와서 스코틀랜드 노래 몇 곡을 함께 불렀다. 몇 곡밖에 몰랐지만, 캘럼의 노래가 끝나지 않기를 바랐다. 나는 깔개 위에 누워서 태양을 만끽했다.

"일어나!"

아멜리가 젖은 머리칼에서 물방울을 떨어뜨렸다.

"차가워! 그만해!"

비명이 터져 나왔다. 아멜리가 깔깔대며 웃었다. 몸을 일으키고 앉아 수건으로 몸 위에 떨어진 물방울을 닦아 냈다. 그 모습을 지켜보던 캘럼의 입가에도 미소가 번졌다.

"이제 돌아가자. 지금 일어서야지 제시간에 맞춰서 집에 도착할 거야!"

옷을 갈아입으러 차로 뛰어가며 아멜리가 외쳤다. 서둘러서 티셔츠와 바지를 입고, 남은 음식과 물건을 챙겨서 깔개와 함께 바구니에 넣었다. 그런 후에는 아쉬운 작별의 인사를 나누었는데, 솔직히 말해서 발레리와 캘럼이 한 차로 출발하는 걸 보니 질투가 났다.

돌아오는 내내 캘럼과 나누었던 말들을 떠올렸다. 그의 눈빛과 표정이 어땠는지, 무슨 이야기를 나누었는지 생각하느라 정신이 팔려 있었다. 행복감에 젖어 있는데 아멜리가 끼어들었다.

"빨리 말해. 무슨 일이야?"

"아무 일도 없는데?"

시치미를 뚝 뗐다.

"아까 캘럼이랑 무슨 얘기 한 거야? 계속 너만 쳐다보던데?"

아멜리의 말에 에이든이 물었다.

"왜, 질투 나?"

나는 에이든을 쿡 찌른 다음, 창밖으로 시선을 돌렸다. 웬일인지 아멜리가 더는 캐묻지 않았지만, 백미러에 비친 아멜리의 표정에는 장난스러운 미소가 떠올라 있었다. 마치 다 안다는 듯이. 그래서 어떤 힌트도 던져 주지 않기 위해 입을 꾹 다물었다.

외삼촌 부부와 쌍둥이는 피자집에서 우리를 기다리고 있었다. 가게는 만원이었고 황홀한 냄새가 났다. 지치고 배가 고팠던지라 의자 위로 무너지듯 몸을 기댔다.

"호수는 어땠니?"

메뉴판을 넘기면서 외삼촌이 물었다. 모두들 메뉴 정하는 걸 어려워했는데, 메뉴가 다양해서가 아니라 외식을 할 일이 별로 없기 때문이었다.

"완전 좋았어요."

아멜리와 내가 동시에 대답했다. 외숙모의 표정이 밝아졌다.

"거기가 마음에 들 줄 알았어!"

"엠마의 경우엔 호수가 마음에 들었다기보다……."

아멜리가 메뉴판을 읽으며 중얼거려서 황급히 옆구리를 쿡 찔러 줬다. 그러자 음흉한 미소가 돌아왔다.

나는 버섯 피자와 콜라를 주문했고 모두들 즐겁게 피자를 먹어 치웠다. 후식으로는 엄청난 양의 티라미수 케이크까지 주문했다. 우리는 많은 이야기를 나눴고 정말 몇 주 만에 처음으로 즐거웠다.

6장

　"외숙모, 오늘 오후에 에릭슨 박사님 댁에 다녀와도 돼요? 엄마 초상화 좀 보고 올게요. 지난번에 소피에게 들었는데, 거기에 엄마가 그린 그림을 보관하고 있다고 그러시더라고요."

　최대한 자연스럽게 말을 꺼내 보았지만 내심 초조했다. 호수에 다녀온 이후, 캘럼이 학교에 결석한 지 거의 일주일이 다 되어 가고 있었다. 게다가 어제는 수영 팀 연습에도 나오지 않았다. 호숫가에서 나누었던 말, 그의 손길과 눈빛이 자꾸만 떠올랐다. 만약 다시 만난다면 나에게 어떤 태도를 보일지 기대도 되었고, 마치 배 속에서 나비가 팔랑이는 것 같은 설렘을 하루하루 견디는 것도 고역이었다.

　"그러렴. 에릭슨 박사님과 소피도 좋아할 거다. 전화해서 너 간다고 얘기해 놓을게."

외숙모가 밝은 얼굴로 수화기를 들자 약간 양심의 가책이 들었다. '목사관'에 가는 주목적은 오로지 캘럼 때문이었다.

기대감 때문에 오후 수업에는 거의 집중할 수 없었고, 예고 없이 본 수학 시험도 완전히 망쳐 버렸다. 집으로 돌아오니 부엌에 외숙모의 쪽지가 남겨져 있었다.

에릭슨 부부가 5시에 차 마시러 오래. 재미있게 놀다 와!

시계를 보니 오후 3시 30분이었다. 남은 1시간 30분이 영원처럼 느껴져서, 자투리 시간이라도 활용할 겸 숙제를 좀 했다. 그런 다음 스케치북을 꺼내서 에릭슨 가에 가져갈 그림 몇 장을 추렸다. 원래는 몇 장 골라서 액자에 넣어 내 방에 걸어 놓을 생각이었지만, 고르기가 쉽지 않아 포기했었다.

미국에서 그렸던 엄마의 초상화와 풍경화, 여기에 도착한 뒤 그린 바닷가 풍경화를 고른 다음 갓 세탁해 놓은 청바지와 하늘색 V 라인 스웨터를 걸쳤다. 머리도 빗고 입술에는 립글로스도 발라 보았다. 거울 속의 모습은 썩 괜찮았다. 지난 몇 주 사이에 눈 밑의 검은 그늘도 사라졌고, 봄 햇살이 피부 톤을 한결 따뜻한 빛깔로 바꾸어 놓았다.

5시 조금 전에 도착하려고 4시 30분쯤 출발했다. 에릭슨 박사 가족이 살고 있는 저택은 목사가 살지 않은 지 150년이나 되었는데 아직도 목사관이라고 불렸다. 그 저택은 수백 년에 걸쳐 에릭슨 가문에 상속되어 내려왔다고 한다. 집 앞에 도착해서 심호흡을 한 후, 오래되어 보이는 초인종을 눌렀다. 맑은 종소리 같은 초인종이 울렸다. 엄마에게 받았던 은 목걸이를 만지작거리며 기다리고 있는데, 캘럼이 문을 열어 주었다. 몸에 살짝 달라붙는 상아색 스웨터와 청바지 차림이었는데, 황홀할 정도로 멋있어 보였다. 그의 곁에 있자니 나 자신이 미운 오리 새끼 같았다. 그는 나의 쭈뼛거리는 태도 때문에 놀란 모양이었다.

"너 오늘 우리랑 차 마시러 온 거 맞지? 거기 서 있지 말고 들어오는 게 어때?"

그가 웃으며 물었다. 우리랑? 그도 같이 마시겠다는 거야? 멍하니 그의 말을 곱씹고 있는데, 그가 목걸이를 만지고 있던 내 손을 살짝 잡아끌었다.

"조심해 줘! 끊어지겠어."

그의 손을 뿌리친 다음, 필요 이상으로 퉁명스럽게 말했다.

"난 어린애가 아니야. 내 발로 들어갈 수 있어."

그의 표정에 놀란 기색이 역력했다. 도대체 내가 왜 이러지? 얼굴이 홍당무처럼 빨개졌다.

"미안……. 나 평소에는 이렇게 무례하지 않은데……."

그가 나를 바라보면서 말했다.

"알았어. 앞으로 네가 무례한 말을 해도 못 들은 척할게."

뭐지? 날 놀리는 걸까?

"호숫가에서 너와 보낸 시간은 즐거웠어."

그가 말을 이었다. 나는 고개를 끄덕이며 발끝만 쳐다보았다.

"이제 안으로 들어갈까?"

그가 물었다. 우리는 같이 안으로 들어갔다. 저택 내부는 외부보다 더 아름다웠다. 다른 집이라면 벽지나 그림이 붙어 있어야 할 곳에 온통 책장이 서 있었다. 오래된 종이와 가죽 책 표지 냄새가 향기로웠다.

"지난주 내내 어디 있었어?"

누가 오기 전에 얼른 물어보았다. 그게 나에게 있어서는 가장 절박한 질문이었을 터다.

"사적인 일이 좀 있었어."

그가 짧게 대꾸하고는 부엌 쪽으로 사라졌다.

잠시 후, 에릭슨 박사와 소피가 나와서 반갑게 나를 맞으며 거실 소파로 안내해 주었다. 거실에도 온통 책장이 보였고 바닥 곳곳에도 책이 쌓여 있었다. 일반 가정집에서 이렇게 많은 책을 본 건 처음이었다. 탁자에는 아름다운 찻잔 세트와 미니 샌드위치, 직접 구운 스콘이 차려져 있었다.

"캘럼, 차 좀 따라 주겠니?"

소피가 부탁했다. 그가 고개를 끄덕이고는 찻잔에 차를 따라 주었다. 향긋한 향기가 방 안 가득 퍼졌다. 나를 가만히 관찰하던 그가 싱긋 웃어 보여서, 당황한 나머지 미소로 답해 주었다. 이제 더 이상 모욕하거나 짓궂게 굴지 않기로 결정한 모양이었다. 하지만 가장 나를 가장 결정적으로 당황하게 만든 건 오후의 티타임에 동참해 준 거였다.

우리는 차와 다과를 즐기며 한담을 나눴다. 학교 이야기를 하면서 선생님들 흉을 보다가 폭소를 터뜨리기도 했다. 에릭슨 박사는 얼마 전 섬 전체를 도보 여행했다며, 언젠가 같이 가 보자고 권했다.

"자, 이제 네 그림 좀 구경시켜 다오."

에릭슨 박사의 부탁에, 그림을 꺼내서 그에게 하나씩 건네주었다. 에릭슨 박사의 시선이 엄마의 초상화 위에 오래 머물렀다. 그가 연필 선을 따라 조심스럽게 엄마의 얼굴을 쓰다듬으며 말했다.

"정말 아름다운 여성이었단다."

그가 회상에 잠기듯 중얼거렸다. 캘럼의 시선이 느껴졌다. 에릭슨 박사가 그림을 돌려주며 진지하게 덧붙였다.

"정말 잘 그렸구나."

그가 다른 그림들에도 찬사를 퍼부었다.

"그림을 액자에 넣고 싶은데, 어디에서 할 수 있을까요?"

그림을 다시 넣으면서 물었다.

"그런 거라면 우리한테 맡겨 주렴. 캘럼이 손재주가 많단다."

캘럼과 시간을 좀 더 많이 보낼 수 있는 기회를 마다할 이유는 없었다. 나는 살며시 그를 바라보았다.

"엠마, 이쪽으로 와 보렴. 그림을 좀 보여 줄게. 우리가 오랫동안 수집해 온 것들이란다."

소피가 미소 지어 보였다.

"브리한테는 네가 저녁 먹고 갈 거라고 일러둘게. 밥 먹고 캘럼이 집까지 데려다주는 걸로 하자."

그와 단둘이 집에 돌아갈 생각에 가슴이 콩닥거렸다. 혹시라도 그 소리가 방 안 사람들에게 들릴까 봐 조마조마했다.

에릭슨 박사와 캘럼이 집 뒤편에 있는 넓은 정원으로 안내해 주었다. 거기에는 처음 보는 아름다운 꽃들이 석양에 물들어서 신비하게 빛나고 있었다.

두 사람은 정원을 가로질러서 채소밭 끄트머리에 있는 작은 오두막으로 나를 안내했다. 벽은 덩굴손으로 뒤덮여 있었고, 전체가 살짝 기울어져 있었다. 캘럼이 문을 열자 삐거덕거리는 소리와 함께 커다란 나무문이 열렸다. 안에 들어가니 신선한 목재와 물감, 송진 냄새가 났다. 집 안으로 석양빛이 쏟아져 들어왔고, 빛줄기 사이로 먼지 입자가 천천히 움직이는 게 보였다. 주위를 둘러보니 정말 신기했다. 마치 옛날 영화의 세트장 같았다. 회칠하지 않은 낡은 벽돌 벽 위에는 여행 기념품들이 걸려 있었다. 또 다양한 종류의 가면과 그림, 오래되어 보이는 십자가, 낡은 고삐와 20여 개의 녹슨 말편자도 진열되어 있었다.

"내 행운의 마스코트들이란다."

에릭슨 박사가 미소 지으며 설명해 주었다.

"세계 각국에서 가져왔지."

혹시 물건들을 쓰러뜨릴까 봐 천천히 조심스럽게 걸어서 액자와 그림 들이 쌓여 있는 쪽으로 가 보았다. 바닥에는 액자 틀과 공구 들, 완성되거나 미완성된 풍경화들이 있었다. 그림들은 마치 예술 작품 같았는데, 그에 비하면 내 그림은 완전 아마

추어였다.

그림을 보면서 감탄하고 있는 동안에 캘럼이 벽에 기대어 놓은 액자 틀 무더기 쪽으로 가서 세 개를 골라 왔다.

"내 생각에 이거면 네 그림들에 맞을 거 같아."

그가 큰 작업 테이블 위에 액자들을 올려놓고는 내 손에서 그림을 가져다가 액자에 대 보았다.

"어때?"

그가 엄마의 초상화에 섬세한 무늬를 새긴 밝은 갈색의 액자 틀을 대 보면서 물었다. 확실히 그림이 더 살아나 보였다. 나는 고개를 끄덕이며, 그가 민첩한 손놀림으로 액자 판을 분리하고 유리판을 떼어 내는 걸 지켜보았다.

"이것 좀 닦아 줄래?"

그가 유리판을 내게 건네며 물었다.

"유리 세정제랑 헝겊은 저쪽 서랍장에 있어."

유리판을 닦는 동안, 그가 액자에 결함이 없는지 살폈다. 칠이 벗겨진 곳에는 맞는 색상을 바른 후 광택제를 덧발랐다. 유리판을 다 닦고 난 후에는 그의 곁에 앉아서 그가 작업하는 모습을 지켜보았다.

"집사람한테 도움이 필요한지 좀 보고 오마. 알아서 할 수 있지?"

에릭슨 박사가 물었다. 그가 같이 있다는 사실조차 잊고 있었다.

캘럼은 묵묵히 작업을 계속했다. 그의 얼굴에서 어떤 힘과 기품이 배어 나왔다. 그의 볼을 만져 보고 싶은 욕구가 일렁거렸다. 그의 가늘고 긴 손가락을 바라보면서, 그 손가락이 나를 어루만지는 상상에 마른침을 삼켰다. 그 모든 망상이 바보 같았다. 아멜리 말처럼, 여태껏 무시하다가 왜 이제 와서야 호감을 가지겠어? 게다가 널린 게 자기 좋다는 여자들인데 왜 굳이 날 택하겠어?

그가 갑자기 나를 바라보며 미소를 지어 보였다.

"왜?"

내 물음에 그가 고개를 가로젓더니 또 묵묵히 액자만 매만졌다. 아마 내 시선을 느낀 모양이었다. 마침내 액자가 완성되자, 그가 그림을 빛에 비춰 보았다.

완벽했다.

그가 액자를 무릎에 올려놓고 다음 그림을 꺼내 들었다. 바닷가 절벽 위에서 그린 그림이었다. 그림을 그리던 날의 바다는 평소와는 다른 푸른빛이었는데, 물감을 섞어서 비슷한 색을 찾아낸 건 기적이었다. 그가 그림을 물끄러미 바라보는 동안, 그의 눈 색깔도 그와 같은 파란색이라는 사실을 깨달았다.

그림을 그리던 날, 피터와 나는 석양 무렵까지 절벽 위에 머물렀었다. 그 무렵의 바다는 고요하면서도 위협적으로 출렁였는데, 그때의 느낌이 그림에 잘 드러나 있었다.

"엄마한테 무슨 일이 있었는지 말해 줄 수 있어?"

갑작스러운 그의 물음으로 생각의 흐름이 끊겼다. 나는 침을 꿀꺽 삼켰다. 엄마가 돌아가신 뒤로 가능하면 그 주제에 대해 말하거나 생각하는 걸 피해 왔었다. 쉽게 설명할 수만 있다면 얼마나 좋을까.

캘럼은 대답을 재촉하지 않았고, 내가 준비될 때까지 기다려 주었다. 그의 눈을 바라보자, 믿을 수 있다는 확신이 들었다. 심호흡을 한 후, 그날 밤의 사고와 엄마의 마지막 모습에 대해서 더듬거리며 입을 열었다. 캘럼은 액자를 내려놓고 내 옆에 바싹 기대어 앉았다.

내 이야기가 끝나자 그는 말없이 나를 바라보았다. 눈물이 볼을 타고 흘러내렸다. 그가 손을 뻗어서 내 눈물을 닦아 주었다.

"어려운 이야기를 꺼내게 해서 미안."

그가 나를 안아 주며 속삭였다. 그의 가슴에 살며시 머리를 기대었다. 그에게서 태양과 바다의 냄새가 났다.

"나한테 왜 이러는 거야?"

이렇게 물으면서도 감히 그를 바라보지 못했지만, 그의 팔이 나를 놓지 말아 주었으면 했다.

"뭘?"

그가 내 머리카락을 쓰다듬으며 물었다.

"지난주까지만 해도 날 계속 밀어냈잖아. 왜 갑자기……. 이렇게 친절하게 대해 주는 거야?"

"나도 잘 모르겠어."

그의 목소리가 낮게 갈라졌다.

"널 처음 봤을 때…… 네가 고래 옆에 헝클어진 상태로 앉아 있는 모습을 본 순간, 나에게 위험한 존재라는 느낌을 강하게 받았지."

그의 말에 격분해서는 몸을 일으켜 앉았다.

"하지만 내가 어떤 사람인지 알지도 못했잖아."

하지만 그의 미소에 여태껏 쌓여 왔던 섭섭함이 눈 녹듯 사라져 버렸다.

"말했듯이, 그냥 느낌이었을 뿐이야. 네가 물속에 서서 고래를 도와주는 모습이 강하게 남았었지. 그때부터 너를 계속 지켜봐 온 거야."

"지금은? 충분히 지켜봤어?"

"응."

그가 나를 놓아주고는 다시 액자를 손에 잡았다. 나는 그를 미심쩍게 바라보았다. 그의 설명만으로는 충분히 납득이 가지 않았지만, 대답해 줄 준비가 되지 않은 건지도 몰랐다.

"왜 친부모님과 같이 살지 않아?"

약간의 시간이 흐른 후에 내가 물었다.

그가 고개를 저은 후, 짧고 단호하게 대꾸했다.

"난 내 부모님이 누군지 몰라."

마치 더 이상 질문하지 말라는 말투였다.

"이 그림이 제일 마음에 드는군."

그가 바닷가 그림을 바라보며 말했다.

"혹시……."

그가 머뭇거렸다.

"이거 내가 가져도 될까?"

지금 내 그림을 가지고 싶다고 말한 거야?

"내 방에 걸어 놓고 싶어."

그의 목소리가 긴장되어 있었다.

"물론. 마음에 들면 가져."

그가 내 그림을 가져 주겠다는 사실만으로 기뻤다. 그가 흰색 액자 틀을 집어 들었다가 다시 내려놓은 후, 액자 틀이 쌓인 곳에서 밝은 회색 액자를 골라 그림에 대 보고는 만족스럽게 바라보았다. 그러고는 엄마의 초상화를 넣었을 때처럼 세심하게 그림을 고정시켰다. 그의 곁에서 이 모든 과정을 지켜보면서, 여러 가지 생각이 꼬리에 꼬리를 물고 이어졌다.

"벌써 시간이 많이 지났어."

그가 액자를 완성한 후 말했다.

"다른 그림은 다음번에 해 줘도 될까?"

"네가 작업하는 걸 구경하게 해 주면."

"물론."

그가 내 허리를 잡고 작업대에서 번쩍 들어 올려 바닥에 내려 주었다. 그의 손길이 닿은 곳이 간지러웠다. 그와의 접촉과 친밀함 때문에 머릿속이 혼란스러워졌다. 그의 탄탄하고 넓은 가슴이 바로 눈앞에 있었고, 이성을 잃지 않으려면 정신을 바짝 차려야 했다. 그가 곁에 놓인 그림을 손에 들고 말했다.

"저녁 먹을 시간이야. 가자."

우리는 말없이 정원을 지나 저택 안으로 들어갔다. 일부러 나와 약간의 거리를 두는 것같이 보이기도 했다. 에릭슨 박사와 소피는 완성된 액자를 보더니 감탄하고 말았다.

"그러고 보니, 내가 너희 엄마의 그림을 보여 주기로 했었지?"

에릭슨 박사가 말했다. 캘럼과 나는 에릭슨 박사를 따라서 마치 도서관을 연상케 하는 옆방으로 갔다. 물론 저택 전체가 책으로 뒤덮여 있었지만 말이다. 에릭슨 박사가 우리를 이끈 방에는 벽마다 책장으로 가득했는데, 남색 빛으로 칠한 천장까지 책이 쌓여 있었다. 그리고 곳곳에 위치한 낮은 테이블 위에도 책 무더기가 눈에 들어왔다. 그 옆에는 체크무늬 천을 씌운 편안해 보이는 소파와 독서 등이 보였다. 에릭슨 박사가 스케치북 하나를 뒤지는 동안 캘럼이 내 곁으로 다가왔다.

"양아버지네 가문은 대대로 책을 수집해 오고 있어. 여긴 보물 창고나 마찬가지야. 책 수집가들이 기절할 만한 책들도 많아. 초판본도 많고."

도대체 뭐 하는 사람들이지? 알면 알수록 놀라운 가문이었다.

"여기 있구나."

에릭슨 박사가 노랗게 변색된 종이 한 장을 꺼내서 램프 불빛에 비추어 보았다. 소묘였다.

"아마 네 엄마가 이 그림을 그린 게 네 나이 또래였을 거다. 종종 그림을 그리러 우리 집에 왔었거든. 내가 그림 그리는 방법을 가르쳐 줬었지. 네 엄마도 그림에 뛰어난 재능이 있었단다."

어리벙벙한 얼굴로 그를 바라보았다. 엄마는 내 앞에서 단 한 번도 그림을 그렸던 적이 없었기 때문이다. 캘럼이 멍해진 나를 가만히 소파로 이끌어 앉혔다.

"하지만…… 엄마는 그런 얘기는 전혀 안 했는데……."

"그건 너희 모녀가 비슷한 부분이야. 당시에 너희 엄마는 모든 걸 뒤로하고 미국으로 간 거란다. 아무튼 고집 하나는 대단했지. 한번 결정하고 나면 마음을 바꾸려 하지 않았어."

에릭슨 박사가 무슨 말을 하는지 알 것 같았다. 그가 스케치북을 한 번 더 뒤적거렸다.

"당시에 네 엄마가 여기서 마지막으로 그렸던 그림이 어딘가 있을 거다. 나한테 그걸 가져온 이유는 아마 고칠 부분을 찾고 싶었던 거겠지. 완벽주의자였으니까."

그가 그림 한 장을 꺼내 들었고, 우리는 그 그림에 사로잡혔다. 에릭슨 박사네 정원 풍경이었는데, 그림이라고 하기에는 너무도 생생했다. 마치 꽃 한 송이 한 송이가 살아 있는 듯, 깊은 애정이 느껴졌다. 담쟁이덩굴로 뒤덮인 낡은 작업실은 무척이나 자연스럽게 묘사되어 있어서 당장이라도 그 속으로 들어가 문을 열 수 있을 것 같았다.

"자, 가져가거라. 이제 네 거란다."

말문이 막혔다. 캘럼이 소파 팔걸이에 앉아 내 손을 잡아 주었다.

"저녁 다 됐어요."

소피의 목소리가 들렸다. 방을 나서면서 엄마에 대한 기억이 전처럼 무겁게 느껴지지 않는다는 사실을 깨달았다.

"이제 슬슬 집에 가 봐야 할 것 같아요."

식사를 마친 후, 머뭇거리며 입을 열었다.

"그래. 벌써 시간이 그렇게 되었구나."

소피가 수긍했다.

"캘럼, 엠마를 집까지 데려다주고 오렴. 이 시간에 혼자 가게 하는 건 위험해."

"설마 무슨 일이야 있겠어요?"

마음에도 없는 말을 나불거렸지만, 내심 캘럼이 바래다주기만 바라고 있었다. 캘럼이 못 들은 척, 그림을 손에 들고 물었다.

"갈까?"

그와 함께 문가에 서서 에릭슨 박사 부부에게 감사를 전했다.

"오늘 정말 즐거웠어요."

"조만간 또 오렴."

미소 띤 얼굴로 부부가 나를 배웅하며 말했다.

우리는 저택을 나와 말없이 집 쪽으로 걸었다.

"내가 맞춰 볼까? 너희 엄마의 다른 비밀이 뭘까 생각하는 중이지?"

캘럼이 물었다.

"엄마가 그림을 그렸었다니, 정말 몰랐어. 좀 충격이기도 하고."

"너희 아버지는 어떤 분이셔?"

나는 고개를 가로저었다.

"엄마는 아빠에 대해서 단 한 번도 이야기해 주지 않았어.

그래서 언젠가부턴 묻지 않게 된 것 같아. 아빠 얘기를 꺼내면 엄마 눈에 슬픔이 느껴졌었거든."

그가 이해했다는 듯 고개를 끄덕였다. 나는 그의 옆얼굴을 바라보았다.

"에릭슨 가에 오기 전에는 어디에 살았어?"

캘럼은 대답 없이 미소만 지어 보였다. 그래서 더는 묻지 않았다.

"잠깐 들어왔다 갈래?"

집 앞에서 캘럼에게 물었다. 그는 고개를 저은 후 그림을 건네주었다.

"오늘 즐거웠어. 다음번에 네가 어떤 그림을 가져올지 기대하고 있을게."

그가 내 눈을 바라보았다. 익숙한 몽롱함이 전신을 공격하기 전에, 몸을 돌려 집 안으로 뛰어 들어갈 수밖에 없었다.

7장

〜〜〜
〜〜〜

저녁 무렵이었다. 숙제를 마치고 워싱턴에 있는 제나에게 캘럼과 있었던 일을 이메일로 보고하는 중이었다. 제나가 그날 있었던 일을 샅샅이 알고 싶어 했기 때문이다. 한 문장 한 문장 적어 내려갈 때마다 가슴이 세차게 요동쳤다.

"엠마, 잠깐만 나와 보거라."

에단 외삼촌의 목소리가 들려서 계단 아래로 내려가다가, 외삼촌 옆에 선 캘럼의 얼굴을 알아보고는 계단에서 구를 뻔했다. 그가 내게 미소 지어 보였다. 정작 외삼촌은 내 행동이 이상하다는 것도 눈치 채지 못한 채, 코트를 계단 옷걸이에 걸면서 말을 이었다.

"네가 전에 말한 기타 레슨 건 때문에 에릭슨 박사 댁에 다녀오는 길이다. 이 근방에는 기타를 배울 만한 데가 없다고 그러시더구나. 그때 마침 친절하게도 캘럼이 자진해서 기타를 가르쳐 주겠다지 뭐냐. 캘럼이 기타를 잘 치는 건 너도 알 테니 너만 괜찮으면 일주일에 한 번 같이 연습하면 어떠냐?"

캘럼이 나를 살폈다.

"그게⋯⋯."

헛기침이 나왔다. 대답을 잘해야 할 텐데!

"좋아요."

어깨를 으쓱해 보이고는 두 손을 바지 호주머니에 집어넣었다.

"한번 해 보죠 뭐."

캘럼의 미소에 심장이 터질 것같이 고동쳤다. 자기 미소가 사람 마음을 녹인다는 걸 스스로도 잘 알고 있겠지?

"잘됐구나."

여전히 외삼촌은 내가 긴장하고 있다는 사실을 눈치 못 챈 것 같았다.

"캘럼을 방으로 데리고 가서 전에 어디까지 배웠는지 악보를 보여 주는 게 어떠니?"

모든 상황이 너무 당황스러웠다. 하지만 당황한 건 나 혼자였고, 캘럼은 어쩐지 자신만만해 보였다.

"네 방으로 갈까? 네가 싫다면 오늘은 그냥 돌아갈게."

"가지 마."

상황을 정리해 보려 애썼지만 그대로 서서는 아무것도 할 수 없을 것 같아서 어쩔 수 없이 내 방으로 안내했다. 그가 호기심 어린 눈으로 집 안을 살피는 동안에도 어찌해야 할지 몰라서 마음이 갈팡질팡했다.

이제까진 방이 작다는 게 불편했던 적은 없었지만 내 방에 캘럼이 서 있자, 어쩐지 모든 게 전보다 더 작게 쪼그라든 것 같았다. 그의 존재가 방을 꽉 채웠던 것이다. 다행히 약간 정리는 해 둔 상태였다. 그가 내 침대 위에 걸린 그림을 호기심 어린 눈으로 바라보았다.

"이렇게 걸어 두니까 예쁘다."

"참, 내가 액자 만들어 준 거 고맙다고 했었나? ……정말 고마워."

나는 머뭇거리며 말했다.

그가 고개를 저었다.

"내가 원해서 해 준 거야. 그러고 보니 지난번 놓고 간 그림 아직 작업실에 있는데. 다시 온다더니 왜 안 와?"

그 약속을 신경 쓰고 있었다는 사실에 놀랐다. 그때까지만 해도 그냥 지나가는 말인 줄 알았다. 실은 바로 그다음 날 목사관에 방문하고 싶었지만 이상하게도 그가 나를 학교에서 다시 전처럼 거리감 있게 대하는 바람에 자신감을 잃었었다. 가끔 눈이 마주치거나 미소를 보내오긴 했지만 그뿐이었기 때문이다. 그래서 어떤 기대감을 가지게 되는 게 두려웠다.

"그럼…… 언제 한번 들를게."

머뭇거리며 말했다.

"알았어. 기다리고 있을게."

그가 케이스에서 기타를 꺼내서는 이제까지 배운 걸 한번 쳐 보라고 권했다. 그래서 그에게 예전 악보를 꺼내서 보여 주었다.

"너만 괜찮다면 네가 전에 호숫가에서 에이든과 함께 쳤던 노래들을 배우고 싶어."

"전혀 문제없어. 그럼 월요일마다 만날까?"

그가 물었다.

월요일에 만나는 건 좋은 생각이 아니었다. 나는 원래 월요일엔 아무것도 안 한다. 언제나 나쁜 일은 월요일에 일어났기 때문이다. 첫 젖니가 빠졌던 날이 월요일이었는데, 이 요정을 기다렸지만 오지 않았다. 초등학교에 처음으로 입학하던 날도 월요일이었는데, 엄마가 보라색 대신 초록색 책가방을 선물해 주었다. 그리고 월요일의 체육 수업 도중에 다리가 부러졌었고, 엄마가 돌아가신 날도 월요일이었다. 하지만 이번 레슨을 계기로 월요일에 대한 나쁜 이미지를 바꿔 볼 수도 있겠다는 생각이 들었다. 그래서 나도 모르게 미소를 짓고 말았다.

"무슨 생각 하고 있어?"

그가 의아하다는 얼굴로 물었다.

"비밀이야."

"가르쳐 줘."

나는 고개를 좌우로 흔들었다. 그가 집요한 눈빛으로 바라보며 말했다.

"언젠간 말해 주고야 말걸?"

"절대 그럴 일 없을걸."

내가 대꾸했다.

"아무튼…… 혹시 다른 데에서 레슨해 줄 수 없을까? 보다시피 여긴 좀 비좁은 것 같아."

그가 짙은 바다색 눈동자로 나를 바라보았다. 그도 이 좁은 방 안에 감도는 긴장감을 눈치 챈 것 같았다.

"괜찮은 장소가 한 군데 있긴 해. 날이 따뜻하면 거기서 연습할 수 있을 거야."

그의 말에 고개를 끄덕였다. 그가 짐을 챙겨서 몸을 일으키자, 나도 주섬주섬 일어나서 그를 현관문까지 안내했다. 문가에 기대어 그의 뒷모습을 하염없이 바라보고 있는데 몇 미터 앞에서 그가 뒤돌아보며 손을 흔들어 주었다. 나도 미소로 손을 흔들어 주었다.

그러고는 쿵쾅거리며 아멜리의 방으로 달려가서는 무슨 일이 있었는지 설명해 주었다.

"누가 상상이나 했겠어?"

아멜리가 긴 머리칼을 흔들었다.

"나도 감쪽같이 속았네. 아마도 발레리보다 너한테 더 관심이 있었던 같아. 똑똑한 녀석인데?"

기쁨에 겨워서 아멜리를 와락 끌어안았다.

"캘럼과 단둘이만 있게 되는 거야. 생각해 봐!"

"조심해."

아멜리가 주의를 주었다.

"아무래도 그렇게 갑자기 마음이 변했다는 게 이상해. 괜히 너 혼자 상처 받을 수도 있다구."

아멜리가 경고했지만 그다지 신경 쓰이지 않았다.

주말이 영원처럼 느껴졌다. 일요일 저녁에는 기다림에 지친 나머지 식탁 위에서 잠이 들어 버릴 정도였다.

"야, 엠마! 왜 그래?"

피터가 옆구리를 쿡 찔렀다.

"피곤해. 저…… 죄송하지만 저는 가서 잠 좀 자야겠어요."

"어디 아픈 거 아니니?"

브리 외숙모가 걱정스럽다는 듯 물었다.

"아뇨, 아뇨. 다 정상이에요. 그냥 조금 피곤한 것뿐이에요."

그러고는 힘겹게 계단을 올라 방까지 기어가서, 씻지도 않고 잠이 들어 버렸다.

월요일의 수업은 달팽이처럼 느릿느릿 흘러갔고, 나는 점점 초조해졌다. 아멜리와 집으로 돌아오는 길에는 캘럼과 기타 레슨에 대한 생각만 머릿속에 가득 찼다. 만약 그가 안 나타나면 어쩌지? 학교 구내식당에서 캘럼과 딱 한 번 눈이 마주쳤지만, 가볍게 미소 지어 줬을 뿐 다가와서 말을 걸지 않았다. 레슨 장소는 어디일까? 뭘 입어야 하지?

집에 도착하자마자 청바지와 보라색 와이셔츠로 갈아입고는 차를 한잔 마시려고 부엌으로 달려갔다. 커피를 마시면 더 긴장될 것 같았다.

아멜리가 따라오더니 내 손에서 물주전자를 뺏었다.

"일단 앉아 봐."

아멜리가 명령했고, 나는 고분고분하게 말을 들었다.

"옆에서 보기에도 불안하다고! 그러다 괜히 찻잔이나 깨 먹지 말고, 거기 앉아서 천천히 심호흡해. 차는 내가 끓여 줄 거야, 알았지? 가만히 놔둘 수가 없다니깐. 아까 차에서도 완전 정신없던 거 알아? 첫 데이트인데 그러면 안 되지."

아멜리가 손자를 돌보는 할머니처럼 고개를 흔들며 말했다.

아멜리의 말에 나는 배꼽을 잡고 웃었다.

"웬 데이트? 그냥 기타 레슨일 뿐이야!"

물론 속으로는 그렇게 생각하지 않았지만, 덕분에 긴장이 좀 풀렸다. 아멜리가 끓여 준 차를 마신 후 찻잔을 씻으면서 부엌 창으로 바깥을 바라보다가, 저 멀리서 캘럼이 이쪽으로 걸어오는 걸 발견하자마자 다시 가슴이 요동치기 시작했다. 약속보다 이른 시간이었다.

"흐응! 저기 보니 기다림에 안달 난 사람이 한 명 더 있었군 그래!"

아멜리가 짓궂은 미소를 지어 보였다.

"아무튼 둘이서 좋은 시간 보내다 와!"

아멜리가 거실로 사라지자, 현관에는 나와 콩닥이는 내 가슴만 남게 되었다.

초인종이 울린 후, 문을 열어 주기까지는 몇 초가 걸렸다. 용기를 긁어모아야 했기 때문이다.

"좀 이른 시간이긴 하지만, 너만 괜찮다면 슬슬 출발할까 싶어서……."

그의 목소리에 긴장감이 묻어났다. 캘럼이 긴장을 했다고?

"응. 상관없어. 준비는 다 해 놨거든. 금방 기타만 가져올게."

집을 나와서, 우리는 나란히 숲으로 걸었다.

"지금 어디로 가는 거야?"

"비밀."

캘럼이 대답했다. 우리는 말없이 계속 걸었다.

"주말 어떻게 보냈어?"

그가 물었다.

"그냥 그랬어. 월요일이 되니까 좋더라."

"학교는 어땠어?"

그가 내 옆얼굴을 바라보며 물었다.

뭐라고 대답해야 할지 몰라서 어깨만 으쓱해 보였다. 하루 종일 네 생각만 했다고 말할 수는 없었으니까. 다행히 더는 묻지 않았다. 내 대답을 듣는다면 겁을 먹고 도망갈지도 몰랐다.

숲 속은 서늘했다. 살갗에 살짝 소름이 돋았다.

"외투를 가져왔어야지."

캘럼이 못마땅하다는 듯 말했다.

"숲에 간다고 말을 해 줬어야지."

지지 않고 되받아쳤다.

"흠."

그가 기타 가방에서 얇은 스웨터를 꺼내 건네주었다. 그걸 입으니 한결 따뜻했다.

혹시 나 때문에 불쾌한 걸까? 기타 레슨을 해 주기로 한 걸 후회하지는 않을까? 그의 옆얼굴을 훔쳐보았지만 아무것도 짐작할 수 없었다. 단 한 가지, 그도 긴장하고 있다는 사실만큼은 확실히 느낄 수 있었다.

"난 너무 흥미진진한 거 싫어한단 말야. 이제 거의 다 온 거야?"

침묵을 깨려고 부러 쾌활하게 떠들었다.

"저기 앞쪽에 작은 연못과 빈터가 있어. 난 여기 자주 와. 여기라면 방해받지 않고 조용히 연습할 수 있을 거야. 이 지역 사람들은 미신 때문에 숲에 오지 않거든."

그가 말했다.

"미신? 숲에 트롤이나 엘프라도 산대? 아니면 늑대인간?"

내가 코웃음을 쳤다.

"뭐 그와 비슷한 거지. 여기 스코틀랜드엔 오래된 전설이나 미신이 전해져 내려오고 있거든. 하지만 가볍게 생각하면 안 돼. 그 뒤엔 진실도 어느 정도는 숨겨져 있으니까 말야. 네가 믿든 안 믿든 간에……. 숲은 정말 위험할 수도 있어."

아마 내가 뭘 잘못 말했는지, 그의 표정이 굳어져 있었다. 결국 목적지에 도착할 때까지 아무 말도 할 수 없었다. 그의 말대로 그곳엔 마치 얇은 실크 천을 살포시 덮어 놓은 것처럼 고요가 내려앉아 있었다. 바람이 푸른 전나무 잎사귀와 자작나무의 에메랄드 빛 잎사귀를 살며시 흔들었고 작은 호숫가의 수면 위에도 잔잔한 파동을 만들어 냈다. 그곳의 풍경을 바라보는 나를, 캘럼도 가만히 바라보았다.

"너무 기대하게 했었나? 막상 와 보니 별로지?"

"왠지 저 나무들 사이에 요정들이 살고 있을 것 같아. 마치 동화 속에 나오는 마법의 숲 같은 느낌이야……."

우리는 말없이 연못을 바라보았다.

"내가 어렸을 때, 엄마는 종종 나를 데리고 숲으로 도보 여행을 갔었어. 날씨가 좋은 주말에는 엄마 회사에 일이 없으면 국립공원에 가곤 했어. 몇 시간 동안 숲을 거닐었었지. 그리고 소시지나 감자를 구워 먹기도 했었어. 가끔은 빨리 먹고 싶은 욕심에 입천장을 데이기도 했었고."

기억 저편에서 소시지와 포실포실한 감자를 굽는 냄새가 떠올랐다. 캘럼이 조용히 내 이야기에 귀를 기울였다.

"날이 어두워지면 엄마가 엘프나 수인水人, 파우누스[7]에 대한 이야기를 해 줬어. 난 시간 가는 줄 모르고 엄마의 이야기에 빠져들었는데, 언제나 질리지 않게 새로운 이야기를 꺼내 주곤 했어. 아마 엄마의 머릿속엔 그런 신비한 이야기만 저장해 둔 이야기 창고가 따로 있었나 봐."

옛 기억에 미소 지으며 캘럼을 바라보았다. 하지만 그의 눈빛은 어딘가 사뭇 경직되어 있었다.

"미…… 미안해. 너무 많이 떠들어 댔지?"

---

7 반은 남성이고 반은 염소인 존재.

말을 더듬으며 사과를 했다.

"계속 얘기해 줘."

그가 부탁했다.

"엄마가 전설 이야기를 해 줄 때의 목소리는 평소보다 따뜻했어. 정말 모닥불 가에서 엘프들이 춤을 추는 광경이 보이는 것처럼 말야. 그래서 늘 이야기를 또 해 달라고 졸랐었지. 하지만 이야기가 끝나면 나 몰래 눈물을 닦아 내는 걸 몇 번이나 봤어. 그 당시엔 몰랐지만, 이제는 그게 향수 때문이었다는 생각이 들어. 엄마가 슬픈 게 겁나서, 텐트 속에서 엄마 품에 더 파고들었던 게 기억나. 자라면서 숲 도보 여행을 하는 횟수는 줄어들었고 이야기를 들을 기회도 없었는데, 조금씩 기억이 되살아나는 것 같아. 이 장소에 와 보니까…… 엄마 이야기 속의 배경이 언제나 스코틀랜드였다는 걸 알 것 같아."

캘럼이 고개를 끄덕이고는, 말없이 풀 위에 앉아 기타와 노트를 꺼냈다. 경직되었던 눈빛이 다시 부드러워져 있었다.

"이쪽으로 와서 앉아. 악보 몇 장을 가져왔어. 어떤 노래를 배울지 골라 보자."

나는 그의 곁에 천천히 다가가서 앉았다.

그가 몇 곡인가의 스코틀랜드 노래를 연주해 주었고, 그중에서 배울 노래를 골라 보라고 했지만 그의 노래를 듣는 것만으로도 더 바랄 게 없었다. 결국 같이 의논해서 두 곡을 골랐고, 코드 짚는 법을 배운 후 함께 연주해 보았다.

"잠깐 휴식할까?"

그가 가방에서 콜라와 초코바 두 개를 꺼냈다.

"소풍 나온 기분이네. 뭘 이런 걸 다 준비했어?"

"소풍은 좀 오버고……. 다음번 간식은 너한테 맡길게."

그가 미소 지으며 말했다. 초코바를 먹으면서 '다음번'이라는 말의 의미를 곱씹었다. 그러자 갑자기 입술이 바짝 타는 것 같아서 콜라를 급하게 삼켰다. 그러고는 왠지 힘이 쭉 빠져서 풀밭 위에 털썩 쓰러졌다.

"이런 숲에 괴물이 살 거라는 생각은 안 드는걸. 정말 아름답고 평화롭잖아."

캘럼이 내 옆에 눕더니, 팔로 머리를 받치고 몸을 내 쪽으로 돌리고는 주의를 주듯 말했다.

"숲을 믿으면 안 돼. 뭐든지 가장 아름다워 보이는 게 독을 품고 있거든."

좀 놀랐다. 왜 열을 내는 거지? 그의 표정이 어두워지자 나는 살짝 뒤로 물러나면서 천천히 심호흡을 했다.

"너에 대해서도 말해 줘."

무리한 요구라는 건 알고 있었다. 제발……. 그가 아까처럼 미소를 보여 준다면 얼마나 좋을까.

"별로 얘기해 줄 게 없는데."

그가 나를 밀어내듯 내뱉고는 몸을 일으키며 앉았다.

"그럼 내가 물어볼 테니 넌 대답해."

나도 물러서지 않았다.

"물어본다고 다 대답하진 않을 거야."

그가 미소 지으며 경고했다. 그러자 약간 안도감이 들었다.

"어떤 계절이 좋아?"

그가 약간 놀란 듯 바라보다가, 진지하게 답했다.

"가을."

그다음 질문을 생각하고 있는데, 그가 약간의 힌트를 주었다.

"색깔?"

"좋아하는 색은?"

"빨간색."

그가 대답했다.

"흠. 생각보다 화려한데?"

나는 의외라는 듯 덧붙였다. 그가 다음 질문을 받을 준비가 되었다는 듯이 살짝 인상을 썼다.

"좋아하는 영화?"

"어렵군. 최근에는 〈반지의 제왕〉이 괜찮았어."

나도 고개를 끄덕였다.

"좋아하는 스포츠?"

"농구."

"좋아하는 디저트?"

"티라미수."

그가 싱긋 웃으며 대답했다. 나는 계속 질문을 퍼부어 댔다. 그의 일상을 들여다보는 게 정말이지 즐거웠다.

"잠깐, 오늘은 여기까지."

그가 질문 세례를 중단시키는 바람에 실망해서 입이 삐죽 나왔다.

"몇 개만 더 물어보면 안 돼?"

"상관은 없지만, 몇 곡 더 연습한 다음에 내려가자. 슬슬 목이 말라오는데 마실 게 없으니까 말야. 다음번엔 비상식량을 좀 더 준비하는 게 좋겠어."

그와 자주 둘만의 시간을 보낼 것을 생각하니, 맥박이 거칠게 뛰었다.

"아무튼 처음치곤 괜찮은 시작이었어. 하지만 널 집으로 돌려보내야 할 시간이 된 것 같다. 지금쯤이면 우리가 왜 이렇게 늦는지 다들 궁금해하고 있을 거야."

캘럼이 짓궂게 웃어 보였다. 그제야 주위가 많이 어두워졌다는 걸 알게 되었다. 연못 수면에 반짝이던 햇빛도 어느덧 자취를 감추었고, 주변의 나무들은 어딘가 음산한 분위기를 풍겼다.

"시간이 이렇게 지난 줄도 몰랐어."

하지만 좀 더 이렇게 있고 싶었다. 마음을 들킬까 봐 시선을 피했다.

"혹시 내가 네 시간을 너무 많이 뺏은 게……"

작은 목소리로 중얼거렸다.

"아니, 나도 즐거웠어."

그가 미소 지으며 대답하자, 뺨이 붉게 달아올랐다.

"봐. 이게 내가 빨간색을 좋아하는 이유야."

그의 갑작스러운 말에 얼굴이 더 빨개져서 고개를 돌려야 했다.

"앞으로도 이런 식으로 진행할까?"

그의 목소리가 마치 매혹하듯 울렸다.

"좋아."

감히 그를 바라보지도 못한 채, 함께 악보를 정리했다. 우리 사이의 거리는 서로의 숨결이 느껴질 정도로 가까웠다. 어느 순간 내 손가락이 그의 손가락을 스쳤고, 지난번에 호수에서 느꼈던 것과 같은 전류가 찌릿하고 느껴졌다. 깜짝 놀라서 얼른 손을 떼었지만, 갑자기 그가 벌떡 일어났고, 나도 뒤로 물러섰다.

"서두르자."

그가 낮은 목소리로 재촉했다. 우리는 침묵하며 숲길을 걸어 내려왔다.

"캘럼, 무슨 일이야?"

조심스레 물었다. 이대로는 그와 멀어져 버릴 것 같아 두려웠다.

"네 탓이 아니야."

그가 잠시 주저하다가 말을 이었다.

"단지 우리가 이래도 되는 건지 모르겠어."

무슨 이야기를 하는 거지? 그냥 기타 연습을 한 것뿐이잖아! 물론 우리 사이에 뭔가 설명할 수 없는 느낌이 있긴 했다. 하지만 차마 더 말을 걸 수가 없었고, 그도 침묵했다.

그가 나를 집까지 데려다준 후, 짧고 차가운 인사로 오늘 하루를 마무리했다. 그리고 집으로 걸어가면서 단 한 번도 뒤돌아보지 않았다.

방으로 올라가 침대 위에 털썩 쓰러졌다. 머릿속이 뒤죽박
죽이었다. 분명 조금 전까진 날씨, 숲 속의 공터, 캘럼…… 모
든 게 아름답고 좋았는데 도대체 무슨 일이 일어난 거지? 그 찌
릿한 느낌은 뭐였을까? 게다가 그 후 그의 행동도 이해되지 않
았다. 분명 그도 같은 걸 느낀 게 틀림없었다. 당황스럽고 창피
했다. 게다가 그를 또다시 화나게 만든 것 같았다. 이유는 알
수 없었지만, 분명 나 때문에 놀란 게 틀림없었다.

아직도 그의 스웨터를 입고 있다는 걸 깨닫고는, 음악을 틀
고 두 팔로 몸을 끌어안고 그의 체취를 맡으면서 오늘 일들을
떠올리고 있는데, 아멜리가 방 안으로 들이닥쳤다.

"어땠어? 빨리 실토해! 키스는?"

아멜리가 눈썹을 치켜뜨고 추궁했다.

"뭐? 그냥 기타 연습만 했는데?"

키스라니! 그가 내 몸에 닿기만 해도 이 꼴인데, 키스라도
하게 되면 아마 기절할지도 몰랐다.

"아무 일도 없었다고? 장난해? 너희들이 지금 몇 시간 동안
나갔다 왔는지 알아? 귀신은 속여도 난 못 속일걸! 실토하게 만
들어 주겠어. 게다가 지금 네가 입고 있는 그 옷 캘럼 거 아냐?"

아멜리가 수상쩍다는 듯 말했다.

"아무튼 일단 저녁 먹어. 다들 기다리고 있어."

8장

월요일 이후의 일주일은 공부에 집중하려고 몸부림 쳐야 했다. 물론 캘럼 생각만 하고 싶었지만, 그 주에 수학, 영어, 역사 시험을 쳐야 했기 때문에 오후 시간은 거의 책에 파묻혀 보냈다. 게다가 전학 온 뒤에 치르는 첫 시험이어서 이왕이면 잘 보고 싶었다. 다행히 미국에서 배웠던 내용이 많아서 성적이 그리 나쁘지는 않을 것 같았다.

그 주에도 수영 팀 훈련이 있었다. 하지만 짤막한 인사 외에는 그와 단 한 번도 친밀하게 대화할 기회는 없었고, 미소조차 없었다. 캘럼 옆에는 발레리가 딱 붙어서, 자존심도 없나 싶을 정도로 그를 떠받들고 있었다. 하지만 캘럼은 그런 발레리에겐 상냥했고, 나와는 한눈에도 거리를 두는 모습이었다. 이유를 묻고 싶었지만, 부러 관심 없는 척 행동했다. 질투심 많거나 집착하는 여자로 보이고 싶은 생각은 추호도 없었기 때문이다. 수영 팀 연습 때에도 그와 거리를 두었다. 그도 나를 철저히 멀리했는데, 결국은 화가 치밀어 오를 정도였다. 왜 저렇게 태도가 돌변한 거지?

수영 팀 코치인 팔렌 씨는 우리를 혹독하게 훈련시켰다. 조만간 첫 번째 시합이 진행될 예정이었다. 수영 팀에 참여하게 된 이후로, 나의 수영 실력도 제자리를 찾아가고 있었다. 금요일 저녁, 훈련이 끝나갈 즈음에 팔렌 씨가 나와 캘럼을 불러 모두가 보는 앞에서 맞대결을 붙였다. 모두들 환호하며 우리의 시합을 흥미롭게 지켜보았다. 내기를 하는 애들도 있었는데, 거의 다 캘럼 쪽에 걸었다. 화가 치밀어서 입술을 깨물었지만, 그가 나보다 빠른 건 사실이었다. 그래서 도대체 이 시합이 무슨 의미가 있는지 이해할 수 없었다.

우리는 나란히 출발대 위에 섰다. 그에게 눈길 한번 주지 않고, 동시에 물속으로 뛰어들었다. 머릿속을 깨끗이 비우고 오로지 물살을 가르는 데만 집중했다. 50미터, 턴, 50미터를 돌아와 터치 후 수면 위로 힘차게 솟아올랐다. 그리고 그제야 터치하는 캘럼을 보았다. 어이가 없었다. 팔렌 씨가 껄껄 웃으며 무릎을 탁 쳤다.

"천하의 캘럼도 꺾일 때가 있군! 안됐지만 엠마 승이다."

캘럼이 대수롭지 않다는 듯 미소를 지어 보였다. 모두들 당황한 기색이 역력했다. 특히 발레리의 표정은 볼만했다. 우리는 풀장 사다리까지 함께 수영했다.

"일부러 져 준 거지?"

내 물음에 그가 놀란 얼굴로 되물었다.

"내가 왜 일부러 져 주겠어?"

그러고는 거부할 수 없는 미소를 지어 보였다. 하긴, 그런 생각 자체가 바보 같았다. 설마 날 위해 져 주었겠어? 물 밖으로 올라와 수건을 집은 뒤, 탈의실로 달려갔다.

이제 길고 긴 주말이 기다리고 있었다. 내 초점은 오로지 월요일에 맞춰져 있었다. 캘럼이 또 와 줄까? 주말 내내 해야 할 숙제는 산더미같이 쌓여 있었고, 외삼촌이 같이 도보 여행을 가자고 제안했지만 그다지 관심 없었다.

아멜리가 투덜거렸다.

"아빠, 오늘 밤에 엠마랑 같이 바에 춤추러 가기로 했단 말이야! 괜찮은 밴드가 온다고, 전에 미리 말했었잖아. 낮에 산 타느라 지쳐서 뻗어 버리기 싫다고. 제발 도보 여행은 다음번으로 연기하면 안 될까?"

"하긴, 네가 지난번에 미리 얘기했었던 걸 잊었구나. 엠마랑 같이 간다고?"

바? 춤? 귀를 의심했다. 나한텐 아무 얘기도 없었는데!

"당연하죠. 에이든이 9시에 데리러 오기로 했어요."

"에이든도?"

외삼촌이 못마땅한 듯 눈썹을 찌푸리며 무어라 잔소리를 꺼내려다가 입을 다물었다. 아멜리가 부탁한다는 듯이 큰 눈을 깜박거리며 나를 쳐다보았을 때, 나는 재빨리 '잠깐 나 좀 보자'

라는 눈빛을 쏘아 주었다. 같이 내 방으로 올라와서야 어이없다는 듯 쏘아댔다.

"뭐? 춤추러 간다고? 차라리 도보 여행을 가겠다! 너야 에이든이랑 밤새 재미있게 놀겠지만 난 지루하게 앉아서 시계만 보다 올 게 뻔하잖아!"

"절대 지루하지 않게 해줄게! 나랑 에이든만 간다고 하면 아빠가 허락해 줄 리가 없잖아. 오늘 끝내주는 밴드랑 괜찮은 애들도 엄청 올 거라고! 우리 셋이서 완전 재미있게 놀다가 오자, 응?"

아멜리가 애원했다.

"게다가 미리 물어보지도 않고……. 암튼 알았어."

매번 후회하면서도 아멜리가 애원하면 마음이 약해져 버리니, 정말 큰일이다.

해가 질 무렵, 다 같이 걸어서 바에 도착했다. 에이든은 외삼촌의 시야를 벗어나자마자 아멜리의 어깨에 팔을 두르고 킥킥거리기 시작했다. 아, 여기 끼는 게 아니었는데. 지금이라도 딴 데로 새 버릴까? 하지만 아멜리의 밤을 망칠 순 없었고, 어쩌면 의외로 기분 전환이 될 수도 있을 거란 생각이 들었다.

바는 사람들로 꽉 차 있었고, 댄스 플로어는 그리 넓지 않았다. 에이든의 친구 몇 명이 구석의 테이블을 맡아 두고 있어서 거기에 합석했다. 대부분은 학교에서 본 적 있는 얼굴들이었다. 잘하면 그리 지루하진 않을지도 몰랐다.

"뭐 마실래?"

에이든이 음료를 주문하며 물었다.

"콜라."

"맥주 안 마셔?"

그가 의아하다는 듯 물었다. 아멜리는 용감하게 맥주를 주문했다. 쯧쯧, 외삼촌이 알면 좋아하진 않겠군.

밴드의 연주는 좋았다. 내 옆에 앉아 있던 마크가 나를 댄스 플로어로 이끌었다. 제발 재미있는 시간을 보낼 수 있기를 간절히 염원하면서 그와 함께 춤을 추기로 했다. 사실 마크가 나에게 더 이상 치근덕거리지 않게 된 이후부터는 그가 약간 매력적으로 보이기까지 했다. 물론 발을 밟지 않으려고 노력하는 모습이 눈물겹긴 했지만. 다음 노래가 시작되자 팀이 마크를 끌어 내렸다. 팀과 춤을 추는 건 재미있었다. 잠깐 쉬고 목을 축일 새도 없이 새로운 파트너가 나타나서 춤을 청했다. 한참 춤을 추다가 잠깐 바에 앉아 쉬면서 이제 뭘 해야 할지 콜라를 마시며 고민하고 있었다. 벌써 자정 무렵이었지만 아멜리는 집에 갈 생각이 없는 것 같았다. 그때였다.

"나와 같이 춤추지 않을래?"

바로 등 뒤에서 익숙하고 달콤한 목소리가 속삭였다. 심장이 쿵쾅거리기 시작했다.

"하지만 경고하건대, 그건 현명하지 못한 행동이 될 거야."

그가 가만히 말을 이었다.

"다들 가끔은 어리석은 행동을 해. 인간이니까."

뒤를 돌아보지 않은 채 내가 대답했다. 그의 숨결이 닿을 때마다 목 뒤에 약한 전율이 일었다.

"아주 많이 어리석은 행동이야……."

뒤를 돌아보지 않아도 그가 미소 짓고 있다는 걸 알 수 있었다. 천천히 뒤를 돌아보자, 그의 눈빛이 마치 내 전신을 관통하는 것 같았다. 그가 나를 살짝 끌어안으며 속삭였다.

"춤추자."

맥박이 요동치는 것 같았다. 그의 손에 이끌려 댄스 플로어에 올랐다. 춤추는 사람이 어찌나 많은지 발 디딜 틈도 없었다. 사람들 때문에 어쩔 수 없이 서로의 몸에 밀착되어, 끝없이 춤을 추었다. 내 허리께에서는 그의 길고 가는 손가락이, 귓가에선 그의 숨결이 느껴졌다. 지난 몇 주 동안 그가 가까이 다가올 때마다 느꼈던 찌릿함은 사라졌고, 그와 맞닿아 있다는 게 아주 자연스러웠다. 제발 이 밤이 끝나지 않기만 바랐다.

하지만 어느덧 밴드의 음악이 끝나자 마법도 사라졌다. 주위를 둘러보니, 댄스 플로어에는 나와 캘럼뿐이었다. 아멜리와 에이든도 보이지 않았고, 밴드도 짐을 꾸리기 시작했다.

"다들 어디 갔어?"

캘럼이 웃었다.

"지금 새벽 2시야."

"세상에……. 늦어도 1시까지는 집에 도착했어야 돼! 아멜리는?"

"한 시간 전에 에이든이랑 나갔어. 아마 우리를 방해하고 싶지 않았던 거겠지. 아니면 방해받고 싶지 않았거나."

그가 짓궂게 속삭였다.

"당장 집에 돌아가야 해."

서둘러 재킷을 찾았지만, 보이지 않았다. 바깥은 쌀쌀했다. 캘럼이 팔로 내 몸을 감싸 안아 주어서 금세 몸이 따뜻해졌다. 우리는 말없이 들판을 걸었다. 집 앞에서 그가 나를 가슴에 끌어안고, 내 머리카락에 입술을 묻었다. 이윽고 나를 안았던 손을 천천히 풀었고, 가만히 내 눈을 바라보았다. 나도 그의 눈을 바라보며 키스해 주길 바랐지만, 그는 내 입술을 손가락으로 어루만지더니 이내 문을 열고 나를 집 안으로 밀어 넣었다. 문을 닫기 전, 서로의 손가락이 간절히 얽혔다. 진심으로 그를 보내고 싶지 않았다.

"월요일에 보자."

그가 속삭이더니 문을 닫았다. 그렇게 끝이었다. 문 뒤에 기대어 서서 눈을 감고 거친 한숨을 내뱉고 있는데, 브리 외숙모가 가운 차림으로 거실로 나왔다. 자다가 깬 모습이었다.

"엠마, 얼마나 걱정했는지 아니?"

"캘럼이 집까지 데려다줬어요. 너무 늦게 와서 죄송해요."

"즐거웠니?"

"최고였어요."

"얼른 가서 자거라."

외숙모는 더 이상 묻지 않았고, 내 머리를 쓰다듬었다. 침실로 가 옷을 갈아입고, 화장실에서 씻고 침대로 뛰어들자 똑똑, 노크 소리가 났다.

"잠이 안 와."

아멜리가 문을 빼꼼 열고 속삭였다.

"같이 자도 돼?"

"얼른 들어 와."

아멜리가 행복한 얼굴로, 내 침대 속으로 파고들었다.

"오늘 진짜 재미있었지? 아직도 거기 갔던 게 후회돼?"

그러고는 대답을 기다리지도 않고 말을 이었다.

"너 걔 진짜로 좋아하지?"

"잘 모르겠어……. 아마 전에는 아니었을 거야. 하지만 지금은 그럴지도 몰라."

나는 누워서 방 천장을 바라보면서 캘럼을 떠올렸다. 아멜리가 키득거리며 중얼거렸다.

"엠마, 네가 여기 있어서 정말 기뻐."

그러고는 잠이 들어 버렸다.

나도 이곳에 있다는 게 정말로 기뻤다.

다음 날 아침, 따스한 햇살이 방 안으로 쏟아져 들어왔고, 바람이 커튼을 살며시 흔들었다. 곤히 자는 아멜리를 깨우지 않도록 살며시 이불을 끌어당겨서 몸 위에 덮었다. 아멜리가 밤새 이불을 다 가져가 버렸기 때문이다. 하지만 더는 잠이 오지 않았다. 간밤의 일이 떠올랐다. 캘럼이 내 등 뒤에서 이상한 방식으로 춤을 요청했던 게 떠올라서 미소를 지었다. 아멜리가 기지개를 펴면서 내 쪽으로 나른하게 돌아누웠다.

"아무튼, 세상 오래 살고 볼 일이야. 너랑 캘럼이라니!"

아멜리가 신기하다는 듯 계속 떠들었다.

"오해하지는 말고 들어. 솔직히 처음에 캘럼이 했던 행동을 생각해 보면 앞뒤가 안 맞아! 정말 생각도 못 했는데……."

어깨를 으쓱하고 아멜리에게 미소 지어 보였다. 솔직히 나에게도 수수께끼 같긴 했다.

"하! 캘럼이 어제 널 바라보던 눈빛, 장난도 아니었어."

아멜리가 킥킥거리며 눈을 비볐다. 그러고는 간밤에 있었던 일을 구체적으로 묻는 대신 단도직입적인 질문을 던졌다.

"그래서, 키스는?"

"아니."

한숨을 쉬며 대꾸했다.

"그것도 수수께끼네! 남자란 동물은 원래 좋아하는 여자한테 달려들지 않고는 못 배기는 법이거든. 한마디로 완벽한 신사거나, 아니면……."

그 순간, 방문이 왈칵 열리더니 한나와 앰버가 내 침대로 뛰어들며 꺅꺅거렸다. 피터가 문가에서 한심하다는 듯 고개를 저으며 말했다.

"아침 먹으러 내려와!"

하지만 다행히 우리 대화를 엿들은 것 같진 않았고, 곧바로 베개 대첩이 일어났다. 그래서 세 명에게 이불을 휙 던진 다음,

제일 먼저 화장실로 달려가 이를 닦았다.

아침 식사 후에 에단 외삼촌과 피터가 낚시를 가자고 권했다. 물론 집에 처박혀 있고 싶지는 않았지만, 그렇다고 낚시에 따라가서 몇 시간이나 가만히 앉아 있고 싶지도 않았다. 그래서 외삼촌에게 혼자 그림을 그리고 싶으니 중간에 내려 달라고 부탁했다. 왠지 그림을 그리고 싶은 욕구가 들끓어서 좋은 그림을 그릴 수 있을 것 같은 예감이 들었다. 화구와 이젤, 아이팟을 챙겼다. 건전지와 플레이 리스트를 확인해 보니 그런대로 반나절은 버틸 수 있을 것 같았다. 아이팟을 주머니에 찔러 넣은 후, 부엌으로 내려가니 외삼촌과 피터가 기다리고 있었다. 브리 외숙모가 샌드위치와 사과, 물병을 넣은 봉투를 챙겨 주며 당부했다.

"좋은 시간 보내다 와. 하지만 날씨가 갑자기 변덕을 부릴 수도 있으니까 조심하고!"

하지만 물빛 하늘에는 구름 한 점 없었다. 노파심이겠지. 고개를 흔든 다음 차에 올라탔다.

외삼촌과 피터가 나를 약간 경사가 있는 산등성이에서 내려 준 다음, 산마루에 경치 좋은 장소가 있다고 귀띔해 주었다. 산을 타기 시작했을 때에는 몇 명인가의 등산객과 마주쳤지만, 점점 높이 올라갈수록 인적이 뜸해졌다. 요새 규칙적으로 수영 훈련을 해서인지 무거운 화구와 이젤을 메고 있었지만 산마루까지 오르는 건 문제없었다. 높이 오르면 오를수록 경치는 점점 아름다워졌다. 저 멀리 육지가 한눈에 들어왔다. 나는 산마루보다 조금 더 높은 곳에 이젤을 세우고 그림을 그리기 시작했다. 장관이었다. 푸르른 산맥이 파란 바닷물에 비쳐서 환상적인 광경을 연출하고 있었다. 과연 이렇게 멋진 자연을 한 폭의 그림에 담아낼 수 있을까?

작업에 너무 집중한 데다 자연이 내뿜는 아름다움에 사로잡혀 있었기 때문에, 바람이 거세어진 걸 깨닫지 못하고 있었다. 문득 몸이 오들오들 떨려서 붓질을 멈추고 하늘을 올려보았다. 브리 외숙모가 옳았다. 진회색 비구름이 산 위로 덮여 있고, 파도가 절벽에 강하게 부딪치며 콰르르 부서졌다. 당장 산을 내려가야 했다. 재빨리 화구와 이젤을 정리하고 재킷을 여민 뒤 올라왔던 길을 내달리기 시작했다. 세찬 바람이 내 몸을 날려 버릴 듯 불어 왔고 산 아래까지는 멀게만 느껴졌다. 올라올 때는 별생각 없이 야심 차게 올라왔지만 이제 보니 너무 높이 올라와 버렸던 것이다. 게다가 올라올 때는 알아차리지 못했는데 내려갈 때 보니 두 세 갈래로 갈라지는 길들이 많았다. 하지만 어느 길로 가야 할지 고민할 시간조차 없어서 무작정 아래로 내려갔다. 한참을 내려간 뒤에야 길을 잘못 들었다는 걸 깨달았다. 다시 올라가야겠다고 마음먹자마자 주위가 안개로 뒤덮이기 시작했다. 나 자신에게 화가 치밀었다. 어쩌자고 핸드폰도 안 가져 온 거야? 하지만 스코틀랜드에는 전파가 터지지 않는 곳이 많아서 핸드폰을 안 가지고 다닐 때가 많았다. 일단 무작정 내려가는 것 외에는 뾰족한 방법이 없었다. 하지만 같은 곳을 맴돌고 있다는 걸 알아차렸고, 점점 숨이 가빠졌다. 그래서 일단 화구와 이젤을 수풀 아래에 숨겨두었다. 나중에 와서 찾아가면 되겠지. 일단은 무사히 산 아래로 내려가는 게 우선이었다. 외숙모가 챙겨 준 간식을 배낭에 넣은 뒤, 다시 걷기 시작했다. 이번에 선택한 갈림길은 절벽 아래로 향하는 것 같았다. 그사이에 안개가 점점 더 짙어졌다. 물론 안개 속을 헤매는 건 현명하지 못하다는 걸 알고 있었지만 어쩔 수 없었다. 바람도 점점 더 거세어졌다. 잠시 주저하다가 결국은 계속 걷기로 했다. 길을 잃을지도 몰랐기 때문에 종종 돌멩이를 길 위에 놓아서 지나갔던 길임을 표시해 두었다. 길을 찾느라 집중한 탓에 추위도 잊고 있었다. 사방에 오솔길이 보였지만 그게 사람이 만든 길인지 동물이 낸 길인지 가늠할 수가 없었다. 중간 중간 축축한 잔디에 앉아 짧게 휴식했지만, 일어나서 계속 걸어야 한다고 스스로를 재촉하다가 끝내 방향 감각마저 잃고 말았다. 비척비척 힘없이 걸으며 낭떠러지에 떨어지지만 않길 바랐다. 그 길은 진정 돌아올 수 없는 길이 되어버릴 테니.

한 발짝 한 발짝 힘겹게 걸음을 떼었다. 시계를 보니 오후 5시 30분이었다. 이제는 외삼촌과 피터가 날 찾아 주기만 바라는 수밖에 없었다. 지칠 대로 지쳤을 때, 어린 묘목을 길러내는 작은 나무 밭이 보였다. 나무 둥치 사이에 앉으니 어느 정도 바람은 면할 수 있었지만 더 이상 어찌해야 할지 판단할 수 없었다. 누군가 나를 찾아 줄까? 떨리는 손으로 물병을 꺼내 물을 삼켰다. 그러고는 샌드위치를 먹었다. 소화가 될 것 같진 않았지만 상관없었다. 배 속에서 꼬르륵거리는 소리가 강풍 소리보다 거세었으니까.

그러고는 무작정 기다렸다.

추웠음에도 불구하고 잠시 잠이 들었던 것 같다. 멀리서 내 이름을 부르는 소리에 잠에서 깨었다. 주위를 둘러보았다. 그제야 다시 정신이 들었다. 조심스럽게 몸을 일으켜 보았지만, 다리에 힘이 들어가지 않았다.

"나 여기 있어요."

목소리를 쥐어짰다. 그리고 더 큰 소리로 외쳤다.

"나 여기 있어요!"

눈 깜짝할 새에 캘럼이 서 있었다. 그의 눈이 나를 발견하자 반짝였다. 그리고 안도했다는 듯 끌어안았다.

"내가 얼마나 걱정했는지 알아? 모두들 몇 시간이나 널 찾아다녔어."

대답해 보려고 했지만, 온몸이 덜덜 떨렸다.

"미안해. 길을 잃는 바람에……."

간신히 입을 열었다. 그리고 그에게서 느껴지는 온기에 몸을 맡겼다.

"가자. 몸이 얼음장 같아."

그가 속삭였다. 다리를 움직여 보려고 했지만, 마치 물 먹은 솜 같았다. 내가 걸을 수 없는 상태임을 깨닫고는, 그가 나를 가볍게 안아 올렸다. 내려놓으라고 말하고 싶었지만 그의 몸에 닿아 있으니 긴장이 풀려서 몸이 축 늘어졌다. 게다가 추위가 온몸을 엄습하는 바람에 턱관절이 덜덜 떨렸다. 캘럼이 나를 잠시 내려놓고는, 자신의 재킷을 벗어서 입혀 주었다.

"캘럼……. 그러지 마……. 너도 춥잖아."

캘럼이 피식 웃었다.

"걱정 마. 폭풍우 치는 밤에 반라로 돌아다녀도 추울 일 없으니까. 이 정도는 산들바람이야."

그가 반라로 폭풍우 속을 거닌다고 상상하니 가슴이 쿵쾅거렸다. 왜 내 심장은 이다지도 솔직한 걸까? 내 심박을 느낀 캘럼이 큭큭 웃었다. 그러고는 나를 더 꽉 끌어안았다. 그의 따뜻한 팔에 안겨 있어서인지 굳었던 몸이 조금씩 되살아나는 게 느껴졌다.

잠시 후, 차에 도착하자 피터가 우리를 향해 달려왔다.

"캘럼! 네가 찾았구나. 얼른 차에 타!"

파랗게 변한 내 손과 보라색 입술을 본 피터의 얼굴이 걱정으로 하얗게 질렸다. 캘럼이 나를 뒷좌석에 앉힌 후, 내 곁에 앉았다. 너무 지쳐서 그의 어깨 위에 머리를 기대었다. 피터가 히터 온도를 최고로 올린 다음, 브리 외숙모에게 전화를 걸어서 나를 찾았노라고 지친 음성으로 전했다.

캘럼의 팔이 나를 안고 있다는 사실이 기뻤다. 하지만 아직도 온몸이 너무 추워서, 내 손을 그의 스웨터 안으로 밀어 넣었다. 그가 놀라서 움찔하는 게 느껴져서 손을 빼려고 했지만 그가 나를 더 세게 끌어안았다.

"완전히 얼음 덩어리 같군. 어쩌다가 거기까지 가게 된 거야?"

캘럼이 고개를 흔들었다.

예상보다도 빨리 집에 도착했다. 그와 떨어져야 한다는 게 내키지 않았지만, 차에서 내리자마자 그가 거의 안다시피 부축해 주었다. 브리 외숙모가 울어서 빨개진 눈으로 나를 와락 끌어안은 후, 내 몸 위에 따뜻한 담요를 덮고 곧바로 뜨끈한 욕조에 집어넣고는 따뜻한 트레이닝 바지와 스웨터, 두꺼운 양말을 가져다주었다. 그러고는 캘럼과 피터를 위해 커다란 찻주전자 가득 따뜻한 차를 준비하면서 난로를 지필 장작을 가져다 달라고 부탁하는 소리가 들렸다.

뜨거운 욕조 속에 앉아 있으니, 집에 와 있는 게 꿈만 같았다. 오늘 밤을 밖에서 지내야 했을지도 모른다는 생각이 들자 등줄기가 서늘해졌다. 따뜻함이 이렇게나 감사한 것이었다니! 그때 외삼촌의 목소리가 들렸고, 아멜리가 외투와 신발을 벗지도 않고 목욕탕으로 뛰어 들어와서 나를 얼싸안고 외쳤다.

"엠마! 우리가 얼마나 걱정한 줄 알아? 네가 낭떠러지에서 떨어지기라도 했으면……."

그러고는 믿을 수 없다는 듯이 말을 이었다.

"캘럼이 널 찾아낸 건 진짜 엄청난 거야. 거실에서 다들 기다리고 있으니까 나와 봐."

욕조에서 나오는 건 내키지 않았지만 억지로 몸을 일으켜 외숙모가 가져다준 옷가지로 갈아입고 드라이기로 머리를 말린 후 하나로 묶었다. 거실로 가는 길에 사람들의 목소리가 들렸다. 다들 걱정 때문에 지친 것 같았다. 그제야 이 모든 게 심각한 사건이었음을, 실제로 어떤 비극적인 일이 일어났을 수도 있었다는 생각에 마음이 무거워졌다.

당혹스러움과 미안한 마음으로 거실에 들어갔다. 쥐구멍에라도 숨고 싶었지만, 방 안 사람들의 얼굴에는 걱정이나 질책이 아니라 안도와 기쁨만 가득했다. 브리 외숙모가 일어나서 나를 난롯가의 소파로 이끌었다. 캘럼 바로 옆자리였다. 그가 내게 따뜻한 차가 담긴 머그컵을 쥐여 주었다. 오른편에는 난롯불, 왼편에는 캘럼의 온기로 내 뺨은 금세 홍조를 되찾았다. 오히려 몸이 더워져서 좀 더 가벼운 옷으로 갈아입고 싶었지만 캘럼을 포기하기 싫어서 그냥 앉아 있었다.

"엠마야, 도대체 어디에 있었던 거냐?"

에단 외삼촌과 함께 돌아온 에릭슨 박사가 내게 물었다.

"오전에 산마루에 올라 그림을 그렸어요. 거기 풍경이 정말 아름답더라고요. 시간 가는 줄 모르고 앉아 있다 보니 춥고 바람이 많이 불기 시작해서, 올라갔던 길로 내려가려고 했죠. 제 생각에는 분명 같은 길인 것 같았는데, 길을 잃게 된 거예요."

미안함 때문에 고개를 들 수가 없었다. 캘럼이 위로하듯 팔로 나를 안아 주었다. 나는 그에게 몸을 기대었고, 그와 동시에 에릭슨 박사의 표정이 굳어졌다.

"아무튼 캘럼이 널 발견한 건 기적이었다. 방금 전까지만 해도 포기하고 경찰에게 실종 신고를 내려던 참이었어. 캘럼이 널 찾은 곳은 네가 원래 있었던 곳에서 한참이나 떨어진 곳이었는데……."

모두가 캘럼을 쳐다보았지만, 그는 신경 쓰지 않는 것 같았다.

"캘럼보다 이 섬 지리에 훤한 사람은 없지. 도보 여행을 할때도 캘럼이 길을 찾아내는 걸 보면 놀라워. 여기는 기후가 갑자기 바뀌곤 하거든. 아무튼 너 혼자 산을 오르게 한 것 자체가 실수였어. 네가 그렇게나 높이 올라갈 거라고는 생각도 못했으니까. 다음번에는 무조건 나랑 같이 가는 걸로 하자."

피터가 핼쑥한 얼굴로 말했다.

"아니면 나랑."

캘럼이 귓가에 속삭였다.

현관에서 초인종이 또 울렸다. 누가 올 사람이 더 있나 했는데, 소피가 커다란 냄비 하나 가득 따뜻한 수프를 들고 왔다. 그제야 엄청나게 배가 고팠다는 걸 깨달았다. 모두들 약간씩 몸을 구겨서 식탁에 둘러앉은 다음, 따뜻한 수프와 신선한 빵을 나눠 먹었다. 일어나서 좀 거들려는데, 캘럼이 나를 꾹 눌렀다.

"넌 오늘 내 곁에서 꼼짝 못 할 줄 알아."

그가 짓궂게 말했다.

"혹시 오늘 또 무슨 사고를 칠지 누가 알아?"

그가 웃음을 참으면서 고개를 저었다. 그러고는 피터와 모종의 눈빛을 교환하는 것이었다. 기가 막혀서 화가 나는 걸 꾹 참고 있는데, 피터도 캘럼의 눈빛을 이해했는지 킥킥거리기 시작했다. 자존심이 상해서 팔짱을 끼고 입술을 삐죽 내밀었다.

음식은 정말 맛있었다. 게다가 브리 외숙모가 내온 초콜릿 케이크까지 완벽했다. 다행히 아까 거실에서보다는 주제가 많이 가벼워져 있었다.

"이젠 위스키를 좀 마셔야겠어."

식사 후, 에릭슨 박사와 눈빛을 교환하며 에단 외삼촌이 말했다. 에릭슨 박사가 소피의 볼에 입을 맞춘 후, 에단 외삼촌과 거실로 들어갔다. 피터가 그들 뒤를 슬쩍 따라갔고, 여자들은 산더미같이 쌓인 설거지를 돕기 위해 부엌에 모였다. 캘럼과 나는 식탁을 정리했다. 그는 나에게서 한순간도 눈을 떼지 않기로 결심한 것 같았다.

"남자들 팀에 가 보는 게 낫지 않아? 여기 있어 봤자 일만 할 텐데."

내가 속삭였다.

"상관없어. 여기서 널 감시할 거야. 네가 수채 구멍에 빨려 들어갈지도 모르니까."

"하나도 안 웃겨."

그가 미소 지으며 나를 바라보았다. 내가 자기 미소에 약하다는 걸 정확히 알고 있는 모양이었다.

그 후, 다 같이 난롯가에 모여서 에스프레소를 마시면서 한담을 나눴다. 하지만 아무리 이야기에 집중하려고 해도 눈꺼풀이 자꾸만 감겼다. 캘럼이 걱정스러운 얼굴로 어깨에 팔을 둘러 주었고, 그의 품 안에서 잠이 들었다. 그가 나를 침대에 누이고 이불을 덮어 주는 순간까지도 깊게 잠들어 있다가, 그의 입술이 내 이마에 닿는 순간 잠에서 깨어났다. 그의 따뜻한 바다색 눈동자가 나를 바라보며 속삭였다.

"내일 보자. 그리고 바보 같은 짓은 더 이상 저지르지 마."

그의 입술 위로 거부할 수 없는 미소가 떠올랐다.

9장

≈≈≈

다음 날, 온몸에 통증이 느껴졌다. 목과 머리가 시끈거렸다. 브리 외숙모가 가정의에게 전화를 걸어서 오후에 집에 방문해 달라고 부탁한 후, 아스피린을 가져다주었다.

"금방 나을 거야. 그래도 이 정도인 게 다행이지. 어디서 떨어져서 팔다리가 부러졌거나 더 심하게 다쳤을 수도 있었어."

외숙모가 등을 토닥여 주고 방을 나간 후, 베개에 얼굴을 묻고 좀 더 잠을 청해 보려 했다. 그때 불길한 예감이 머릿속을 스쳤다. 월요일이었던 것이다! 하필 월요일에 아프다니. 나의 월요일 징크스가 부활한 셈이었다. 분명 외숙모는 캘럼과 기타 연습을 하러 가는 걸 허락해 주지 않을 터였다. 불안감 때문에 두통이 심해졌다. 일어나야 해. 일어나서 창문을 열고 신선한 공기를 들이마시면 두통이 좀 나아질 거야. 조심스럽게 몸을 일으켰다. 아주 천천히 움직였지만 금방 눈앞이 까매져서 어쩔 수 없이 다시 자리에 누웠다. 일어나 움직이는 건 불가능할 것 같다. 좌절감으로 입술을 깨물었다. 아니야, 한 번만 더 시도해 보자. 천천히 침대 기둥을 붙들고 몸을 일으켜 보는 거야. 간신히 일어설 수는 있었지만 다리에 감각이 없었다. 다리가 제 구실을 못한다는 사실을 깨닫기도 전에 바닥으로 고꾸라지고 말았다. 딱딱한 마루에 세게 부딪히자 아팠다. 다시 정신을 차렸을 땐, 여전히 바닥이었지만 머리 밑에 베개가 받혀 있었고, 브리 외숙모와 아멜리가 내 옆에 쪼그리고 앉아서 걱정스러운 얼굴로 나를 바라보았다.

"엠마, 괜찮아?"

아멜리가 물었다. 고개를 끄덕여 보았지만, 두통 때문에 머리가 폭발할 것 같았다.

"일어나서 침대에 누울 수 있겠어?"

입술을 달싹였지만 입안이 바짝 말랐다. 외숙모가 건넨 물을 게걸스럽게 마셨다.

"무슨 일이 있었던 거죠?"

물을 마신 후, 얼굴을 찌푸리며 물었다.

"넘어진 것 같아. 쿵 하는 소리가 크게 나서 달려온 거야."

외숙모가 말했다.

외숙모와 아멜리가 힘을 합쳐서 나를 다시 침대 위에 눕혀 주었다. 아마 오늘은 얌전히 누워 있는 편이 나을 것 같았다.

"브렌트 선생님이 오후에 봐 주러 오실 거야. 어쩌면 생각보다 큰 병일 수도 있어."

외숙모가 걱정스러운 얼굴로 방을 나가자 아멜리가 말했다.

"난 이제 학교에 가 볼 테니까 여기서 꼼짝도 하지 마. 알았지? 평소였다면 학교 안 가도 되는 너를 부러워하겠지만, 너 진짜 안 좋아 보여."

"캘럼한테 나 아파서 오늘 같이 연습 못 할 것 같다고 전해 줄래? 혹시 병문안을 오려고 하면 말려 줘. 이런 모습 보이고 싶지 않아."

아멜리가 고개를 끄덕였다.

"무슨 말인지 알아. 걱정 마. 내가 책임지고 전할게."

아멜리가 방을 나가기도 전에 잠에 빠져들고 말았다. 시간이 얼마나 흘렀을까. 외숙모가 조심스럽게 어깨를 흔들어 깨웠다.

"엠마! 브렌트 선생님이 진찰하러 오셨어."

간신히 눈꺼풀을 들어 올리자 30대 중반으로 보이는 남자가 보였다. 그가 나를 꼼꼼하게 진찰한 후, 미간을 찌푸리며 말했다.

"아마 숲에서 길을 잃었던 날, 기념품으로 폐렴을 가져왔나 보구나. 폐렴은 절대로 만만하게 볼 병이 아니란다. 항생제를 먹으면서 절대 안정을 취하고, 집 밖으로는 한 발짝도 나가선 안 돼, 알았니?"

자포자기한 심정으로 고개를 끄덕였다. 왠지 벌이라도 받는 것 같았다.

"다 나으려면 얼마나 걸릴까요?"

"네 체력에 따라 다르겠지만, 2주 정도면 그런대로 심각한 상황에서는 벗어날 수 있을 거다."

의사가 가방에 청진기를 넣으며 말했다.

2주라니! 말 그대로 영원처럼 느껴졌다. 곧 수영 팀에서 첫 번째 정규 시합이 열릴 텐데. 내가 빠진다면 팔렌 씨가 달가워하지 않을 것 같았다.

"건강해지는 게 우선이다. 아마 네 외숙모라면 널 다시 사람으로 돌려놓을 거야."

의사가 미소 띤 얼굴로 방을 나서며 말했다.

의사의 말을 들은 외숙모가 나를 건강하게 만들겠다는 일념으로 눈을 빛냈다. 하지만 그런 외숙모를 보고만 있어도 왠지 지쳤다. 처음에는 깎은 과일을 한 접시나 가져다주더니, 직접 짠 오렌지 주스도 한 컵 내왔다. 그런 다음엔 베개를 털고 이불을 정돈하며 부산을 떨었다. 잠시 후에는 뜨거운 수프 한 그릇을 가져왔다. 외숙모가 나타날 때마다 잠에 취한 몸을 억지로 일으키며, 아멜리가 오기만 기다렸다. 하지만 무언가를 간절히 기다리면 오히려 시간이 늦게 가는 법이다. 시곗바늘이 거북이처럼 기어갔다.

잠에서 깨어났을 때에는 사방이 어둑해져 있었다. 손을 뻗어서 스탠드를 켰다. 복도 쪽에서 목소리가 들렸다. 아직 밤은 아닌 것 같았다. 조심스럽게 머리를 움직여 보았다. 아침나절처럼 심하게 아프지는 않은 것 같았다. 몸을 일으켜서 가운을 주섬주섬 입었다. 화장실에 가고 싶었다. 혹시 또 쓰러질지 몰라서 아주 천천히 화장실로 걸어갔다. 세수를 하고 이를 닦은 후 거울을 보니, 웬 낯선 얼굴이 보였다. 그게 나라는 사실이 믿기지 않았다. 원래 피부가 흰 편이긴 했지만, 거울 속의 얼굴은 하얗다 못해 석고상 같았다. 게다가 눈 밑은 퀭했고 입술은 어제 겪은 추위 때문에 선홍색으로 퉁퉁 부어 있었다. 욕실 선반에서 입술에 바를 연고를 찾고 있던 중, 욕실로 아멜리가 들어왔다.

"미안, 있는 줄 몰랐어. 몸은 좀 어때?"

"잘 모르겠어. 오늘 아침보다는 나아진 것 같아. 입술 연고를 찾고 있는데 어디 있는지 모르겠어."

말을 하는 도중, 또 휘청거리는 느낌이 들어서 욕조 가장자리에 주저앉고 말았다. 깜짝 놀란 아멜리가 나를 부축해 주었다.

"침대까지 부축해 줄게. 연고는 엄마한테 물어볼 테니까 걱정 말고."

몇 분 후, 아멜리가 연고를 가져왔다. 내가 연고를 바르는 걸 지켜보며, 아멜리가 짓궂게 말했다.

"침대에 종을 매달아 놓을 테니까, 차라리 필요한 게 있을 때마다 호출해."

평소 같으면 맞받아쳤을 테지만 그럴 힘도 없어서 그냥 무시했다.

"그건 그렇고, 캘럼이 뭐라고 말했는지는 궁금하지 않아?"

최대한 동요하지 않는 척해 보았지만, 반가운 티가 난 모양이다. 아멜리가 씨익 웃어 보였다. 워낙 말 안 하고는 못 배기는 성격이긴 했다.

"있지, 캘럼 완전 걱정하더라고. 오늘 오후에 우리 집에 오겠다고 우기는 걸 말리느라고 진땀 좀 뺐어."

갑자기 아멜리가 진지한 눈으로 나를 바라보며 물었다.

"너네 정말 사귀는 거 아니니? 비밀로 해야 한다면 꼭 비밀 지킬게. 응? 사귀는 거 맞지?"

"만약에 우리가 사귀게 되면 너한테 제일 먼저 말할 테니까 걱정 마."

"약속이다?"

"맹세할게."

우리는 애들처럼 웃음을 터뜨렸다. 몇 분 후 외숙모가 항생제와 간단한 식사 거리를 가지고 방으로 왔다. 그제야 배가 고프다는 걸 느꼈다. 이건 좋은 징조였다. 어쩌면 생각보다도 빨리 완쾌될 수 있을지 모른다. 아멜리가 내 침대 귀퉁이에 앉아서 물었다.

"만약에 캘럼이 널 보러 오겠다고 박박 우기면 어쩌지?"

"내일이나 모레쯤이면 아주 약간은 인간처럼 보이지 않을까?"

자신 없는 목소리로 아멜리에게 되물었다.

"네 모습이 엉망인 건 상관없을 거야. 그저 네가 괜찮은지 확인하고 싶은 것 같았어. 걘 확실히 다른 남자애들하곤 다른 것 같아. 아무튼 목요일 오후에 와도 된다고 말해 둘게. 아마 그때쯤이면 약간은 나아지겠지. 울 엄마가 간호해 주면 누구라도 침대에서 일어나지 않고는 못 배겨. 아주 잘 돌봐주다 못해서 숨이 막힐 지경이거든."

아멜리가 키득거리며 방에서 나갔다. 나도 그게 무슨 뜻인지 알 것 같아 크큭 웃었다. 두꺼운 이불을 덮고 스탠드를 껐다. 오늘이 월요일이니까 화요일, 수요일만 넘기면 목요일에는 캘럼을 만날 수 있다. 시간으로 따지자면 약 60시간 정도 남은 셈이었다.

기다림을 견뎌 내려고 아멜리에게 소피네 책방에서 책을 좀 빌려다 달라고 부탁했는데, 정작 책이 눈앞에 쌓여 있으니 뭐부터 읽을지 결정할 수 없었다. 《이성과 감성》은 벌써 몇 번이나 읽었다. 결국엔 포크너의 《정복되지 않는 자들》을 펼쳐 들었지만 책의 내용에 집중할 수 없었다. 전에는 이런 적이 없었는데, 사랑이라는 감정이 가져다준 흥분과 설렘 때문에 한 줄도 제대로 머리에 들어오지 않았다. 글자를 읽어 내려갈 때마다 캘럼의 얼굴과 그가 건넨 말들이 기억났다. 급기야는 바로 전에 읽었던 내용이 기억나지 않아서 다시 처음으로 되돌아가야 했다. 어쩌면 단순히 책이 나한테 맞지 않았던 건지도 모르겠다.

빌려 온 책들을 다시 한 번 훑어보니 《반지의 제왕》도 보였지만 역시 읽은 책이다. 포기하기 직전에 하퍼 리의 《앵무새 죽이기》라는 책이 눈에 들어왔다. 들어 본 적은 있지만 읽어 본 적은 없었다. 그래서 가운을 걸친 후 책을 들고 거실로 갔다. 외숙모가 벽난로에 따뜻하게 불을 지펴 주어서 소파에 앉아 따뜻한 담요를 덮고 책을 읽기 시작했다. 정말 재미있는 책이었기 때문에 그날 오후와 다음 날 오전까지 꼬박 책에 집중할 수 있었다.

캘럼이 방문하기로 한 목요일이 되었다. 오전에는 집에 아무도 없어서 혼자 시간을 보냈다. 월요일보다는 상태가 훨씬 나아져 있었다. 침대에 누워서 방 천장을 바라보며, 피터와 아멜리가 캘럼을 언제 데려올까만 생각했다. 시간이 흘러갈수록 점점 긴장이 되었다. 거울에 얼굴을 비춰 보니 전보다는 나아 보였다. 입술의 상처와 손등의 찰과상도 거의 나아 있었다. 하지만 아직도 기침을 할 때마다 폐가 뻐근했고 두통도 약간 남아 있었다.

정오에는 침대에서 일어나서 콘플레이크 한 그릇을 먹었다. 그런 다음 방을 청소했는데, 무리하지 않도록 신경을 썼다. 창문을 열고 약과 환자 냄새가 빠져나가도록 방을 환기했다. 그런 다음에는 자신을 단장했다. 따뜻한 물에 샤워를 하니 두통이 가시는 것 같았다. 머리를 빗질하고 말린 후 입술과 손등에 약을 발랐다. 거울을 보니 썩 나쁘지 않아 보였다. 물론 완벽하지는 않았지만 완벽했던 적도 없었고 앞으로도 그럴 일은 없을 거였다. 새로 세탁한 트레이닝복과 두꺼운 양말로 갈아입은 후 벽난로 앞에 편안하게 앉았다.

아멜리가 집에 올 때까지, 시간은 더디게 흘러갔다. 잠깐 잠이 들었나 보다. 누가 부르는 소리에 퍼뜩 깨어 눈을 비비고 보니 눈앞에 아멜리가 있었다.

"자꾸 이렇게 사람 놀라게 할래? 대답이 없기에 또 넘어지기라도 한 줄 알았잖아! 이번에는 머리라도 부딪혔나 했어!"

잠이 덜 깨서 몽롱한 눈으로 아멜리가 투덜거리는 걸 보다가, 아멜리 뒤에 캘럼이 서 있다는 걸 깨달았다. 캘럼은 약간 놀란 표정이었지만 이내 미소를 머금었다.

"아무튼 학교 끝나자마자 모셔왔어. 안 그럼 네가 언제 데리고 올 거냐고 오후 내내 괴롭힐 테니까."

당황해서 얼굴이 빨개진 채 아멜리를 노려보았지만, 그녀는 모른 척 자기 방으로 들어가 버리는 것이었다. 캘럼이 내 옆에 앉았다. 그가 파란 눈동자로 바라보자 녹아 버릴 것 같았다.

"몸은 좀 어때?"

그가 걱정스럽다는 듯 물어서 가까스로 고개를 끄덕였다. 그가 가늘고 긴 손가락으로 내 상처 난 입술을 조심스럽게 어루만졌다.

"많이 아파?"

"많이 나았어."

더 이야기를 나누고 싶었지만, 아멜리가 갑자기 들이닥쳤다.

"부엌으로 와! 엄마가 케이크 구워 놨어."

캘럼이 나를 바라보았다. 솔직히 케이크 따윈 안중에도 없었지만, 어쩔 수 없이 몸을 일으켰다. 식탁에는 피터와 쌍둥이가 이미 자리를 잡고 앉아 있었다. 모두들 한마디씩 떠들어 댔기 때문에 정작 캘럼과는 한마디 말도 나눌 수가 없었다. 2시간 후, 집으로 돌아가기 전에 그가 잠시 나를 안고는 머리카락에 입을 맞추어 주었다.

"주말에 또 와도 될까? 날씨만 좋으면 잠시 정원을 산책하고 싶어. 둘이서만."

"내일 오면 안 돼?"

더는 감정을 억누를 수 없어서 결국 진심을 드러내 보이고 말았다. 그가 미소 띤 얼굴로 내 머리카락을 만지며 말했다.

"안 돼. 건강해지는 게 먼저야."

"알았어. 그럼 토요일에 봐."

서운한 마음을 억눌러야 했다. 그의 말이 옳았기 때문이다. 문을 나서기 전, 그가 아쉬운 듯 다시 한 번 내 입술을 어루만졌다.

약속대로 토요일 오후에 캘럼이 왔다. 멀리서 그가 다가오는 게 보이자, 달려가서 문을 활짝 열었다. 어쩌면 지나칠 정도로 기쁜 표정을 짓고 있었는지도 모르겠다.

"컨디션은 좀 어때?"

그의 푸른 눈동자가 반짝였다.

"좋아. 외숙모가 정원을 산책해도 된다고 허락해 주셨어."

나는 그를 곧바로 정원 쪽으로 이끌었다. 가족들과 어울리느라 시간을 낭비하고 싶지 않았다. 날씨는 환상적이었고, 춥지도 덥지도 않았다. 바다에서 보드라운 해풍이 소금기와 따뜻한 모래 냄새를 실어 왔다. 정원을 잠시 거닐다가 벤치에 앉았다. 캘럼이 따뜻한 양모 담요를 어깨 위에 걸쳐 주고는,《앵무새 죽이기》책을 집었다. 아까 오전 내내 거기 앉아서 책을 읽다가 올려 둔 걸 잊고 있었다.

"재미있어?"

"응. 읽어 봤어?"

내가 물었다.

"읽은 지는 꽤 됐어. 상당히 재미있었어."

"어떤 부분이 재미있었어?"

"애티커스라는 인물. 자신이 옳지 못하다고 생각하면 다른 이가 어떻게 생각하든 그에 맞설 수 있는 사람이잖아. 아마 맞서도 소용없다는 걸 처음부터 알고 있었을 거야. 그게 용기 겠지."

캘럼이 생각에 잠긴 듯 먼 곳을 바라보았다. 먼 바다 위에서 갈매기 소리가 들려왔다. 아주 멀리 날고 있어서 작은 점처럼 보였는데도, 청명한 공기를 가르고 끼룩끼룩 소리가 또렷이 들렸다.

"적어도 자신이 옳다는 신념이 있지 않았을까?"

"물론 신념도 있었을 거야. 하지만 후손들에게 자신의 신념을 위해서는 투쟁할 줄 알아야 한다는 사실을 전하려고 그랬던 것 같아. 바꾸는 게 불가능하다고 해도 말이야."

"애티커스가 선구자 역할을 한 거잖아."

"그래. 그런 일들은 아직도 여기저기서 많이 일어나고 있어.

인간들은 자신과 다르거나 낯설다는 이유만으로 적대시하지."

마치 비꼬는 듯 격앙된 목소리였다. 캘럼이 그런 식으로 말하는 건 처음이었다.

"우리 잠깐 걷자."

내 제안에, 캘럼이 의아하다는 표정으로 물었다.

"괜찮겠어?"

"응. 만일의 경우엔 네가 업고 오면 되지."

짓궂은 내 말에 캘럼이 웃었다.

"그건 정말 기꺼이 할 수 있어."

그의 대답에 오히려 얼굴이 빨개진 건 나였다.

무사히 산책을 다녀온 후에는 곧장 외숙모가 있는 부엌으로 돌진했다. 지난 며칠간 맑은 수프만 먹다 보니 갑자기 배가 고팠다. 그것도 엄청나게.

고픈 배를 움켜쥐고 식탁에 앉아 외숙모가 구워 준 초콜릿 케이크와 커다란 머그컵 하나 가득 따뜻한 코코아를 흡입했다.

"천천히 먹어. 체하겠다."

캘럼이 걱정스러운 듯 당부했다. 잠시 후 피터가 끼어들었고, 이로써 캘럼을 독차지할 수 있는 시간도 끝나고 말았다. 저녁 식사 후 그를 문까지 배웅했다. 그를 배웅하는 순간은 언제나 너무도 고통스러웠다.

그가 볼에 입을 맞추고는 귓가에 속삭여 주었다.

"잘 자."

그로부터 2주 후에야 폐렴이 완치되어서 학교에 갈 수 있었다. 다시 캘럼과 숲 속 빈터에서 둘만의 시간을 보낼 수 있다는 사실에 뛸 듯이 기뻤다.

10장

캘럼은 기타 레슨이 끝나면 나를 언제나 집 앞까지 바래다 주었다. 주말 내내, 아니 월요일 저녁부터 계속 이 순간만 기다리는 것 같았다. 그와 함께 기타를 치거나, 피터가 산에서 다시 찾아다 준 화구로 그의 모습이나 바다를 그리는 시간만이 내 삶의 전부였다.

그는 어떤 일에 대한 내 생각이나 견해는 어떤지, 요새 무슨 책을 읽는지, 어떤 음악을 듣는지, 좋아하는 게 뭔지 등을 계속 물었다. 정말이지 나를 향한 그의 호기심은 지칠 줄 몰랐다. 그가 가장 관심 있어 했던 건 나의 졸업 후 계획이었다. 하지만 아직까지는 아무런 계획도 없었다. 엄마의 죽음과 스코틀랜드라는 새로운 환경에 적응해야만 했던 까닭에, 어딘가 다른 곳에 가서 또다시 적응하고 새로운 사람들을 만나야 한다는 건 생각만으로도 소름 끼쳤다. 캘럼은 나보다 한 학년 위였기 때문에 나보다 1년 먼저 졸업을 하게 된다. 그래서 나는 졸업 후 캘럼의 거처가 궁금했다. 혹시 스카이 섬을 떠나게 될까? 그가 없는 삶은 상상도 할 수 없었다. 하지만 그는 아무런 힌트도 주지 않았고, 내가 아무리 물어도 미소 지으며 고개만 저을 뿐이었다.

게다가 그전처럼 가까이 다가오려 하지 않았다. 나와 거리를 두려는 게 눈에 보였고 신체적인 접촉도 피하려 했다. 대화를 나눠 보고 싶었지만 말을 어떻게 꺼내야 할지 막막했다. 그렇다고 그저 모른 체할 수도 없었다. 시간이 지남에 따라 나의 불안감은 커져만 갔다. 도대체 그의 태도를 어떻게 받아들여야 하지?

이따금 우리가 같이 풀 위에 앉아 있으면 그와 손을 잡고 싶다는 욕구를 참을 수 없었다. 한번은 용기를 내어 손을 뻗었는데 그가 살며시 피하는 게 아닌가. 이쯤 되니 더는 견딜 수 없었다. 하지만 괜히 말했다가 이 모든 게 산산조각이 나 버릴 것 같아서 두려웠다. 내가 그를 좋아하는 것만큼 그도 나를 좋아한다고 생각해 왔던 건 단지 나만의 착각이었을까? 섬의 변덕스러운 기후가 사람의 마음도 변덕스럽게 만드는 걸까?

"우리 얘기 좀 해."

결국 집으로 돌아가는 길에 힘겹게 말을 꺼냈다.

"도대체 왜 그러는 거야? 왠지 날 피하는 것 같아. 혹시 내가 싫어졌어?"

그리고 더 이상은 말을 꺼낼 수가 없었다. 너무 긴장한 나머지 목소리가 나오지 않았기 때문이다.

"말했잖아. 우리가 가까워지는 건 현명하지 못한 행동이야."

그가 건조한 목소리로 대꾸했다. 그러고는 도망치듯 빨리 걷기 시작했다. 그와 걸음을 맞추려다 보니 호흡이 가빠졌다.

"그건 춤추던 날 했던 말이잖아."

"그럼 그게 단지 내가 네 발을 밟을까 봐 한 말인 줄 알았어?"

그가 장난하는 것 같으면서도 진지하게 말했다. 솔직히 그날 밤은 그의 눈빛에 취해 있느라 그의 말을 깊게 새겨듣지 않았던 게 사실이다. 아무 대꾸도 못한 채 입을 꾹 다물었다.

"어쩌면 네가 이해할 수 없을지도 모르지만 그냥 나를 믿어줘. 이편이 나아. 하지만 너와 함께 시간을 보내고 싶어. 이 시간들은 나에게 큰 의미가 있으니까."

그가 멈추어 서서 나를 바라보며 섬세한 손가락으로 나의 뺨을 쓰다듬었다. 그의 손길이 고팠던지라 내 피부 아래의 혈관이 금세 요동치기 시작했다.

"하지만 더는 안 돼. 미안. 지난 내 행동들 때문에 네가 기대했다는 거 알아. 모두 내 잘못이야. 이제 와서 소용없겠지만 이게 최선이라는 것만 믿어 줘."

"내가 싫어진 거잖아."

작은 목소리로 탄식한 후 발끝을 바라보았다. 그가 내 머리칼을 귀 뒤로 넘겨 주고는 고개를 거세게 저었다.

"너도 그게 사실이 아니라는 거 알잖아."

예감은 적중했다. 질문하기 전보다 더 혼란스러워졌을 뿐이다. 하지만 한 가지는 확실했다. 적어도 캘럼의 머릿속에 나와 함께하는 미래란 없다. 그도 나와 같은 감정일지 모른다던 생각은 나만의 착각이었다. 솟구쳐 오르는 눈물을 꾹 참았다. 뭐가 이렇게 복잡하고 어려운 거야? 그가 다시 앞장서서 도망치듯 빨리 걷기 시작했다. 저 멀리 우리 집이 보였다. 그래……. 이제 이걸로 된 거야.

그때, 그가 갑자기 걸음을 멈추더니 몸을 돌려 이쪽으로 뚜벅뚜벅 걸어왔다. 그러고는 나를 강하게 끌어안았다. 머리가 멍해졌다.

"넌 내 심정이 어떤지 몰라."

그의 가슴에 안겨서 태양과 소금과 모래의 향기를 맡으며 손을 뻗어 그의 허리를 꼭 끌어안았다. 이대로 시간이 멈추어 버렸으면. 우리는 잠시 동안 그렇게 서 있었다. 그의 손이 내 허리를 부드럽게 쓰다듬었다. 심장이 쿵쾅거렸다. 그도 나를 강하게 원하고 있다는 걸 느낄 수 있었다. 고개를 들고 그의 끝없이 깊고 푸른 바다색 눈동자를 바라보았다. 그의 입술이 다가왔다.

"캘럼! 엠마에게서 떨어져, 당장!"

청천벽력 같은 외삼촌의 목소리가 들렸다.

"당장 그 애를 놓고 다시는 우리 가족 앞에 얼씬거리지도 마! 다시는 너희 같은 것들이 우리 가족에게 불행을 가져오게 만들지 않겠어!"

외삼촌이 이쪽으로 달려오더니 캘럼의 멱살을 잡고 나에게서 밀쳐 내었다. 그의 말 속에는 분노가 가득했다. 그러고는 땅에 주저앉아 있는 나를 일으켜서 캘럼에게서 떨어뜨려 놓았다. 멀리, 더 멀리 그의 얼굴이 멀어져 갔다. 집 앞에서 외삼촌이 창백해진 캘럼을 향해 다시 한 번 "꺼져 버려!"라고 외친 후, 나를 현관문 안으로 밀어 넣었다. 창문 밖의 캘럼과 눈이 마주쳤다. 그가 뭔가 할 말이 있다는 듯 애절하게 나를 바라보다가 이내 입술을 깨물더니 몸을 돌려서 사라졌다.

에단 외삼촌이 나를 끌어안았다. 나는 그를 밀쳐 내며 소리를 질렀다.

"도대체 이게⋯⋯. 이게 뭐예요? 갑자기 정신이라도 이상해지신 거 아녜요? 캘럼은 저한테 아무 짓도 안 했어요! 아멜리도 에이든과 사귀고 있는데!"

우리가 집 안으로 들어서자마자, 외삼촌은 모든 분노가 일시에 꺼져 버린 것 같은 얼굴이었다. 그가 침착하게 나를 타일렀다.

"엠마야, 이게 최선이다. 설명할 수는 없지만 나를 믿어야 한다. 캘럼은 위험해."

그러고는 창백한 얼굴로 부엌 문가에서 얼어붙어 있는 외숙모를 발견하고는 걸음을 멈추었다. 피터와 아멜리, 쌍둥이도 모두 방에서 나와서 어이없다는 얼굴로 아버지를 바라보고 있었다. 아마 모두들 외삼촌의 이런 모습은 처음이었던 것 같다.

"여보, 무슨 일이에요? 엠마, 캘럼이 널 다치게 했니?"

외숙모가 물었지만 나도 영문을 모르겠다는 표정을 지어 보일 수밖에 없었다. 캘럼이 날 다치게 할 일은 죽었다 깨어나도 없을 터다. 나도 도대체 무슨 일인지 전혀 알 수가 없었고, 단지 외삼촌이 방금 모든 걸 망가뜨려 놓았다는 사실만은 확실했다.

"여보. 이건 말도 안 돼요."

외숙모의 목소리가 커졌다.

"왜 캘럼과의 교제를 금지하는 건지, 엠마에게 납득할 수 있도록 설명을 해 줘야죠! 캘럼은 좋은 애예요! 엠마가 얼마나 행복해하는지 알잖아요. 그리고 그거야말로 당신이 원하던 거잖아요!"

외삼촌이 소름 끼치도록 텅 빈 눈으로 외숙모를 바라보다가 창백한 얼굴로 모두에게 말했다.

"나도 설명해 줄 수 없어. 다들 캘럼을 멀리해라. 내 말 알아듣겠니? 그 애는 위험해!"

그러고는 몸을 돌려 침실로 들어가 버렸다.

"도대체 무슨 일이야?"

아멜리가 물었고, 모두들 나만 바라보았지만 나로서도 전혀 이해할 수 없었다. 머리칼이 헝클어질 정도로 고개를 흔들다가, 내 방으로 뛰어 들어가 침대 위로 몸을 던졌다. 이건 옳지 않았다. 외삼촌이 와서 사과를 하기 전까지는 이 방을 나가지 않겠다고 이를 갈았다. 화가 치밀어 올랐다. 아무리 외삼촌이라고 해도 나와 캘럼을 가로막지는 못해! 나는 그가 필요하다고!

외숙모가 방으로 들어오자, 벽 쪽으로 몸을 돌렸다. 외숙모가 가만히 침대에 앉으며 입을 열었다.

"여기에 적응하는 게, 새로운 삶을 사는 게 쉽지 않은 거 안다."

외숙모의 목소리가 떨렸다.

"하지만 외삼촌은 네가 잘되기만을 바라고 계셔. 한 번도 입을 연 적은 없지만, 네 엄마를 늘 그리워하고 있단다. 둘은 어릴 때부터 우애가 깊었어. 네 엄마가 이곳을 떠난 이유에 대해서는 아무도 모르지만, 네 엄마가 너를 가졌을 때 얼마나 기뻤는지 몰라. 너와 아멜리가 함께 자랐다면 얼마나 좋았겠니……. 그 당시에 네 엄마와 나는 에든버러에서 대학에 다니고 있었고, 여기에는 방학 때만 들렀단다. 네 엄마를 마지막으로 봤던 건 네가 태어나기 전, 크리스마스 때였어. 당시에 어떤 사건이 있었고……. 그게 마지막이었어."

나는 몸을 돌려 외숙모를 바라보았다. 외숙모의 눈은 허공의 어딘가에 고정된 채, 당시를 회상하는 듯했다.

"오랫동안 그때 일을 잊어버리고 있었어. 하지만 한 가지만은 확실하단다. 네 외삼촌이 아무 이유도 없이 그런 행동을 하지는 않아. 뭔가 깊은 뜻이 있을 거야……."

그러고는 방에서 나갔다.

자정쯤 노크 소리가 들렸다.

"엠마, 자니?"

외숙모가 속삭였다. 나는 침대에서 몸을 일으켰다.

"외삼촌이 아래에서 기다리고 계셔. 해 줄 말이 있대."

외숙모를 따라 부엌으로 가니, 외삼촌이 찻잔을 손에 들고 식탁에 앉아 있었다.

"엠마."

그가 망설이듯 입을 열었다.

"먼저 사과하고 싶구나. 네 눈에는 아까 나의 행동이 얼마나 정신 나간 사람처럼 보였을지 모르겠구나. 하지만 에릭슨 박사가 모든 걸 설명해 주었고, 그걸 듣고 나니까 나도 내 정신이 아니었던 것 같다. 만약 내가 이 모든 걸 더 빨리 알았더라면 너희 둘이 어울리는 걸 진작 막아 주었을 텐데……."

그가 눈을 들어서 나를 바라보았다.

"무슨 말씀을 하시는 건지 전혀 이해할 수가 없어요."

나는 강한 반감을 드러내며 대꾸했다.

"안다. 이 모든 게 나에게도 너무나 어렵구나. 만약에 내가 설명해 준다 해도, 네가 이해할 수 없기 때문에……. 아니, 나도 이해할 수 없으니 말이다."

그가 한숨을 쉬었다.

"앉거라. 네 엄마에 대한 걸 말해 주마."

나는 머뭇거리며 식탁에 앉았다.

"네 엄마가 바로 이 집에서 나와 함께 자랐다는 걸 알 거다. 우리는 정말 우애가 깊었다."

그는 과거를 떠올리며 미소 지었다.

"브렌다는 시에서 가장 아름다웠어. 언제나 집 앞에는 브렌다에게 데이트를 신청하려는 남자들이 줄을 서 있었지. 그러다 에릭슨 가에서 한 남자를 만나게 된 거다. 아레스라는 특이한 이름이었지. 이상할 정도로 잘생기고 매혹적인 사람이었어. 브렌다는 아레스와 사랑에 빠지게 되었고, 우리는 이 시기에 자주 보지 못했지. 당시에는 나와 네 외숙모 사이에서 피터가 태어나서 에든버러에서 살고 있었거든. 하지만 이곳을 방문할 때면 네 엄마 얼굴이 어찌나 행복해 보이던지……. 게다가 매일 더욱 예뻐져만 갔었다."

그의 목소리가 떨렸다.

"그러다 갑자기 아레스가 자취를 감추었고, 네 엄마는 무너져 버렸다. 말 한마디 없이 사라져 버렸어. 작별 인사도 없이. 그때 네 엄마 배 속에는 네가 있었고, 브렌다는 무슨 일이 있어도 널 낳고 싶어 했단다. 하지만 아레스는 단 한 번도 나타나지 않았고, 네 엄마도 더 이상 예전의 브렌다가 아니었지. 결국엔 너를 낳자마자 미국으로 가서 영영 돌아오지 않게 된 거다. 우리 부모님도 너무나 낙심했었지. 하지만 무슨 이유에선가 브렌다를 이해하는 것 같긴 했다. 나보다는 말이다."

"미국에서 엄마는 늘 혼자였어요. 아무도 만나려 하지 않았죠."

내가 작은 목소리로 중얼거렸다.

"그래……. 너희 모녀는 어딘가 닮은 데가 있어. 네 엄마도 아레스를 너무 깊이 사랑해 버린 거란다."

"하지만……. 그게 캘럼과 무슨 상관이 있죠? 전 이해가 안 돼요."

그는 침묵했지만, 이미 결정을 내린 것 같았다.

"엠마, 잘 들거라. 캘럼은 너를 불행하게 만들 거다. 이건 100프로 진심이다. 설령 구체적으로 설명할 수 없다고 해도 날 믿어야 해. 만약 캘럼과의 관계를 끝내지 못하겠다면, 널 다시 미국으로 되돌려 보내는 수밖에 없구나. 하지만 난 너를 믿는다. 힘을 합쳐서 이 위기를 같이 넘겨 보자."

외삼촌의 눈에 굳은 결의가 묻어났다. 방으로 돌아가고 싶었지만, 다리에 힘이 풀려서 식탁에서 몸을 일으킬 수가 없었다.

"적어도 미국에 가면 안전할 거다."

외삼촌은 이렇게 중얼거리며 부엌에서 나갔고, 같이 듣고 있던 외숙모는 영문을 알 수 없다는 표정이었다. 나도 그랬다. 오히려 아까보다 머리만 더 복잡해진 것 같았다. 도대체 앞으로 뭘 어떻게 해야 한다는 거지? 간신히 방까지 걸어가 천근만근 같은 몸을 침대에 털썩 뉘였다. 잠을 이룰 수도 없었다. 하지만 깊게 고민하면 할수록 혼란스럽기만 했다. 엄마의 사랑 이야기……. 그리고 캘럼. 캘럼과 나는 이어질 수 없는 걸까? 그가 나를 사랑하긴 하는지……. 왜 외삼촌은 시작도 안 된 관계를 일찌감치 끝내려는 걸까? 말 그대로, 아직 아무것도 시작되지도 않았는데…….

내일 캘럼과 얘기해 볼 생각이었다. 적어도 도대체 무슨 일인지는 알아야 할 것 같았다.

다음 날 아침, 부엌에 들어가 보니 외삼촌은 이미 출근하고 없었다. 묵묵히 콘플레이크 그릇을 비우고는 아멜리와 함께 차에 올랐다.

"아빠랑 어젯밤에 무슨 얘기 했어?"

차에 앉기도 전에, 아멜리가 초조한 듯 물었다. 나는 들은 대로 이야기해 주었지만, 아멜리도 영문을 모르겠다는 표정이었다.

학교에 도착하기도 전에 캘럼을 찾느라 주위를 두리번거렸지만, 그의 모습은 어디에서도 보이지 않았다. 만약 오늘 학교에 나타나지 않는다면 목사관으로 가 보는 수밖에 없었다. 결국 그는 수업 내내 나타나지 않았다.

"무슨 일이 있어도 캘럼과 얘기 좀 해 봐야겠어. 혹시 외삼촌이 찾으면, 적당히 핑계 좀 대 줄 수 있어?"

학교가 끝나고 집으로 돌아오는 길에 아멜리에게 부탁했다. 자기 아빠에게 거짓말을 해 달라고 부탁하기는 미안했지만, 다른 방법이 없었다.

"걱정 말고 다녀 와."

아멜리가 밝은 얼굴로 대꾸하고는 나를 목사관 앞에 내려 주었다. 얇은 재킷을 단단히 여미고 현관문을 두드린 후 한 발짝 뒤로 물러섰다. 아무 반응이 없어서 돌아가려는 찰나, 발소리를 들었다. 심장이 두근거리다 못해 터질 것 같았다. 생각 같아서는 이 모든 일에서 도망가 버리고 싶었다. 그 순간 문이 열리면서 소피의 얼굴이 보였다.

"엠마구나…… 들어오렴."

소피가 진지한 눈매로 바라보았다.

"캘럼 찾는 거니?"

나는 고개를 끄덕였다.

"오해하지는 말거라. 하지만 나는 이게 좋은 생각인지 모르겠구나……."

소피의 태도가 달라진 건 좀 충격이었다. 이 세상 모든 사람들이 나의 적으로 돌변한 기분이었다.

"캘럼이랑 얘기를 나눠야만 해요. 무슨 일인지 알고 싶고, 그게 다예요. 아니면 부인께서 저한테 설명해 주실 수 있나요? 외삼촌은 횡설수설하기만 해요. 에릭슨 박사님과 무슨 이야기를 나눈 다음에 저와 캘럼을 만나지 못하게 하기로 했다는데요."

"얘야……. 이건 정말 복잡한 상황이란다. 알았어. 올라가 보렴. 하지만 이번이 마지막이란다. 알겠지?"

입술을 깨물며 고개를 끄덕거렸다.

"캘럼은 위층 자기 방에 있어. 오늘 컨디션이 좀 안 좋아서 학교를 쉬게 했단다. 계단을 올라가서 왼쪽 두 번째 방이야. 올라가 보면 알아."

천천히 계단을 올라가 그의 방문 앞에 섰다. 다리가 후들거렸고, 벌써부터 용기가 달아나는 것 같았다. 그때 방 안에서 기타 소리가 들렸다. 우리가 어제 연습한 곡이었다. 방문에 이마를 대고 기타 음색에 귀를 기울이고 있자니 떨리는 마음이 좀 진정되었다. 똑똑, 방문을 두드렸다. 기타 소리가 멎었다.

잠시 침묵이 흘렀다.

"들어와."

마치 문 밖에 서 있는 게 나라는 걸 알고 있는 것 같았다. 문을 열고 들어가니 그가 침대 위에 앉아 있었다. 무릎 위에는 기타가 놓여 있었다.

"방해하려던 건 아니었어. 미안."

더듬거리며 말했다. 그러고는 손을 어디에 두어야 할지 몰라 안절부절못하다가 바지 주머니 속에 쑤셔 넣었다. 긴장될 때의 버릇이었다.

"들어와서 앉아."

그가 몸을 일으켜 기타를 방구석에 세워 두었다. 방 중간에는 파란색과 베이지 색 퀼트 천이 깔린 커다란 침대가 있었고, 벽에는 수많은 책과 CD가 꽂힌 책장이 여러 개 있었다. 침대 근처 벽에는 내 그림이 걸려 있었다. 그가 나에게서 멀리 떨어진 책상 근처에 의자를 놓고 앉았다. 어제 오후 느꼈던 친밀감은 온데간데없었다. 막상 그를 대면하니 어디부터 시작해야 할지 모르겠어서 창가로 걸어가 그에게서 등을 돌리고 섰다. 그의 매혹적인 푸른 눈을 바라보지 않아야 말을 꺼내기 쉬울 것 같아서였다. 심호흡을 크게 한 다음, 용기를 끌어모았다.

"엠마, 어제 네 외삼촌이 한 말 잊은 거야? 이제 여기 오면 안 돼. 나에게서 멀리 떨어지는 게 나아."

"왜 그런 말을 해?"

화가 치밀어 올랐다.

"너나 외삼촌 말처럼, 아무것도 몰라도 되니까 그냥 입 닥치고 시키는 대로 하라는 거야? 난 어린애가 아니야! 적어도 무슨 일인지 설명은 해 줘야 할 거 아냐? 적어도 넌……. 너만은 나에게 진실을 말해 줘야 해. 그리고…… 도대체 왜 어느 날은 막 다가왔다가 또 어느 날은 차갑게 대하는 건지……. 제발!"

그가 나를 가만히 바라보자 갑자기 온몸에 힘이 빠져 버려서, 침대 위로 털썩 주저앉았다.

"제발……. 설명을 해 줘. 진실을 알고 싶을 뿐이야."

캘럼이 몸을 돌려 창밖을 바라보며 침묵했다. 화가 난 듯, 이마 위로 흘러내리는 머리칼을 거칠게 쓸어 올리며 한숨을 내쉬었다. 솔직히 화난 얼굴이 더 매력적이었다. 만약 영화의 한 장면이었다면 당장 그의 품에 달려들었겠지만, 현실에서는 무거운 침묵만 이어졌다. 그는 마치 한 폭의 그림처럼 움직임도 없이 창밖만 바라보았다. 더 이상 견딜 수 없어서 벌떡 일어서서 방을 나가려는데, 그가 입을 열었다.

"나가자. 숲에서라면 방해 받지 않고 이야기를 나눌 수 있을 거야."

우리는 말없이 밖으로 나갔다. 그가 저 멀리 멀찌감치 앞장서서 걸었다. 그와 걷는 속도를 맞추려다 보니, 호흡이 가빠졌다.

"조금만 천천히 걸을 수 없어?"

나의 간곡한 부탁에 걷는 속도는 약간 늦춰졌지만, 그가 온 힘을 다해 나에게서 거리를 두고 있다는 게 느껴졌다. 그와 얘기를 나누려는 게 정말 좋은 생각이었을까?

작은 연못가에 이르렀을 땐 벌써 날이 저물어 가고 있었다.

더 늦어지면 외삼촌이 나를 찾아 나설지도 몰랐다. 제발 내가 들어가기 전까지는 아무도 나를 찾지 말아 주길 간절히 바랐다. 캘럼은 여전히 침묵하고 있었다.

"설명 안 해 줄 거야?"

침묵을 깨며 내가 물었다.

"말해 주고 나면 문제가 좀 간단해질지도 모르잖아."

"엠마, 이걸 말하는 건 나에게 정말이지 어려운 일이야. 네가 이해할 수 있을지도 모르겠어. 내가 너와 거리를 두는 이유를 말하게 되면, 아마 널 잃어버리게 되겠지……. 난 그게 가장 두려워."

뜻밖의 고백에 호흡이 가빠졌다. 정말 그의 눈에는 두려움이 가득했다. 조심스럽게 손을 뻗어서 그의 손 위에 올려놓았다. 오랜만에 전기 자극 같은 찌릿함이 전해졌다.

"도대체 무슨 일이야? 그렇게 심각한 거야?"

그가 내 손을 잡고 입술로 가져갔다. 그러고는 자신의 뺨 위에 댔다. 보드라운 감촉이 느껴졌다. 말없이 그의 대답을 기다렸다.

"네가 생각하는 것보다 더."

그가 또다시 침묵했다. 한참 후에야 긴 한숨과 함께 입을 열었다.

"어디서부터 설명해야 네가 이해할 수 있을지……. 네게 진실을 숨기는 건 괴로워. 모든 걸 다 털어놓고 싶어도, 네가 모르는 편이 너에게 백배 낫기 때문에 숨겨 온 거야."

의아하다는 표정으로 그를 바라보았다.

"네가 보고 있는 나는, 보이는 게 전부가 아니야."

그가 작게 속삭였다.

"무슨……?"

"미안하지만 그냥 잠자코 들어 줘."

그가 간곡한 얼굴로 부탁했다.

"너도 내가 호수나 바닷물에 들어가지 않는 걸 알고 있지. 나에게 물 공포증은 없어. 반대로 물은 내 전부야. 우리 종족은 물 밑에서 살아가는데, 인간들과 지내는 동안은 보름달 뜬 밤에만 다녀올 수 있어."

그가 무슨 말을 하는지 이해할 수 없었다.

"널 사랑하지 않으려고 노력했어. 거리를 두려고도 해 봤고……. 하지만 아무리 마음을 다잡아도, 아무리 노력해도 허사였지. 널 처음 본 순간부터 사랑에 빠지리라는 걸 예감했고 이 모든 게 위험하다는 걸 알고 있었어."

심장이 쿵쾅거렸다. 그가 나를 사랑하고 있었다니! 간신히 흥분을 억누르면서 그의 말에 귀 기울였다.

"우리는 서로 다른 종족이라서 함께할 수는 없어. 나와 함께하면 불행을 초래하게 될 거야. 게다가 나는 언젠가 내가 사는 곳으로 영영 돌아가야만 해."

그의 팔을 붙잡고 물었다.

"네가 나와 다르다는 게 무슨 말이야?"

불길한 예감이 들었다. 뭔가 크게 잘못되었다는 예감이었다.

"제발…… 그냥 끝까지 들어 줘."

가까스로 떨리는 마음을 진정시켰다. 그가 팔을 뻗어서 나를 끌어안고는 천천히 입을 열었다.

"스코틀랜드인들은 우리를 셀리코트라고 불러."

그가 내 귀에 나직이 속삭였다. 그러고는 내 머리칼에 자신의 얼굴을 묻었다.

"우리를 일컫는 여러 가지 말이 있지만, 우리 스스로는 '수인水人'이라고 해."

셀리코트? 그러자 오래된 기억이 떠올랐다. 엄마와 숲을 도보 여행 하던 시절, 모닥불 가에서 들려주던 이야기 중에 숲과 정령과 수인들……. 특히 셀리코트에 대한 이야기가 있었다. 보름달이 뜬 밤이면 뭍으로 올라와 춤을 추곤 했다는……. 스코틀랜드의 깊은 호수 밑에 그들의 왕국이 있으며, 뭍으로 올라오는 보름달 밤에 아름다운 처녀들을 유혹해서 물속으로 끌고 들어갔다는 이야기…….

"수인들은 정말 아름다웠대."

엄마의 목소리가 들리는 듯했다.

"피부는 달빛 아래서 은색으로 빛났고, 긴 곱슬머리는 어깨까지 닿았대. 그들의 눈동자 속엔 푸른 호수물이 일렁거렸지."

나는 특별히 셀리코트 이야기를 좋아했었다. 무서워하면서도 좋아했었다. 왜냐하면 슬픈 사랑과 아픔에 대한 이야기였기 때문이다. 물론 어렸기 때문에 절반밖에는 이해할 수 없었지만 나에게는 특별한 동화였고, 매번 엄마를 눈물짓게 만드는 동화

166

이기도 했다. 엄마는 셀리코트 이야기를 끝내고 나면 아무 이유 없이 울곤 했다.

그런데 지금 캘럼의 입에서 셀리코트라는 단어를 듣자, 이 모든 게 마치 어처구니없는 우연처럼 느껴져서 말문이 막혔다.

"하지만 넌……. 인간처럼 보여. 인간이 아니라고는……."

그제야 내 눈의 비늘이 떨어져 나간 듯, 그가 진실을 말하고 있음을 깨달았다. 그는 확실히 다른 사람들과는 달랐다. 그에게서 느껴지는 감각이 좀 더 강렬했다.

그가 점점 창백해져 가는 나의 안색을 불안하게 살폈다. 이제야 에단 외삼촌의 말이 조금씩 이해가 되었고, 엄마의 사랑 이야기에서 빠져 있던 퍼즐 조각이 맞춰졌다. 인간 처녀를 홀려서 아이를 낳게 하고 떠나 버리는 아름다운 수인 이야기. 홀로 남은 여인은 스스로 물속에 몸을 던지거나, 평생 떠나간 남자를 그리워하며 고통스러운 생애를 보내게 된다던……. 그 모든 게 오래된 옛이야기나 동화가 아니라 끔찍한 사실이었던 것이다.

이건…… 이건 말도 안 돼! 갑자기 두려움이 엄습했다. 주위의 모든 사물이 공포스럽고 괴기하게 느껴졌다. 날이 저물면서 호수 주변의 나무들이 어두운 그림자를 드리웠다. 그의 말이 모두 사실임이 확실해지자, 더 이상 정상적인 사고가 불가능했다. 캘럼은 왜 날 물가로 데려온 걸까? 나에게 무슨 짓을 하려는 거지? 도망쳐야 해!

벌떡 일어나 그의 얼굴을 노려보자 갑자기 그의 눈동자가 얼음 같은 하늘색으로 변했다. 그는 내게 손을 뻗으며 다가오려 했지만, 내가 뒷걸음질 치자 그 자리에 멈추어 섰다.

"엠마…… 날 무서워하지 않아도 괜찮아."

그의 목소리에 슬픔이 묻어났다.

"날 어떻게 대하든 상관없지만 이 사실을 다른 사람들에게 말하면 안 돼. 약속해 줄 수 있어? 이건 정말 중요한 거야."

그가 애원하듯 말했다.

"이 사실을 알게 되었다는 사실만으로 네가 위험에 처하게 될지도 몰라."

가까스로 고개를 끄덕였다. 그가 나를 끌어안으려는 듯 손을 뻗었지만, 뒷걸음쳐서 뒤도 돌아보지 않고 그곳을 빠져나왔다. 도망쳐야 해! 멀리 도망쳐야 해! 정신이 혼미한 상태로 달리고 또 달렸다.

헐떡거리며 집 안에 들어서니 외숙모가 복도에서 놀란 얼굴로 나를 맞았다. 외숙모는 나를 소파에 앉힌 후, 말없이 안아 주었다. 몇 분 후 진정되고 난 후에도 나를 놓지 않고, 마치 아기를 달래듯 토닥거렸다.

"이제 좀 나아졌니?"

외숙모가 내 뺨 위로 흐르는 눈물을 닦아 주며 물었다. 나는 훌쩍이며 고개를 끄덕였다.

"따뜻한 코코아 타 줄게."

계속 이상한 이야기만 듣다가 '코코아'라는 일상적인 단어를 들으니, 조금 전까지 일어난 일들이 거짓말 같아서 미소 짓고 말았다. 부엌으로 들어가는 외숙모의 뒷모습이 정말 고마웠다.

"방에 들어가서 숙제나 마저 할게요."

코코아를 마신 후에 외숙모에게 말했다.

"캘럼 집에 갔다 온 거지? 뭔가 이야기하고 싶어지면 언제든지 들어 줄게."

"아니예요……. 외삼촌께 앞으로 캘럼을 만나지 않기로 결심했다고만 전해 주세요."

방으로 들어가 책상에 앉아서 작은 스탠드를 켰다. 이제 뭘 해야 하지? 지난 이틀 동안 일어난 일들이 너무 충격적이어서 마치 일주일이 지나간 것 같았다. 음악을 틀고 창문을 열었다. 가슴이 아려왔다. 벌써부터 그가 그리웠다. 그의 존재를 알게 되었으니 두려워해야 하는 게 당연한데, 과연 그럴 수 있을까? 결국 그는 나에게 아무런 해도 입히지 않았다. 반대로 늘 어설프게 날 밀쳐 내려고 했다. 게다가 정말이지 자상했었다…….

어떻게 해야 하지? 뭐가 옳은 거지? 바로 지금, 엄마의 조언이 간절히 필요했다. 지난 몇 달간 엄마를 거의 잊고 지내 왔다. 엄마가 계셨다면 뭐라고 했을까?

생각하면 할수록 답은 확실했다. 엄마는 분명 그를 멀리하라고 충고했을 거다. 그게 최선이고, 상처 받지 않는 방법이라고. 안 그럼 엄마처럼 불행한 인생이 펼쳐질 거라고. 엄마는 평생토록 외로움에 사무쳐서 살았다. 하지만 왜 나에게 이 모든 걸 비밀로 했던 걸까?

이별이 쉽지 않을 거라는 사실을 직감했지만 언젠가는 극복하게 될 터다. 적어도 그렇게 믿고 싶었다. 시간이 상처를 아물게 해 줄까? 하지만 엄마의 경우엔 시간도 소용없었다……. 복잡한 심정으로 침대에 몸을 던진 후, 베개에 얼굴을 파묻고 소리 없는 비명을 질렀다.

그리고 거친 울음을 터뜨렸다.

11장

캘럼은 결국 학교는커녕 수영 팀 연습에도 나타나지 않았고, 그대로 여름방학이 시작되었다. 그를 보지 못한다는 사실 때문에 괴로웠다. 그 없이 살아가는 건 불가능했다. 게다가 아무리 노력해도, 그가 두렵거나 무섭지 않았다.

결국 소피라도 만나기 위해 시내의 책방에 들렀다. 적어도 그가 어디에 있는지만이라도 알고 싶었다. 제발 어디 다른 곳으로 떠나지 않았기만을 기도했다. 책방 입구의 익숙한 벨 소리가 귀에 울렸다. 소피는 나를 보자 말없이 안아 주었다. 마치 아무 말 하지 않아도 다 안다는 듯이.

"이게 최선이야. 물론 쉽지는 않겠지……. 캘럼은 며칠 전에 여행을 떠난단다."

그가 떠났다는 말에, 잠시 심장이 멎는 것 같았다.

"물론 방학이 끝나면 다시 돌아올 거야."

그제야 한숨을 내쉴 수 있었다.

"아마 그때쯤이면 그 애를 만나도 아무렇지도 않을 거야. 한동안은 서로 안 보는 게 나아. 너는 아직 젊으니까 또 새로운 사랑을 할 수 있을 게다. 게다가 앞으로도 이런 아픔과 상처는 수없이 찾아오게 된단다……."

소피가 나를 바라보며 미소 지었다. 왜 모두들 그런 뻔한 말로 위로하려는 걸까? 새로운 사랑 따위는 필요하지 않았다. 내가 원하는 건 캘럼이었다.

그렇게 잠시 소피와 시간을 보내며, 그녀가 들려주는 새로운 소식에 귀를 기울이다 집으로 돌아왔다.

다음 날 아침 일찍 우리 모두는 짐을 꾸렸다. 외삼촌이 3주간의 스코틀랜드 일주를 계획했기 때문이다. 가족 모두가 함께해야 했고, 그와의 추억에서 3주 동안이나 멀어져야 한다는 생각에 슬펐다.

묵묵히 짐을 꾸렸다. 내가 슬프다고 해서 다른 사람들의 여행까지 망칠 수는 없었다. 결국 이 여행도 나를 위한 거였으니까. 가족들은 내가 스코틀랜드를 더 많이 둘러볼 수 있도록, 좀 더 쉽게 캘럼을 떨쳐 버릴 수 있도록 돕고 싶어 했다.

외삼촌은 우리의 여행 일정을 철저하게 비밀에 부쳤다. 여행을 계획하는 데만 거의 만 하루가 걸렸고, 모든 세부 계획까지 꼼꼼히 세워서 여행 중에 작은 돌발 상황도 일어나지 않도록 면밀하게 준비한 것 같았다. 외숙모조차 우리가 어디를 둘러보게 될지 몰랐다. 첫 번째 목적지인 에일린 도난 성까지는 고속도로를 탔다. 성에 도착해서는 잠시 휴식을 취한 다음 성을 구경했다. 성까지는 작지만 아름다운 다리 하나가 놓여 있었고 성 뒤편으로는 웅장한 산과 호수가 둘러져 있었다.

"여기서 영화 〈브레이브 하트〉랑 〈하이랜더〉 찍은 거 알아?"

아멜리가 물었지만, 춥기만 했다. 높은 회색 성벽 밑 그늘에 서 있자니 옷을 많이 껴입고 있어도 추웠다. 외삼촌은 들뜬 듯 중세 시대의 처형 방법에 대한 이야기에 열을 올렸지만 춥기만 하고 별다른 감흥이 없었다. 원래는 오래된 성벽이나 건물을 좋아했지만 이번만큼은 어떤 이야기도 귀에 들어오지 않았다. 오후에 다시 여행길에 올랐다. 아마도 다음 목적지는 에든버러인 것 같았다. 하이랜드[8]의 아름다운 풍경이 창밖으로 스쳐 지나갔다. 쌍둥이는 잠이 들었고 웬일인지 피터와 아멜리도 평소처럼 티격태격하는 소리 없이 조용했다. 그래서 방해 없이 이런저런 생각에 빠져들었다. 나의 선택이 옳다는 확신을 가져야 한다. 엄마의 셀리코트 이야기가 다시 한 번 머릿속에 떠올랐다. 그리고 오래전 기억들이 맴돌았다. 외삼촌에게 캘럼에 대한 이야기를 다시 한 번 꺼내야 할까? 그가 들려주었던 이야기들은 너무도 충격적이었으니까. 하지만 고민 끝에 그러지 않기로 결심했다. 캘럼에 대한 화제를 아예 꺼내지 않는 편이 나을

---

8 스코틀랜드 고지대.

것 같았다. 외삼촌이 화를 내는 건 두 번 다시 보고 싶지 않았다. 어쩌면 이번 여행 후에 뭔가 방법을 찾게 될지도 모른다.

외삼촌은 에든버러로 갈 거라는 예상을 깨고 포트윌리엄에서 하루 숙박한 후 자전거 여행을 제안했다.

"다음 며칠 동안은 자동차 대신 자전거로 인버네스Inverness 까지 이동할 거다."

외삼촌이 해맑게 웃으며 말했다. 한나와 앰버는 환호성을 질렀지만 인버네스까지 거의 100킬로미터에 육박한다는 사실을 알게 된 브리 외숙모는 탄식 섞인 한숨을 내뱉었다.

"너무 걱정들 말아. 약간 몸을 움직이는 게 좋아."

다행히 며칠간은 날씨가 좋았다. 어딜 가나 지면에 붉은색과 보라색 플록스 꽃이 뒤덮여서 감탄을 자아냈다. 숲과 로키호, 네스 호를 통과하는 한적한 도로 위를 자전거로 달렸다. 시간이 흘러갈수록 기분이 나아졌다. 하지만 거기에는 피터와 아멜리의 노력도 한몫했다. 둘은 나를 명랑하게 해 주기 위해 모든 노력을 기울여 주었다. 그래서 적어도 낮 동안만이라도 캘럼에 대한 생각을 접어 두려고 안간힘을 썼다. 하지만 밤이 되면 거의 자동적으로 추억들이 밀려왔다. 인버네스까지 가는 길에 유스호스텔 몇 군데에서 숙박을 했는데, 젊은이들이 밤까지 시끄럽게 굴어서 조용히 생각에 잠기기가 어려웠다. 3일 후에 우리는 지치고 뻐근한 몸을 이끌고 드디어 인버네스에 도착했다.

"자, 여기서 이틀간 휴식하기로 하자."

외삼촌이 말했다. 나와 아멜리는 오랜만에 대도시를 방문했기 때문에 들떠 있었다. 우리는 짐을 호텔에 풀고 샤워를 한 뒤 재빨리 시내로 뛰쳐나갔다.

"오늘 저녁에 호숫가에서 연주회가 있으니까 늦지들 말고 와!"

외숙모가 우리 뒤통수에 대고 외쳤다. 거의 하루 종일 상점가와 커피숍을 돌아다니며 쇼핑을 한 후 사방에 어둠이 깔릴 때쯤 지칠 대로 지쳐서 네스 호로 향했다. 외삼촌 부부는 진작 도착해서 호숫가에 자리를 잡고 앉아 있었다. 피터와 함께 콜라와 샌드위치를 꺼내 나눠 먹으면서 별들이 밝게 빛나는 스코틀랜드 밤하늘을 올려다보니 이루 말할 수 없는 감동이 밀려왔다. 특별하고도 완벽한 밤이라고 할 수도 있었겠지만, 내 인생에 워낙 특별한 일이 많았던 것도 사실이었다.

"외삼촌, 저 여행하면서 읽을 책 좀 사고 싶어요."

다음 날 아침, 아침 식사 자리에서 외삼촌에게 물었다.

"이따가 서점에 좀 갔다 올게요."

"어제 오후 내내 쇼핑하고 다닌 거 아니었어?"

외삼촌이 못마땅하다는 듯 짜증을 냈다. 외숙모가 눈치를 주자, 그가 손을 내저으며 말했다.

"알았다. 어차피 오전에는 여기 있을 테니 다녀와도 되겠지. 하지만 오후에는 출발할 거다!"

우리가 자전거로 인버네스까지 오는 동안, 자동차도 이곳까지 운송되어 왔기 때문에 포트윌리엄까지 되돌아갈 필요는 없었다.

아멜리는 서점에 갈 생각이 없었기 때문에 전부터 계획했던 일을 실천에 옮길 수 있었다. 안 그랬으면 또 설명하기 귀찮았을 텐데 다행이었다. 도서관을 찾기까지는 시간이 좀 걸렸다. 그곳에서 스코틀랜드 민담에 대한 책을 찾아보았다. 하지만 의외로 책이 별로 없었다. 기껏해야 고블린이나 엘프에 대한 몇 가지 구전집이 다였다.

도서관 사서에게 문의해 보니 이렇게 답해 주었다.

"에든버러에 있는 스코틀랜드 국립도서관에는 스코틀랜드 민담과 전설만 다루는 섹션이 있어요. 지금은 은퇴한 한 대학 교수가 자신이 수집한 자료들을 기증했는데, 거기에서라면 아마 원하는 책을 찾을 수 있을 거예요."

고맙다고 인사한 후 도서관을 나왔다. 아마도 그 은퇴한 대학 교수라는 건 에릭슨 박사인 것 같았다.

에든버러로 출발하기 전, 외삼촌이 모두를 데리고 컬로든 전투지에 들렀다. 그는 스코틀랜드인과 영국인 사이의 갈등의 역사에 관심이 많았다. 또 기원후 6세기에 스코틀랜드 땅으로 선교를 와서 수도원을 세운 성 콜럼바Columba와 바이킹의 몰락에 대해서도 설명해 주었다. 그중에서도 스튜어트 왕조의 마지막 시도에 대해서 가장 열정적으로 떠들었는데, 도저히 견딜 수가 없어서 나머지 가족들에게 간곡한 눈빛을 보냈지만 다들 대놓고 하품만 해댔다.

"엠마, 여기가 바로 그 유명한 컬로든 전투지란다. 정말 딴 건 몰라도 이건 꼭 알아둬야 해. 여기가 우리 민족의 마지막 전투지였지."

모두들 참을성 있게 그 마지막 전투지였던 광활하고 황량한 초원을 거닐었다. 외삼촌은 전투의 세세한 장면까지 묘사해 가며 자신이 느낀 감동을 전해 주려고 애를 썼다.

"찰스 에드워드 스튜어트 왕자, 또는 보니 프린스 찰리라는 예명으로 불린 젊은 왕자는, 전투에서 패배한 뒤에 스카이 섬에 살던 플로라 맥도널드라는 여인의 도움으로 배를 타고 프랑스로 망명했지. 결국은 로마에서 쓰디쓴 최후를 맞았지만 말이야. 아무튼 당시에 플로라는 왕자를 하녀로 변장시켰는데, 상상해 보면 얼마나 웃겼겠어!"

"그때 일은 노래로도 전해지고 있어. 꽤 유명한 노래란다."

외숙모가 외삼촌의 장광설을 가로막았다.

"스카이 섬의 뱃노래라고 들어 봤니?"

그러자 외삼촌이 곧바로 노래를 흥얼거리기 시작했다.

빠르고 아름다운 배는 마치 날개를 단 새 같았다네
선원들은 "전진하라!"고 외쳤네
왕이 되려고 태어난 한 청년을 싣고서
스카이의 바다를 건넜다네

아멜리가 어이없다는 듯 아빠의 옆구리를 쿡 찔렀다.

"아빠! 누가 듣겠어요! 별로 자랑할 만한 노래 실력은 아닌 것 같은데요."

외삼촌은 당황한 표정이었고, 모두들 웃음을 터뜨렸다. 때마침 보슬비가 내리기 시작했기 때문에 그날의 여행은 중단되었다. 그제야 다들 안도하는 분위기였다. 우리는 옷이 젖지 않도록 여행자 센터로 뛰어 들어갔다. 거기에서 아멜리와 한나가 오래 조른 끝에, 모두들 차와 케이크와 아이스크림으로 배를 채웠다. 그러고 나서는 에든버러로 향했다. 국립 도서관을 방문할 생각에 가슴이 두근거렸다. 거기에서라면 분명 원하던 답을 얻을 수 있을 것이었다.

외삼촌은 에든버러에서 숙박할 장소로 어떤 작은 숙박업소를 예약해 두었다. 미스 월리스라는 이름의 머리가 하얗게 세고 나긋나긋한 할머니 한 분이 문을 열어 주며 말했다.

"원래 이 시기엔 방이 다 나가서 없다우. 하지만 에릭슨 박사님이 직접 전화를 걸어서 방이 필요하다고 간곡하게 부탁을 하시기에, 내 힘 좀 썼수다."

에릭슨 박사의 이름이 튀어나오자 나도 모르게 긴장이 되었다.

"에릭슨 박사 부부가 어떻게 지내는지 좀 전해 주구려. 예전에 에든버러 대학에 강의를 나가던 시절에는 여기 살았었지."

월리스 부인이 나와 피터, 아멜리, 쌍둥이가 머물 방을 보여 주었다. 외삼촌 부부는 다음 방이었다. 아멜리가 수제 퀼트 작품이 덮인 침대에 몸을 던지며 환호성을 질렀다.

"완전 신나지 않아? 도시 전체가 사람들로 꽉 차 있어! 마침 에든버러 축제 때문에 거의 2백만 명이 넘게 모여 있대. 상상이 안 돼!"

2백만 명이라니 정말 어마어마한 숫자긴 하다. 워싱턴 인구만 해도 약 60만 명이었는데 평생을 스카이 섬에서 살아온 아멜리에겐 정말 상상 불가능한 숫자일 거라는 생각이 들었다.

"오늘 저녁에는 뭐 할 거래?"

내가 아멜리 옆에 앉으며 물었다.

"아빠가 야생으로 끌고 들어가기 전에 문명을 누려야지."

아멜리가 핸드백을 챙기며 말했다.

"엄마한테 시내 구경하고 온다고 말하자."

예상대로 외삼촌은 우리 둘만 내보내려 하지 않았다.

"여보, 걱정 말아요. 얘들 벌써 다 컸다구요."

외숙모가 외삼촌에게 말했다. 둘은 숙박객이 자유롭게 이용할 수 있는 리셉션에 앉아서 따뜻한 차를 마시며 책을 읽는 중이었다. 특히 외숙모는 이미 지칠 대로 지쳐서, 사람 많은 곳에는 더더욱 나가기 꺼려 하는 것 같았다.

"좋아. 하지만 11시까지는 들어오도록. 바보 같은 행동도 삼가고!"

"절대 그럴 일 없거든요."

아멜리가 아빠의 볼에 입을 맞춘 다음 손을 흔들어 보였다.

밖에 나와 보니, 어느덧 저녁 해가 기울고 있었다. 아멜리는 신이 나 있었다.

"성 먼저 보고 구시가지 쪽에 가자. 아마 그쪽이 제일 바글바글하겠지?"

우리 옆으로 스코틀랜드 전통 차림을 한 젊은 남자들의 무리가 지나갔다. 벌거벗은 웃통 아래에는 스코틀랜드 킬트와 백파이프를 메고 있었고, 얼굴 반쪽은 파랗게 칠한 상태였다. 거리마다 사람들과 거리 예술가들로 인산인해를 이루고 있어서 도대체 어디에 눈을 두어야 할지 모를 정도였다.

"저기 봐!"

팬터마임 하는 사람을 구경하고 있는데, 아멜리가 옆구리를 찔렀다.

"저기 혹시 캘럼 아니야?"

깜짝 놀라서 아멜리가 가리키는 데를 보니 정말 캘럼과 에릭슨 박사가 군중 속에 있었다. 그의 적갈색 머리칼은 많은 사람들 속에 있어도 금방 눈에 띄었다. 아멜리가 나를 잡아끌었다.

"아멜리! 뭐 하는 거야? 날 놔 줘!"

"이렇게 사람 많은 데서 아는 사람을 만났는데 아는 척도 안 하고 갈 거야? 혹시 맥주라도 한 잔씩 얻어마시게 될지 누가 알아?"

"나 맥주 안 마시거든?"

아멜리가 혀를 끌끌 차며 손을 허리에 짚었다.

"이 고집쟁이야! 난 또 네가 반가워할 줄 알았지. 그나저나 도대체 무슨 일이 있었던 건지 정말 아무 말도 안 해 줄 거니?

아빠가 너희 둘 찢어 놓은 이유도 궁금해 죽겠다구. 솔직히 말하면 아빠는 원래 에이든보다 캘럼을 더 좋아했었단 말이야.”

“미안하지만 말 못 해.”

아멜리가 어이없다는 듯 고개를 흔들었다.

“잘났어 정말. 그나저나 그새 어디로들 가 버렸네!”

우선은 캘럼보다 아멜리에게 이 모든 정황을 어떻게 설명해 주어야 할지 고민이 되었다. 만약 거기에 대해 다시 한 번 물어 온다면 대답을 해 줄 생각이었지만 고맙게도 금세 다른 것에 흥미를 가지는 바람에 아멜리에게 사실을 털어놓아야 하는 위기는 무사히 넘겼다. 그나저나 캘럼과 에릭슨 박사가 도대체 에든버러에 왜 나타난 거지? 게다가 숙소에서도 보지 못했으니, 확실히 우리를 피하고 싶었던 것 같다.

다음 날 아침 일찍, 간신히 허락을 받아서 혼자 바깥으로 나올 수 있었다. 사람들에게 길을 물어서 약간 헤맨 끝에 국립 도서관에 겨우 도착했다. 정문 안내 창구에 물어서 곧장 스코틀랜드 민담과 전설 관련 섹션을 찾아갔다. 국립 도서관은 엄청나게 컸기 때문에 여러 개의 방을 지나야만 했다. 7백만 권의 책들이 깨끗하게 잘 정돈되어 분류되어 있었다.

에릭슨 박사가 기증한 책들은 여러 개의 작은 공간에 배치되어 있었다. 입구에는 작은 청동 판에 책 기증자의 이름이 새겨져 있었다.

스코틀랜드 선조들에 대한 존경과 감사의 마음을 담아 이 책들을 기

천천히 책들을 둘러보았다. 민담과 전설에 관련한 책이 이렇게 많다는 사실이 놀라울 정도였다. 많은 학자들이 옛 전설들의 진실성 여부에 매진해 온 자료들이었다. 밀폐된 유리 케이스 안에는 몇 백 년 된 원서도 많았다. 가장 흥미로웠던 자료는 전설 속 존재들의 모습을 그린 그림들을 모아 놓은 책이었다. 그림 아래에 라틴어로 설명이 쓰여 있었다. 아마도 스코틀랜드 수도원에 보존되어 왔던 것 같았다. 몇몇 책들은 켈트어로 쓰여 있었다. 나는 라틴어나 켈트어를 몰랐기 때문에 영어로 된 책을 찾아야 했다. 주변을 둘러보니 책 검색용 PC가 눈에 띄었다. 거기에 앉아서 검색어를 넣고 찾아봤지만 에릭슨 박사의 기증본은 검색되지 않았다. 젊은 도서관 사서가 지나가기에, 도서관 이용 방법을 물어봤다.

"죄송하지만 여기 기증된 책들을 검색해 보려면 어떻게 해야 하나요?"

"이 기증본들은 아직 온라인에 등록이 안 되어 있어요. 구식이지만 저쪽에 알파벳순으로 정리된 도서 카드로 찾아보세요."

한숨이 나왔다. 카드로 책을 찾아본 적이 한 번도 없었고, 무슨 책을 찾아야 할지조차 몰랐기 때문이다. 사서가 사람 키만 한 높이의 금속 서류함으로 데려다주었다.

"에릭슨 박사님의 기증본들은 정말 정리가 잘되어 있어요. 아마 금방 원하는 책을 찾을 수 있을 거예요."

말을 마친 사서가 책장 틈으로 사라졌다.

가슴 높이에 있는 서류함을 열고 L로 시작하는 책부터 찾아보았다. 네스 호Loch Ness나 네시의 전설Legend of Nessie에 관련된 책이 대부분이었다. M이나 N열도 둘러보았다. S열에서 호수 괴물See Monsters이나 셀키Selkies[9] 관련 책 사이에서 마침내 셸리코트의 전설Legends of Shellycoats이라는 제목을 찾아냈다. 카드에는 책의 부제도 적혀 있었다. '스코틀랜드 민담의 셸리코트 연구 ―그들은 실제로 존재하는가'. 그 책 이외에도 셸리코트 관련 책이 줄줄이 나왔다. 셸리코트뿐 아니라 세이렌이나 스프리간[10], 실프[11]에 관한 책들이 있었다. 요정들의 이름이 독창적이고 웃겼다. 물론 모두 인간의 머리에서 나온 이름들이긴 하지만. 아무튼 이러한 존재들에 대해 좀 더 깊게 알고 싶었다.

카드를 다시 앞으로 넘겨서 흥미로워 보이는 책들의 도서 번호를 종이에 옮겨 적은 후 책장으로 가서 도서 번호를 대조해 가며 책을 찾았다. 첫 번째 책은 비교적 빨리 찾아냈다. 책을 꺼내서 천천히 넘겨 보았다. 저자는 스코틀랜드인의 생활에 뿌리 깊게 퍼져 있는 '셸리코트'라는 불확실한 전설에 대해 상세히 설명하고 있었다. 게다가 셸리코트의 모습을 묘사한 삽화도 재미있었다. 맨 앞으로 넘겨 보니 출간 연도가 1853년이었다. 책을 제자리에 돌려 놓고 다음 책으로 넘어갔다. 그 책은

---

9 인간의 모습을 한 바다 괴물.

10 요정의 일종.

11 바람의 정령.

실제로 셸리코트를 목격했던 한 여인을 소개하고 있었다. 그녀의 증언에 따르면 셸리코트는 은색의 긴 곱슬머리를 가진 젊고 잘생긴 남자의 모습이었다고 한다. 보름달이 뜬 밤에 셸리코트가 그녀를 바다로 유혹했으나, 그녀의 남동생이 나타난 덕분에 가까스로 도망칠 수 있었다고 한다. 남동생은 바다 위의 은빛 형체만 보았을 뿐이어서 셸리코트를 보았다는 증언을 할 수 없었다. 그날 밤 이후에도 여인은 종종 밤바다를 찾았지만 두 번 다시는 셸리코트를 볼 수 없었다. 결국 그녀의 이야기를 믿는 사람이 아무도 없었기 때문에 정신이상자로 간주되었다는 내용이었다. 그녀가 죽고 난 후, 주치의가 1920년에 이 책을 출간했다. 원래는 정신이상과 과대망상증에 대한 학술서였지만 의사가 그녀를 관찰한 내용이 세부적으로 기록되어 있었다. 에릭슨 박사가 어떻게 이런 책까지 손에 넣을 수 있었는지는 의문이었지만, 아쉽게도 내가 참고할 만한 내용은 없는 것 같았다. 한숨을 쉬며 책을 제자리에 꽂아 넣었다. 모든 책을 다 훑어보기에는 시간이 부족했고, 자세히 조사하려면 만 하루는 걸릴 것 같았다. 셸리코트에 대한 책이 꽂혀 있는 책장 앞에서 한참을 서성이며 이런저런 책을 둘러보았지만, 결국은 거의 비슷한 내용이어서 조금 넘겨 보다 다시 꽂아 넣는 작업이 반복되었다. 짜증이 치밀어 올랐다. 정말 이게 도움이 될까? 아니면 처음부터 다시 시작해야 하나?

거의 모든 책에서 셸리코트는 젊은 여성의 목숨을 앗아가는 사악한 물귀신으로 묘사되고 있었다. 그러다가 한 책이 눈에 띄었다. 책 표지는 파란색이었을 테지만, 세월 때문에 회색으로 바래 있었다. 어딘가 독특하면서도 빛을 내뿜는 것 같았다. 꺼내 보니 가죽 표지에 아마로 제본된 낡은 책이었다. 표지에는 《구라겟 아눈Gwragedd Annwn》이라는 이상한 제목이 붙어 있었다. 첫 페이지를 넘겨 보았다.

구라겟 아눈 종족은 물의 정령 일족이며, 웨일스 지방의 깊은 호수 속에 산다.

책을 계속 읽어 내려갔다.

구라겟 아눈 종족의 여성들은 인간 남성을 남편으로 맞이할 수 있다.

흠. 흥미로운데? 책의 내용에 따르면 이 종족은 물 밑 왕국에서 살아가고 있으며, 책의 저자는 실제로 그곳에 다녀온 후 책을 기록했다는 것 같았다.

전설에 따르면 물 밑 왕국으로 통하는 입구는 어떤 산의 암석 사이에 있다고 하며, 그곳으로 접근하기 위해서는 대단한 용기가 필요했다고 한다. 문 안쪽에는 황홀하게 아름다운 정원이 있으며, 그곳에서 머무르고 싶은 만큼 머무르는 게 허락되었다. 그 정원에는 온갖 종류의 맛있는 과일과 꽃, 아름다운 음악이 흘렀고 그 외에도 신비함으로 가득했다. 정원에는 단 한가지의 규칙이 있었는데, 정원에서 난 것은 아무것도 인간 세상으로 가지고 돌아갈 수 없었다.

어느 날 젊은 남자가 정원에 핀 꽃 한 송이를 인간 세계에 가지고 돌아갔다. 인간 세계에 발을 들이는 순간에 꽃은 가루가 되어 버렸고, 그도 바닥에 쓰러졌다. 그 후로 구라켓 아눈으로 통하는 문은 영원히 닫혀 버렸다.

책의 내용에 따르면 이 구라켓 아눈이라는 종족은 고대 엘프 종족인 것 같았다. 종족 남성들은 매우 위엄에 차 있었으며, 흰색 수염을 기르고 있었다고 한다. 흰 수염이 난 캘럼을 상상해 보곤 킥킥 웃고 말았다. 그들은 밤이 되면 뭍으로 올라와서 춤을 추었다. 구라켓 아눈 종족에 대한 전설은 웨일스 지방에서만 구전되고 있으나 영국과 스칸디나비아 반도, 프랑스에도 이와 유사한 종족에 대한 전설이 전해졌다. 그러고 보니 스코틀랜드에도 적용할 수 있겠다는 생각이 들었다. 셸리코트도 엘프와 비슷한 종족이었고, 밤에 춤을 추니 말이다.

이 책에서 최초의 단서를 발견한 셈이었다. 셸리코트만 보면 음침하고 위험한 종족이었지만, 이 책의 내용에 비추어 보면 웨일스인들은 구라켓 아눈 종족을 셸리코트와 같으면서도 다르게 묘사하고 있었다. 중요한 몇 페이지를 복사하려고 도서관 사서를 찾아 두리번거리는데, 인기척이 났다. 귀에 익은 목소리였다. 왠지 이상한 느낌이 들어서 책장 끝에 몸을 숨겼는데, 에릭슨 박사와 캘럼이 이야기를 나누면서 내 앞을 지나가는 것이었다. 그들이 멀어질수록 목소리와 발소리도 작아졌다. 아마 다른 방으로 들어간 것 같았다. 갑자기 이렇게 숨어 있다는 게 어이없었다. 여기는 공공 도서관이고, 내가 몸을 숨겨야 할 이유도 없었다. 하지만 그들이 여기서 뭘 하는지 궁금하긴 했다. 복사기를 찾아야 하나, 아니면 저 둘이 여기서 뭘 하는지 보러 가 볼까? 고민 끝에, 결국 둘의 뒤를 따라가 보기로 했다. 살금살금 모퉁이를 돌아서 몇 미터쯤 더 가니 목소리가 들려왔다. 무슨 책을 찾는 것 같았다. 좀 더 가까이 다가가 보았다.

"분명히 여기 있어야 해."

에릭슨 박사가 말했다. 약간 위험하긴 해도 좀 더 가까이 다가가 보기로 했다.

"셸리코트 종족에 대한 책들 사이에 끼워 놨었는데 도대체 어디로 간 거지?"

박사의 목소리가 너무 또렷하게 들려서 조금 겁이 났다. 책장 하나만 돌면 나를 발견할 터였다. 제발 그런 일이 일어나지 않기를 바랐다. 게다가 내가 자기들 이야기를 듣고 있었다는 걸 알면 썩 유쾌하지는 않을 거다.

"구라갯 아눈 종족에 대해서 한 번쯤 더 깊게 연구하려고 했는데……. 셸리코트와 동족인지 아닌지 말이야."

"진작 물어보지 그러셨어요."

캘럼의 목소리를 듣는 게 너무 오랜만이라 살갗에 소름이 돋았다. 조금이라도 더 그의 목소리를 듣고 싶었다.

"지난 몇 년간은 까마득히 잊고 있었지 뭔가."

에릭슨 박사가 말했다.

"웨일스인들이 우리 종족을 부르는 명칭이 구라겟 아눈이에요. 결국 셸리코트나 구라겟 아눈이나 똑같은 개념이죠."

나도 모르게 책을 쥔 손에 힘이 들어갔다.

"그렇다면 그 책으로 증명할 수 있어! 바로 너희 종족과 인간이……."

에릭슨 박사가 의기양양하게 말을 이었다. 그 순간, 바로 눈앞에 꽂혀 있던 책 한 권이 쑥 빠져나갔다. 그리고 캘럼의 푸른 바다 빛 눈동자와 눈이 마주친 순간, 나는 소스라치게 놀라서 그 자리에 책을 쿵 하고 떨어뜨리고는 뒤도 안 돌아보고 그곳에서 도망쳐 나왔다. 도서관에서 빠져나온 후에는 벽에 기대어서 숨을 헐떡였다. 한순간이었지만 정말 머리가 멍해질 정도로 놀라서 내가 방금 무슨 짓을 한 건지 생각해 볼 겨를도 없었다. 혹시 캘럼이 뒤쫓아 올까 봐 도서관을 멀리 벗어나야겠다는 생각뿐이었다. 그래서 곧장 인파 속으로 몸을 숨겼다.

책을 두고 나온 것 때문에 화가 났다. 적어도 그 두 사람이 바닥에 떨어뜨린 책을 찾기를 바랐다. 과연 에릭슨 박사는 무엇 때문에 그 책을 찾고 있었던 걸까? 분명 그 책을 거기 가져다 놓은 건 몇 년 전의 일이었을 텐데 말이다. 아무튼 진실을 알고자 했던 모든 노력은 물거품이 되어 버렸다.

다음 날은 에든버러에서 개최되는 여러 가지 행사에 참여하느라 모두들 바빴다. 콘서트와 전시회 등 외삼촌이 이미 모든 스케줄을 빡빡하게 짜 놓아서 도서관에 들를 여유 따위는 없었다. 그리고 나서는 아멜리의 말처럼 '야생'으로 돌아갔다. 하지만 에든버러 시의 북적함으로부터 멀어져서 고적한 자연으로 다시 돌아가게 되어서 기뻤다. 1년 전만 해도 자연과 도시 중에 선택하라고 하면 기꺼이 대도시를 선택했을 텐데, 나도 확실히 변하긴 했다.

집으로 돌아오는 길에는 래녹무어Rannoch Moor를 지나 글랜코 산맥을 둘러보았다. 이곳에서 1692년에 맥도널드 가문 사람들이 무참히 학살 당했던 글랜코 학살이 일어났다. 그런 다음 포트윌리엄에서 며칠 숙박하게 되었다. 외삼촌은 피터에게 나와 아멜리를 데리고 벤네비스 산Ben Nevis을 등반하는 게 어떻겠느냐고 제안했고 결국에는 빗속을 뚫고 6시간이 넘는 대장정 끝에 벤네비스 산 정상을 밟았다.

여행의 끝 무렵에는 마리 호Loch Maree에서 야영을 했다. 비바람을 막기 위해 소나무 숲 속에 텐트를 설치한 다음 아멜리와 나는 3일 동안 쓸 수 있는 땔감을 주워 왔다. 외삼촌과 피터는 낚시를 맡았고 외숙모와 쌍둥이는 텐트 안을 정리했다. 운이 좋았는지 외삼촌과 피터가 고등어를 많이 잡아 온 덕에 저녁 무렵엔 생선 구이 파티를 했다.

밤하늘은 마치 수백만 개의 별을 박아 놓은 이불을 펼쳐 놓은 듯했다. 끝없이 반짝이는 별들 아래에는 모닥불이 타올랐고, 생선을 굽는 고소한 냄새가 향긋했다. 저녁 식사 후에는, 모두들 모닥불 가에 둘러앉아 외삼촌이 들려주는 마리 호 전설에 귀를 기울였다.

"마리 호에 있는 어떤 섬[12]에는 작은 암자가 있는데, 거기에는 '연인의 묘'라고 불리는 묘비가 서 있다고 해. 전설에 따르면 아일랜드 왕의 딸이 어떤 왕자와 사랑에 빠지게 되었고 이 섬에서 만나 영원한 사랑을 맹세했는데 섬에 살고 있던 한 전사가 그 광경을 목격하게 되지. 공주의 아름다움에 첫눈에 반하게 된 전사가 왕자에게 결투를 신청했고, 왕자는 전사를 보기 좋게 이겨 버렸지. 전사는 섬에서 도망쳤고, 공주는 왕의 부름을 받아 잠시 섬을 떠나게 되었어.

하지만 서로를 많이 그리워했던 두 연인은 왕 몰래 섬에서 만나기로 약속을 했지. 공주는 시종을 앞세우고 섬으로 향했어. 이미 왕자의 시종과 공주의 시종이 섬 앞에서 불빛으로 신호를 보내기로 약속을 해 놓은 상태였는데 그만 시종들끼리의 불빛 신호를 그 전사가 보고 만 거야. 전사는 왕자한테 가서 공주가 죽었다고 거짓말을 했고, 왕자는 괴로움에 몸부림치다가 단도를 가슴에 찔러서 자살하고 말아. 이를 알게 된 공주는 뒤늦게 전사를 잡아들이라는 명령을 내렸지만 섬을 아무리 샅샅이 뒤져도 잡을 수 없었지. 결국 공주도 죽음을 택하고 말았고 두 사람은 한 개의 묘비 아래 나란히 묻히게 되었어."

모두는 쥐 죽은 듯 침묵했고, 어두움 때문에 호수 내의 섬이 잘은 보이지 않았지만 모두들 이야기에 빠져들어 있었다. 외숙모가 눈물을 훔치며 코를 풀자 외삼촌이 껄껄 웃으며 품에 안

---

12 마리 호에는 25개 이상의 작은 섬이 있음.

아 주었다. 솔직히 나도 눈물이 날 것 같았다. 좀 덜 슬픈 이야기는 없었느냐고 따지고 싶었다.

"아빠, 완전 유쾌한 이야기였어요. 셰익스피어 뺨쳐요."

침묵을 깨고 아멜리가 투덜거리자 모두들 웃음을 터뜨렸다.

"늦었구나."

외숙모가 모닥불 가에서 서로 끌어안은 채 잠이 든 한나와 앰버를 바라보며 말했다.

"이제 모두들 잠자리에 들자꾸나."

이후 며칠 동안은 따스하게 내리쬐는 태양을 만끽하며 호숫가에서 수영이나 낚시를 하거나 책을 읽으면서 유유자적하게 지냈다. 황홀할 정도로 평화로웠던 시간이었다. 그렇게 며칠을 보낸 후 아쉬운 마음으로 짐을 꾸려서 집으로 돌아왔다.

이제 곧 개학이었고, 새 학년을 맞이할 준비를 해야 했다.

12장

〜〜〜
〜〜〜

새 학기의 첫날, 아멜리와 함께 걸어서 등교하기로 결정했다. 날씨가 어찌나 좋던지 자동차를 타는 게 아까울 정도였기 때문이다. 목사관 앞을 지나는데 캘럼이 집에서 나오는 게 보였다. 피터가 그를 향해 손을 흔들어 주었다.

"제군. 오늘이 바로 우리 마지막 학년의 첫날이네."

피터가 짐짓 과장되게 인사말을 건넸다.

"안녕 피터, 아멜리. 안녕…… 엠마."

그의 목소리에 심장이 찌릿했지만 고개만 한 번 끄덕여 보였다. 그러고는 등굣길 내내 침묵했다. 피터와 아멜리는 아무것도 눈치 채지 못한 것 같았다.

"방학 동안에 어디 갔다 왔어?"

아멜리가 캘럼에게 물었다.

"웨일스에 있는 친척집에 다녀왔어. 특별할 건 없었지."

그가 거짓말한다는 걸 알았지만, 아무튼 내 쪽으로는 눈길 한 번 주지 않았다. 곁눈질해 보니 어둡고 차가운 시선으로 앞만 보고 있었다.

아멜리는 명랑하게 방학 동안의 여행과 에든버러에 갔던 일 등을 떠들어 댔다.

"엠마, 너도 뭐라고 말 좀 해 봐! 완전 재미있었지, 그치?"

"응. 재미있었어."

나는 짧게 대꾸했다.

아멜리가 내 무뚝뚝한 태도에 한숨을 쉬더니 피터와 캘럼에게 계속 말을 붙였다.

"에든버러에서 널 본 것 같았는데, 거기 간 적 없었어?"

아멜리의 물음에 캘럼은 어깨를 으쓱해 보일 뿐이었다.

학교 교정에는 신학기를 시작하는 학생들이 안부를 묻고 인사를 나누느라 활기가 넘쳤다. 제이미가 달려와서 아멜리와 나를 반겼다. 곧바로 모두들 학교 식당에 모였다. 한동안 시끄러운 활기가 넘치다가 에단 외삼촌이 나타나자 잠잠해졌다.

"자, 여러분! 이번에도 어김없이 11학년과 졸업반인 12학년들은 캠핑 여행을 떠날 거다."

그러자 학생들이 일제히 박수를 쳤다. 나도 아멜리가 미리 말해 줘서 어느 정도는 알고 있었다.

"올해에는 인버네스 쪽으로 계획되었고, 야영 장소는 네스 호 주변이다. 이번 주 토요일 오전에 버스로 이동할 거고 일정은 1박 2일이 될 거야. 자세한 스케줄은 추후에 공지될 거고 집에 텐트와 에어 매트리스, 침낭이 있는 사람은 서무실 앞에 마련된 종이에 자기 이름을 적도록. 혹시라도 나중에 잠잘 자리가 부족해서 추위에 떨어야 하는 사람은 없어야 하니 말이야. 나중에 딴말 나올까 봐 하는 소린데, 토요일 밤에 캠프파이어에 참여하는 대신 인버네스 시를 구경하고 싶은 사람은 부모님의 동의서를 받아올 것. 이상!"

남자애들 몇 명이 환호성을 질렀다.

정오가 되자 학교 식당에 내려가 아멜리를 찾느라고 두리번거렸다. 아멜리와 피터는 마지막 남은 테이블에 앉아 있었다. 식판을 들고 빽빽한 사람들 틈을 파고들었다. 옆 테이블에는 제이미가 브라이언과 앉아서 시시덕거리고 있었다. 아마 방학 동안 내가 모르는 무슨 썸씽이라도 있었나 보다. 테이블에 앉으려고 하는데, 피터가 손을 흔들면서 캘럼을 불렀다.

"어이 캘럼! 이쪽이야!"

심장이 거칠게 두근거리기 시작했다. 마치 가슴에 묵직한 돌덩이가 얹혀 있는 것 같았다. 나는 음식이 담긴 접시만 노려보았다. 캘럼의 체취 때문에 정신이 혼미해졌다. 음식을 단 한 입도 삼킬 수가 없었다. 조심스럽게 고개를 들어 그를 바라보았다.

그는 여전히 내 쪽은 신경도 쓰지 않는 것 같았다. 당연한 결과이긴 했다. 하지만 포크를 움켜잡은 손가락은 이상할 정도로 창백했다. 생각해 보면 그 일 이후로 나와 이렇게 가깝게 앉아 있다는 것 자체가 거북하긴 할 거였다. 나에게는 화를 낼 권리 따위가 없는데도 화가 났다. 그가 나를 무시해 주는 걸 오히려 고마워해야 할 텐데 말이다.

거기다 사랑에 빠진 브라이언과 제이미가 찰싹 달라붙어서 킥킥거리는 꼴도 견딜 수가 없었다. 아멜리와 피터는 캠핑 얘기로 바빴다. 때마침 점심시간이 끝났음을 알리는 종이 울리자마자 캘럼이 자리를 박차고 일어났다. 아마 우리 사이의 긴장감을 견딜 수 없었던 것 같다. 나도 아멜리와 생물 수업을 들으러 일어났다.

"너 완전 창백해."

아멜리가 고개를 갸우뚱하며 말했다.

"캘럼 때문에……."

거의 자동적으로 튀어나온 말이었다. 말을 내뱉고 나서야 후회가 밀려왔다. 뭣 때문에 그렇게 바보 같은 말을 내뱉은 거지?

"역시……. 오늘 아침에도 이상하게 행동한다 했어. 아직 못 잊은 거구나?"

마지못해 고개를 끄덕였다.

"그럼 방학 내내 그 상태였던 거야? 세상에, 왜 아무 말도 안 했어? 나는 네가 마음을 정리한 줄 알고……."

그 순간 생물 담당 교사인 버클리 선생님이 들어왔다. 그는 수업 중에 떠드는 걸 싫어했기 때문에 다행히 대화는 중단되었다. 그래서 방학 내내 캘럼을 못 잊은 채 괴로워했던 사실과 지금도 캘럼을 무척 그리워한다는 사실을 굳이 털어놓지 않아도 되었다.

새로 시작된 학년은 생각보다 벅찼고 눈 깜짝할 새에 주말이 되었다.

금요일 오후 수업이 끝나고 집으로 가 보니, 캠핑 준비로 온 집안이 부산했다. 결국 저녁 내내 토요일에 떠날 준비를 해야 했다. 아멜리는 지치지도 않고 몇 번이나 배낭을 꾸렸다가 풀었다가 다시 꾸렸다.

"결정 장애라도 걸렸나 봐."

아멜리의 침대 위에는 수십 가지의 비키니가 널려 있었다.

"설마 그 얼음물에 들어갈 생각은 아니지?"

대답 대신, 아멜리가 깔깔거리며 비키니 한 개를 나에게 던졌다. 세상에, 아멜리가 진심으로 걱정스러웠다. 우리는 호숫가에 이틀 동안 캠핑을 가는 거지, 카리브 해에 휴가 가는 게 아니라고! 머리를 흔들며 아멜리의 방을 나왔다.

내가 챙긴 건 잘 때 입을 트레이닝복과 티셔츠 두 장에 청바지 두 벌, 두꺼운 스웨터가 다였다. 수영복은 꺼내 볼 생각도 없었다.

아멜리와는 한 텐트를 쓸 예정이었다. 원래는 에단 외삼촌과 피터도 한 텐트를 쓸 예정이었지만 피터가 강력하게 항의했다. 아빠가 교장이라는 이유만으로 한 텐트를 강요하는 건 부당하다면서 말이다. 그 말에 외숙모를 비롯한 우리 여자들은 뒤집어지게 웃어댔지만 외삼촌은 기분이 상한 듯 투덜거렸다.

토요일 아침, 평소보다 더 일찍 일어났다. 창밖으로는 동이 터 오르고 있었다. 날씨가 좋을 징조였다. 다시 눈을 감고 따뜻한 이불 밑으로 파고들었다. 행복했던 시절이 머릿속에 스쳐 지나갔다. 캘럼과 집 앞에 서 있다. 그가 나를 품에 안고 입을 맞춘다. 상상으로는 뭐든 가능하니까. 따스한 햇살이 방 안으로 쏟아져 들어오자 침대에서 일어나 화장실로 향했다. 아멜리가 라디오를 틀어 놓고 이를 닦으면서 음악에 맞추어 엉덩이를 흔들어대고 있었다.

"장우어기! 서우으는 게 조으껄."

아멜리가 입에 거품을 한 가득 물고 웅얼거렸다. 나도 지지 않고 대꾸했다.

"그래도 너보단 빨리 끝날걸!"

그러고는 샤워기를 틀었다. 최소 이틀은 샤워할 기회가 없을 테니 말이다. 샤워도 하고 머리도 깨끗하게 감았지만, 예상대로 아멜리보다 훨씬 빨리 끝낸 후 아침 식사를 했다.

외삼촌은 아침 내내 안절부절못하면서 왜 이렇게 꾸물대냐고 아멜리에게 성화를 부렸다. 아멜리는 한참 후에야 거대한 캠핑 가방을 등에 지고 헉헉대며 계단 아래로 내려왔다. 외삼촌이 그 꼴을 넋을 잃고 바라보았다.

"너 대체 그 괴물 같은 걸 들고 어딜 갈 셈이냐? 내 기억으로는 분명히 이틀짜리 캠핑이라고 말 한 것 같은데!"

"아빠, 그러지 말고 좀 봐줘요. 뭘 입고 가야 할지 결정을 못 내리겠더라구요. 게다가 날씨가 더울지 추울지도 모르잖아요!"

하지만 외삼촌은 한 치의 양보도 없이, 가방의 반을 덜어 놓고 오라는 엄명을 내렸다.

"5분 있다가 출발할 거다! 제시간에 안 오면 엄마랑 동생들이랑 집에 있게 될 줄 알아!"

5분 후, 아멜리가 구겨진 얼굴로 홀쭉해진 가방을 메고 내려왔다. 피터와 나는 간신히 웃음을 참았다. 물론 매번 그렇지만 아멜리의 화는 오래가지 않았고 버스에 앉기도 전에 유쾌함을 되찾았다.

학교 앞에서 버스에 오르면서, 캘럼이 두 번째 버스에 오르는 걸 보고 안도감이 들었다. 캘럼이 같이 캠프에 참여한다는 사실만으로도 기뻤다. 이제 다른 건 별로 신경 쓰이지 않았다. 물론 발레리가 그의 곁에 딱 달라붙어 있는 것만 빼고 말이다. 그가 학교에 모습을 나타내자마자 꼬리를 흔들며 찰싹 달라붙는 꼴이 아주 가관이었다.

목적지까지는 3시간가량 걸렸다. 팀은 기를 쓰고 내 옆자리를 차지했다. 거의 이번 주 내내 내 주위를 맴돌더니, 이제는 부담스러울 정도로 딱 붙어 있었다. 그런 그가 조금씩 거북해져서 어떻게든 허심탄회하고 솔직하게 대화를 해 보려 했지만, 그의 행복에 겨운 얼굴을 보고 있노라면 말문이 탁 막혔다. 그래서 주위에 앉은 애들과 방학 이야기로 시간을 때우면서, 최대한 팀을 신경 쓰지 않으려고 노력했다.

버스에서 내리자 아름다운 네스 호의 전경이 눈에 들어왔
다. 따사로운 햇살 아래 청명한 호수가 푸른색으로 반짝이고
있었다. 하지만 조용하게 경치를 즐길 여유도 없이, 모두들 부
산스럽게 각자가 담당한 일에 착수했다. 저쪽에서 아멜리가 낑
낑거리며 침낭과 에어 매트리스를 들고 왔다.

"엠마, 빨리 와! 텐트 치자!"

아멜리가 에이든 바로 옆에 텐트를 친 건 별로 놀랍지도 않
았다. 잠시 후 캘럼 쪽도 텐트를 치는 것 같았다.

"너 설마 오늘 밤에 에이든네 텐트 안으로 기어 들어가려는
건 아니겠지?"

나는 인상을 찌푸렸다.

"사실 거기까지는 생각 못 했는데. 듣고 보니 좋은 아이디
어네!"

아멜리가 웃으면서 텐트 대를 세웠고, 나는 고개를 저으며
에어 매트리스에 바람을 넣었다.

"아무튼 캘럼이랑 화해하려면 이번 캠핑이 좋은 기회가 될
걸?"

아멜리가 속삭였다.

"생각해 봐. 별이 빛나는 밤하늘……. 너랑 캘럼이랑 단둘이
한 텐트에 누워서……."

아멜리가 과장된 몸짓으로 하늘을 가리켰다. 남의 소중한

비밀을 파렴치하게 떠들어 대다니! 금방 얼굴이 빨개지고 말 았다.

"아멜리!"

"아무래도 너희들이 한 단계 나아가려면 이 몸이 좀 도와줘 야겠다."

아멜리가 깔깔거리며 말했다.

텐트를 다 친 후에 아멜리는 에이든과 노닥거렸고, 나는 텐 트 속으로 짐을 밀어 넣은 후에 분을 삭혔다.

잠시 후, 외삼촌이 모든 학생을 불러 모았다. 호수에 도착 한 후 첫 일정은 어쿼트 성까지 도보로 다녀오기였다. 그 오래 된 성은 호수 바로 저편에 무너진 채 긴 세월의 흔적을 남기고 있었다. 과거에 벌써 몇 차례나 무너짐과 재건이 반복되었다고 한다. 성에 도착해서는 모두들 일단 숨을 골라야 했다. 선생님 들이 모두를 지치게 만들기로 작정했는지 걷는 속도가 상당히 빨랐기 때문이다. 모두 72명의 학생이 캠핑에 참여했는데 행여 나 기운이 넘쳐서 사고를 치는 일이 일어나면 안 되기 때문이 었다.

성은 무너진 채였지만 관광객을 위해 안전하게 정비되어 있 었다. 원래는 성벽 정도만 견학할 수 있었지만, 우리는 지하 감 옥까지 둘러보았다. 그 안에서 짓궂은 남학생들이 유령 행세를 하는 바람에 간이 떨어지는 줄 알았다. 아멜리와 제이미가 비 명을 질러 대는 가운데 간신히 감옥 구경을 마쳤다. 그 후에는 비교적 안전해 보이는 동쪽 감시탑에 올라가 보았다. 그곳에서는 아래쪽 전망이 훤히 내려다보였다. 숲과 산과 호수의 아름다운 풍경을 바라보니 피로가 좀 가시는 것 같았다. 탑 위에서 캘럼과 발레리를 보았다. 캘럼은 한쪽 팔을 발레리의 어깨에 얹고 호수를 가리키며 뭐라고 이야기하는 중이었다. 그 모습을 바라보고 있자니 열이 올랐다. 나도 모르게 뜨거운 콧김을 내뿜고 있는데, 아멜리가 킥킥거렸다.

"쟤네 뭐하니? 호수 괴물 네시라도 나타났대?"

하지만 웃을 수가 없었다.

"엠마, 그냥 잊어버려. 쉽게 생각해. 너희 둘은 짝이 아니었던 거야."

아멜리 말이 옳았다. 우리가 짝이 아니라는 말에는 반론의 여지가 없었다. 차가운 돌에 이마를 대고 깊게 숨을 골랐다. 이제는 정말 정신을 차리고, 그를 내 머릿속에서 몰아내야만 한다.

"엠마, 괜찮아?"

캘럼의 걱정스러운 목소리가 들려왔다. 그가 조심스럽게 내 어깨를 잡았기 때문에, 그를 돌아볼 수밖에 없었다. 그의 손이 닿자 화상을 입은 것처럼 몸이 뜨거워졌다. 겁먹은 얼굴로 그를 바라보자 그제야 나를 놓아 주었다. 어떻게 이렇게 빨리 이 위쪽까지 올라온 거지? 아멜리는 이미 탑을 내려가고 없었다. 그의 푸른 눈에 사로잡혀 잠시 말을 잊고 말았다. 그의 뒤에서는 발레리가 아니꼽다는 얼굴로 우리를 바라보고 있었다.

"아무것도 아냐. 난 괜찮아."

쥐어짜듯 중얼거린 후 그 둘을 지나쳐 계단을 달려 내려갔다.

야영지로 돌아온 후, 용감한—아니면 미친—몇몇 애들이 호수 속으로 텀벙텀벙 뛰어들었다. 그 꼴을 구경하는 관중들이 환호성을 질렀다. 잠시 수영 쇼를 보여 주긴 했지만, 다들 금방 뭍으로 올라와 커다란 타월로 몸을 감쌌다. 아멜리조차 허벅지 까지만 들어갔다가 금방 나왔다. 정말 보는 것만으로도 턱이 덜덜 떨릴 지경이었다.

저녁이 되자 다들 식사 준비에 여념이 없었다. 저녁 메뉴는 바비큐였다. 각자가 자신의 몫을 충실하게 담당했다. 남학생 들은 고기와 채소를 구웠고 여학생들은 식재료의 밑 손질을 했 다. 몇몇은 밤의 캠프파이어에 쓸 땔감을 주워 왔다.

나와 제이미는 엄청난 양의 감자를 알루미늄 포일로 감쌌 다. 팀이 와서 도움을 자청했다. 눈치 없는 제이미가 팀에게 감 자 한 포대를 안겨 주자 팀이 내 옆에 붙어 앉아 버렸다. 그러 고는 계속 말을 걸어 와서, 대충대충 간략하게 대답해 주었다. 준비가 끝나자 숯에 불을 붙였다. 빨갛게 타오르는 재 안에 감 자를 쑤셔 넣고 있노라니 엄마와의 도보 여행이 떠올라서 남몰 래 눈시울을 붉혔다. 가까스로 울적한 마음을 추스른 후, 숨을 고르고 아멜리를 찾느라 주위를 두리번거리다가 캘럼과 눈이 마주쳤다. 그는 바비큐 저편에 서 있었는데 그의 눈 속에 일순 간이었지만 깊은 슬픔이 내비쳤다.

"엠마, 불씨를 꺼뜨리면 안 돼. 잘 봐! 내가 가르쳐 줄게."

팀이 어색한 침묵을 깨려는 듯 쾌활하게 떠들었다.

후식으로는 숯불에 마시멜로를 구워 먹었다. 피터가 몇몇 남자애들과 나무로 긴 꼬챙이를 만들어서 학생들 전원에게 나누어 주었다. 따뜻한 숯불에 구운 마시멜로처럼 달콤하면서도 따뜻하고, 쫀득한 건 없을 거다. 모두들 타지 않게 마시멜로를 불에 굽느라고 조용했다.

그 틈을 타 에단 외삼촌이 자기 십팔번을 시작했다.

"이런 좋은 분위기에서 네스 호의 전설 이야기가 빠질 수는 없지."

다들 야유를 보냈지만, 외삼촌은 아랑곳하지 않았다.

"다들 네스 호 전설을 어딘가에서 들어봤다는 건 나도 안다. 하지만 한 번 더 듣는다고 해서 해 될 건 없다고 생각하거든?"

그가 잠시 말을 멈춘 후 좌중을 둘러보았다. 효과는 훌륭했다. 모두의 시선이 집중되자, 외삼촌이 이야기를 시작했다.

"네스 호 전설은 565년경, 성 콜롬반이 자신의 추종자 중 한 명의 생명을 괴물로부터 구해 주었다는 데에서 시작되었지. 호수에서 괴물이 나타나 사람 한 명을 죽인 후 다음 희생자를 찾고 있는데, 십자가를 꺼내 들고 성호를 외쳤더니 도망가 버렸다고 해. 정확히 어떤 성호를 외쳤는지는 전해지지 않지만 말야."

외삼촌이 이야기를 하는 동안에는 타닥거리며 모닥불 타는 소리 외에는 조용했다. 중간에 잠시 이야기가 멈추자 몇몇 여자애들이 킥킥대는 소리가 들렸다. 외삼촌이 진지한 얼굴로 그들을 바라보았다. 주위를 둘러보다가 캘럼의 눈과 마주쳤다. 심호흡을 한 후 천천히 눈을 돌렸다. 그의 눈빛은 마치 나를 빨아들이는 것 같아서 시선을 돌리는 데만 해도 엄청난 노력이 필요했다. 외삼촌이 이야기를 계속했다.

"약 천 년 후에 호수에서 괴물을 보았다는 사람이 등장했지. 천 년 동안이나 모습을 드러내지 않고 있었던 걸 보면, 성 콜룸반한테 상당히 겁을 먹었던 모양이야."

그가 씨익 웃었다.

"하지만 그 후로는 괴물을 보았다는 사람들이 속속 등장했다고 해. 1934년에 최초로 네시의 모습이 촬영되었지. 그때부터 네시 하면 작은 머리에 긴 목을 가진 괴물의 모습을 상상하게 된 거지. 하지만 후에 날조된 거라고 판명이 났어. 1971년에는 오거스터스 요새에 있는 한 수도원의 베네딕트 수도사가 호수 위에서 이상한 형상을 보게 되었지. 잔잔한 호수 표면에 엄청난 물결이 일더니, 높이 2~3미터의 길고 검은 목이 쑤욱 올라왔고 그 아래에는 혹 같은 게 보였다더군. 괴물은 잠시 그렇게 수면 위에서 주위를 둘러보다가 다시 물 밑으로 모습을 감췄지. 소문을 듣고 많은 구경꾼들이 호수로 몰려와서 신비에 둘러싸인 괴물을 사진으로 찍으려고 장사진을 쳤어. 아마도 괴물을 찍은 첫 사진이 될 테니 말야. 하지만 현재까지 별다른 수

확이 없다고들 하더구나."

외삼촌이 침묵했고, 다들 조용히 이야기에 심취해 있었다. 그때 한 여학생이 질문을 던졌다.

"그래서 네시의 정체가 뭐예요?"

스포츠 수업을 같이 듣는, 빨간 머리 여학생이었다.

"마리아구나. 글쎄다. 여러 가지 추측이 나돌고는 있지."

외삼촌이 말을 이었다.

"예전에 멸종했어야 하는 공룡이라는 사람도 있어. 네시로 추정되는 공룡은 약 1억 8천만 년 전부터 7천만 년 전에 살았는데 머리가 작고 목이 길며 지느러미가 작지. 네시로 추정되는 모습과 일치해."

"네시가 진짜 공룡이라면, 어떻게 그렇게 오랫동안 살아남은 거죠?"

에단 외삼촌이 고개를 끄덕였다.

"그게 의문이야. 아마도 새끼를 낳고 번식을 해 왔어야 하는데, 그러자면 여러 개체가 눈에 띄었을 수밖에 없거든. 아니면 좀 더 자주 출몰했거나."

"결국 모든 게 다 거짓 쇼야."

브라이언이 제이미의 어깨에 손을 두른 채 말했다.

"왜 거짓말이야?"

아멜리가 흥미롭다는 듯 물었다.

"그렇게 오래전에 멸종했어야 하는 생물이 왜 하필이면 여기 네스 호에 생존해 있겠어?"

"그걸로는 설명이 부족해."

아멜리가 코웃음을 쳤다.

"그럼 그 정도로 덩치 큰 생물이 어떻게 그렇게 오랫동안 네스 호에서 살아왔다는 거야? 식량은 어디서 구하고?"

브라이언이 반론했다.

솔직히 모두가 이런 일개 전설을 진지하게 생각한다는 게 놀라웠다. 솔직히 그냥 동화 같은 이야기가 아닌가. 정말 이 모든 게 사실일까?

"브라이언이 회의적인 것도 일리가 있어."

외삼촌이 끼어들었다.

"그렇게 큰 파충류가 호수 속에서 생존할 수 있을 확률은 낮아. 하지만 호수가 워낙 깊다 보니 아직까지는 자세한 연구가 불가능하다고 해. 뭐 일단은 미스터리로 남겨 둘 수밖에 없다는 거지."

"우리 아빠 말로는 철갑상어 같은 큰 어류거나 나무 토막일 수도 있대요."

제이미가 끼어들었다.

아멜리가 한심하다는 듯 한숨을 내쉬었다. 그렇게 시작된 논쟁은 점점 치열해졌고, 학생들은 두 편으로 갈라져서 신화냐 실제냐를 놓고 맹렬한 토론을 벌였다.

"셀리코트라는 거 들어 본 사람 있어?"

붉은 머리의 마리아가 갑자기 끼어들었다. 자동적으로 마리아를 쳐다보았고 다른 학생들도 어리둥절한 얼굴이었다.

"그게 뭔데?"

아멜리가 물었다. 나는 에단 삼촌을 바라보았다. 그의 얼굴이 굳어졌다.

"우리 할머니가 옛날에 종종 들려주셨던 전설인데, 우리 가문 여자 중 하나가 그거 때문에 미쳐 버렸대."

"셸리코트가 뭔데?"

제이미가 흥미롭다는 듯 물었다.

"물의 정령이라고도 한다."

외삼촌이 입을 열었다.

"거부할 수 없도록 치명적인 매력을 지닌 남성의 모습이라더군. 전설에 따르면 처녀들을 물속으로 유혹해서 목숨을 앗아가거나 평생토록 상사병을 앓게 만들어서 다시는 다른 사람을 사랑할 수 없게 만든다고 해. 죽는 순간까지 말이야."

"마리아라면 이걸 로맨틱하다고 생각할걸. 아름다우면서도 거부할 수 없는 매력! 말 되잖아."

아멜리가 비꼬듯 말했다.

그때였다. 호숫가에서 큰 소리가 들렸다. 마치 무언가 거대한 물체가 수면을 가르는 것 같은 소리였다. 내 눈이 반사적으로 캘럼을 찾았다. 그의 얼굴은 놀란 듯 창백했고 시선은 호수를 노려보는 듯했다. 그러고는 몸을 돌려 텐트 속으로 들어가 버렸다.

에이든과 남자애들 몇 명이 기타를 잡고 노래를 부르기 시작했다. 캘럼은 텐트에서 나오지 않았다. 커플들이 기타 주변에 자리를 잡고 앉아서 노래를 따라 부르거나 자기들끼리 시시덕거렸다. 모닥불이 타는 소리, 노랫소리와 기타 선율 때문에 몸이 나른해졌다. 자꾸만 눈꺼풀이 감겨서 비척거리며 텐트 속으로 들어가서 침낭 안에 누웠다. 그러고는 잠이 들었다.

한밤중에 잠에서 깨어났다. 눈을 비비고 몸을 일으켰다. 비명 소리를 들은 것 같은데, 꿈이었는지 확실치 않았다. 어둠 속에서 손을 뻗어서 핸드폰을 찾았다. 아멜리는 옆에 없었다. 어디에 있을지는 대충 감이 왔다. 캘럼이 어디에 있을지는 별로 상상하고 싶지 않았다.

다시 잠을 자려고 누웠지만 에어 매트리스가 생각보다 편하지 않아서 계속 뒤척거렸다. 텐트 지퍼를 열고 밖으로 나가 보았다. 모닥불에는 아직도 약한 불씨가 남아 있었기 때문에 어둠 속에서도 사물의 모습을 분간할 수 있었다. 몸을 일으키고 주위를 둘러보다 모닥불로 다가갔다. 그때였다. 어디서 나타난 건지 갑자기 캘럼이 내 앞에 서 있었다.

너무 놀라서 뒷걸음질을 치다가 비틀거리자 그가 일순 움찔하며 걱정하는 표정을 지었다. 하지만 금세 평정을 되찾고 차가운 눈빛을 던졌다.

"엠마. 이 시간에 텐트 밖에서 뭐하는 거야? 빨리 다시 들어가."

그가 단호하게 명령하듯 말했다.

"네가 뭔데 나한테 이래라저래라 하는 거야?"

화가 나서 쏘아붙였다. 나에게 저런 식으로 명령을 하다니, 도대체 무슨 생각이지? 그가 불과 몇 센티 앞으로 다가왔다. 화난 얼굴은 그의 매력을 더욱 돋보이게 만들었다. 심장이 쿵 내려앉는 것 같았다.

"그냥 내가 시키는 대로 해. 절대로 네가 한밤중에 이 근처를 돌아다니게 하지 않을 거야. 도대체 어디에 갈 생각이었던 거야?"

그가 의심스럽다는 듯 눈을 가늘게 떴다.

"캘럼, 우리는 이제 아무 사이도 아니야. 잠이 오질 않아서 산책이나 좀 하려던 것뿐이라고."

"너 설마……. 팀한테 갈 생각이었어?!"

그가 화가 난 듯 쏘아붙였다.

어이가 없었다. 화가 나서 무슨 말이라도 대꾸해 주려고 했지만 말도 나오지 않았다. 어떻게 그런 생각을 할 수 있지? 고개를 세차게 흔들자 그의 눈매가 약간 부드러워졌다.

"아무튼 당장 다시 텐트 안으로 들어가. 만약에 내 말대로 하지 않으면, 내가 직접 널 그 안에다 묶어 둘 거야. 엠마, 난 진심이야."

그의 목소리에서 더 이상 분노나 차가움은 느껴지지 않았다. 그의 눈동자 색도 차가운 하늘색에서 따뜻한 파란색으로 변했다. 그의 눈을 보고 있노라니, 마음이 동요되는 게 느껴졌다.

그래도 남은 마지막 자존심을 지키려고 고개를 당당하게 치켜들고 뒷걸음질을 치다가, 모닥불 근처에 꽂혀 있던 고등어

꼬치에 발이 걸려서 몸이 크게 휘청거렸다. 땅으로 곤두박질하려는 찰나, 그가 재빨리 내 옆으로 움직여서 나를 끌어안았다. 그가 필요 이상으로 세게 끌어안는 바람에 나의 심장도 필요 이상으로 쿵쿵 뛰었다. 아마 그도 그 소리를 들었을 거다. 그가 나를 놓아 준 후 멍하니 텐트 안으로 기어 들어가 침낭 속에 누웠다. 내 심장은 언제까지 이렇게 창피한 꼴을 보이게 될까? 당장 달려 나가서 그의 팔에 몸을 던지고 싶은 게 솔직한 심정이었다. 그럼 내가 미쳤다고 생각하겠지.

잠이 들기 직전, 바보 같은 생각이 머리를 스쳤다. 캘럼은 왜 내가 한밤중에 팀에게 갈 거라고 생각한 거지? 그리고 그 말을 할 때의 화난 눈빛이 떠올랐다. 혹시 질투……? 설렘 때문에 배 속의 나비가 파닥거렸지만, 스스로도 말도 안 되는 생각이란 걸 알았다. 결국엔 모든 걸 잊는 게 현명할 터였다.

다음 날, 태양이 환하게 사방을 비출 때쯤 눈을 떴다. 아멜리는 내 곁에서 시체처럼 자고 있었다. 새벽녘에 깊이 잠들었는지 아멜리가 돌아온 기척도 느끼질 못했다. 몸을 일으켜서 머리를 대충 빗은 다음 옷을 갈아입었다. 밖으로 나가 보니 나보다 먼저 일어난 애들도 많았다. 몇몇 정신 나간 애들은 비키니와 수영 바지 차림으로 텐트 사이를 누볐다. 설마, 진심은 아니겠지? 티셔츠를 입고 있어도 추웠다. 태양이 빛나고 있긴 했지만 완전히 따뜻해지려면 몇 시간은 걸릴 터였다. 텐트 안에서 스웨터를 가지고 나오려고 몸을 숙이는데 저쪽에 캘럼이 서서 팔짱을 끼고 이쪽을 보고 있었다. 설마, 밤새 나를 감시한 건 아니겠지? 어이가 없어서 고개를 흔들면서 세면장으로 향했다.

그때였다. 찢어지는 것 같은 비명 소리가 들렸다. 야영장 전체에 미친 듯이 울려 퍼지는 비명 소리 때문에 피가 얼어붙는 것 같았다. 세면장 밖으로 나가 보니 비명 소리가 난 곳은 호수 쪽이었다. 텐트 안에서 잠이 덜 깬 얼굴들이 하나 둘 고개를 내밀었고 에단 외삼촌이 티셔츠를 입으면서 나를 지나쳐서 호수 쪽으로 달려갔다. 호수에 닿기 직전에 캘럼이 내 앞을 가로막았다. 내가 그를 무시하려고 하자, 나를 끌어안았다.

"엠마, 제발 저쪽으로 가지 마. 이번만큼은 날 믿어 줘! 절대로 볼 만한 광경이 아니야."

그의 팔에 안겨 있으려니 호흡이 거칠어졌다. 저 앞에서 브라이언이 넋이 나간 얼굴로 울고 있는 제이미를 부축해서 걸어오는 게 보였다. 방금 전까지만 해도 깔깔거리고 웃으면서 호수로 달려 나갔던 여자애들 몇 명도 창백한 얼굴로 서로를 부둥켜안고 비틀거렸다. 선생 몇 명이 호수에 서서 학생들의 접근을 막았다.

그의 따뜻한 팔 안에서 물었다.

"캘럼, 저쪽에서 도대체 무슨 일이 일어난 거야?"

그는 나를 놔주려 하지 않았다. 그러고는 나를 바라보며 잠시 고민하는 것 같았다.

"간밤에 호수에서…… 누군가가 익사했어."

그가 거친 목소리로 중얼거렸다.

"누가?"

"마리아."

그가 내 눈을 피하며 짧게 대꾸했다.

스포츠 수업을 같이 듣는 그 빨간 머리 여학생? 지난밤 내 옆에 앉아 있었는데? 의식이 흐릿해지면서 다리에 힘이 풀렸다.

캘럼이 나를 부축해 주었다. 정신을 가다듬으려고 노력했지만, 그의 곁에 가까이 있으니 그러기가 더 힘들었다.

"익사했다고?"

약간의 시간이 흐른 후에 물었다.

"밤중에 차가운 호수 물에서 수영하려고 했다는 건 이상하지 않아?"

그가 더 이상 묻지 말라는 듯 바라보았다.

"설마……. 그래서 지난밤에 텐트에서 못 나가게 한 거야?"

그가 나의 질문에 대답하는 대신, 건조한 목소리로 되물었다.

"이젠 좀 괜찮아?"

내가 천천히 고개를 끄덕이자마자 그가 나를 놓는 바람에 바닥으로 주저앉을 뻔했다. 그러고는 내게 눈길 한번 주지 않고 등을 돌려 사라져 버렸다. 그의 온기가 사라지니 추위와 공포 때문에 몸이 덜덜 떨렸다.

천천히 텐트로 돌아와 보니, 아멜리는 아무것도 모르는 채로 깊게 잠들어 있었다. 텐트 안에서 스웨터를 챙겨 입은 후에 아멜리를 부드럽게 흔들어 깨웠다.

"아멜리, 일어나 봐."

결국 아멜리가 상황을 파악하기까지는 꽤 시간이 걸렸다. 내 설명을 듣고 나서도 이해할 수 없다는 눈으로 나를 바라보다, 결국 에이든이 창백한 얼굴로 텐트 안으로 들어와서야 그의 품에 안겨서 엉엉 울기 시작했다. 그래서 둘만 남겨 두고 텐트를 나왔다. 잘한 건지는 모르겠지만.

내 옆으로 흰옷을 입은 남자 두 명이 들것을 나르고 있었다. 들것 위에는 흰 천으로 덮인 마리아의 사체가 실려 있었다. 일순, 천이 벗겨지면서 마리아의 얼굴이 드러났다. 그녀의 초록색 동공이 겁에 질린 듯 크게 확장되어 있었다. 나는 터져 나오는 비명을 참으려고 손으로 입을 막았다. 들것을 옮기던 남자들이 당황한 듯 걸음을 멈추고 천을 다시 씌웠지만 이미 본 광경을 머릿속에서 지울 수는 없었다. 아마 평생토록 뇌리에 박힐 것 같았다.

경찰 조사가 끝나고 캠핑장을 떠나도 좋다는 허락이 떨어지기까지는 상당한 시간이 걸렸다. 아마도 발을 헛디뎌서 호수에 빠져 익사한 걸로 결론이 난 듯했다. 하지만 어째서 물 바깥에서 발견된 것인지는 밝혀내지 못했다. 짐작 가는 데는 있었지만 입을 굳게 다물었다. 그 일 이후 캘럼은 나를 더욱 철저하게 피했다.

무거운 발걸음을 이끌고 집에 도착한 후, 외삼촌은 곧장 마리아의 부모님에게 갔다. 그 순간만큼 외삼촌이 가엾다고 느껴진 적은 없었다.

13장

책상 앞에 앉아서 허공을 응시하고 있었다. 역사 수업 시간이었다. 버드 선생의 목소리가 귓가에 앵앵거렸다.

네스 호에서 돌아오고 난 뒤의 몇 주 동안은 끔찍했다. 이제 캘럼은 마치 나를 투명인간 대하듯 했다.

마리아에게 일어난 일에 대해서 더 자세히 알고 싶었다. 분명 셸리코트가 연관된 것 같았기 때문이다. 하지만 만약 그렇다면, 어째서 캘럼은 살인을 방관한 걸까? 어쩌면 캘럼 본인조차도 과거에 여자를 유혹해서 익사시킨 경험이 있을지 모른다. 나는 그에 대해 아는 게 없었다. 그가 얼마나 위험한 존재인지, 그와 계속 관련되어 있었다면 무슨 일이 생겼을지 상상할 수조차 없었다.

학교에서는 마리아를 위한 추모제가 열렸다. 별로 가고 싶지 않았지만 외삼촌이 모든 학생이 참여해야 한다고 해서 어쩔 수 없이 가야 했다. 외삼촌은 자신이 교장으로서 좀 더 주의를 기울이지 못한 탓에 마리아가 죽은 거라고 자책하는 것 같았다. 물론 거기에 대해서 다른 사람은 물론 가족들에게조차 속내를 털어놓지는 않았다.

마리아의 부모님과 형제들을 보니 가슴이 무너지는 것 같았다. 비록 마리아와 친하지는 않았었지만 엄마의 장례식 때가 떠올라서 다른 친구들과 함께 그 아이를 위해 울었다. 엄마와 캘럼과 나 자신의 기구한 운명을 위해서도 울었다.

다시 예전의 삶으로 돌아오기까지는 시간이 꽤나 걸렸다. 다시 빡빡한 일상에 적응하느라 비극적인 사건도 어느 정도는 잊혔다. 팀은 더 이상 내 주위를 맴돌지 않았고 아멜리는 새로운 남자애들을 소개해 주느라 열심이었다. 하지만 정말이지 다른 사람에게는 관심이 생기질 않았다.

어느덧 가을에 접어들어서 날씨도 제법 쌀쌀해졌고 안개가 끼는 횟수도 늘어났다. 다른 사람들은 이 습한 계절을 나만큼 싫어하지는 않는 것 같았다. 습기와 추위가 싫었다기보다는 내 내면 깊은 곳의 추위 때문이었다. 아무리 따뜻한 벽난로 앞에 앉아 있어도 이 추위는 쉽게 사라지지 않았다.

집의 벽난로는 하루 종일 활활 타올랐고, 벽난로 앞의 소파에 웅크리고 앉아 따스하게 타오르는 불꽃을 가만히 바라보는 게 가장 좋았다. 하지만 이렇게 한가하게 가만히 앉아 있으면

자꾸만 캘럼 생각이 떠올랐다.

그를 향한 그리움은 하루가 다르게 심해져만 갔다. 아무리 머리를 싸매고 기억을 더듬어 봐도, 그가 나에게 해를 끼쳤던 적은 없었다. 그리고 호숫가에서 보냈던 그날 밤, 정말로 그는 내 텐트 앞에 앉아서 나를 지켜 줬던 걸까? 하지만 그에 비해 내 행동은 너무도 가혹했다. 계속 그를 무시하거나 거부했고, 그의 힘겨운 고백에도 그를 밀어내 버렸다. 바로 그게 캘럼이 계속 나에게 진실을 숨겨 왔던 이유였는데도 말이다.

하지만 어떻게든 그에 대한 생각을 하지 않고서 하루를 살아 내 보려고 노력했다. 귀가 떨어져 나갈 것같이 추워도, 온몸을 곰처럼 두껍게 감싸고 피터와 함께 절벽 위에 앉아 거친 파도가 일렁이는 바다를 하얀 캔버스 위에 옮겼다. 우울하면 우울할수록 좋은 그림을 그릴 수 있었다. 저녁에는 외숙모와 함께 요리를 하거나 쌍둥이와 함께 카드 게임을 했다. 주말이면 아멜리가 기분 전환을 시켜준답시고 클럽에 데려갔다. 물론 캘럼은 단 한 번도 나타나지 않았다.

수영 팀 연습 시간은 고문이었다. 나도 캘럼을 보지 않으려고 노력했지만 그도 나를 철저히 무시했다. 그가 다른 여자애들이나 발레리와 함께 수영 풀 근처에 서 있는 모습을 보면, 아마도 나를 완전히 잊은 모양이었다.

어느덧 두 번의 수영 시합이 있었고, 남자 팀에서는 캘럼이, 여자 팀에서는 내가 각각 우승을 차지했다. 하지만 왠지 수영에 흥미를 잃어버려서 우승조차 별로 기쁘지 않았다. 하지만 수영 팀마저 떠나면 캘럼을 영영 못 보게 될까 두려웠다.

우연히 학교에서 마주쳐도, 그의 눈빛은 차가웠다. 이따금 몰래 그의 모습을 눈으로 좇았다. 그는 어딘가 변해 있었다. 눈동자 색도 전처럼 따스한 파란색이 아니라 차가운 빙하 같은 색이었다. 게다가 계속 흐리고 비가 오는 날이 계속된 탓인지 눈에 띄게 창백해 보였다.

그와 한 번 더 이야기를 시도해 보고 싶었지만 엄두가 나지 않았다. 그의 차가운 눈빛만으로도 이미 충분히 불편했다. 그만큼 그와 멀어졌고, 낯설었다.

"엠마, 괜찮은 거냐?"

버드 선생이 걱정스러운 듯 물었다. 천천히 정신이 들었다. 정신이 완전히 다른 데 가 있었던 모양이다.

"얼굴이 창백하구나. 어디 아픈 거냐?"

"아뇨, 괜…… 괜찮아요."

당황한 나머지 말을 더듬었다. 다른 학생들이 호기심 어린 눈으로 쳐다보았다.

"좋아. 그럼 스코틀랜드와 영국의 '연합법'이 체결된 게 몇 년도인지 말할 수 있겠지?"

버드 선생이 눈썹을 치켜떴다. 기억을 더듬어 보았지만, 머릿속은 텅 비어 있었다.

"1707년!"

브라이언이 속삭여 주었다.

"고맙다, 브라이언."

교실 안은 킥킥대는 소리로 가득 찼다.

하지만 나의 머릿속은 이내 잡생각으로 가득 찼다. 에단 외삼촌은 캘럼과의 교제를 금지한 이후 두 번 다시는 그의 이름조차 입에 올리지 않았다. 그리고 이건 어느새 암묵적인 규칙으로 굳어지게 되었다. 아멜리가 몇 번인가 캘럼과의 일을 물어봐도 화제를 돌리거나 침묵하기만 했다. 어느덧 다들 마치아무 일도 없었던 것처럼 행동했지만 정작 나는 아직도 밤에잠을 잘 이루지 못했다. 게다가 네스 호 사건 이후로 밤마다 악몽에 시달렸다.

꿈속에서 나는 깊고 어두운 호수 속을 헤엄치고 있다. 갑자기 은색으로 반짝이는 손 하나가 나를 움켜잡고 미끌거리는 해초가 발에 얽히더니 나를 깊은 심연으로 끌어당긴다. 견딜 수있을 만큼 견뎌 보지만, 점점 의식이 희미해지면서 가까스로꿈에서 깨어났다.

이건 일종의 경고였다. 마리아의 죽음이 그 증거였다. 모든건 셸리코트의 소행이었다. 캘럼을 멀리해야만 했지만, 시간이모든 걸 해결해 줄 거라고만 생각했던 건 오산이었다.

수업이 끝났음을 알리는 종이 울리자 끝없이 이어지던 생각의 고리도 끊어졌다.

"체육 시간이다!"

제이미가 내게로 뛰어왔다.

"서둘러, 엠마!"

그러고는 브라이언에게 입을 쪽 맞추더니, 체육관으로 달려 나갔다. 나는 한숨을 쉬며 고개를 흔들었다. 부러우면 지는 거다. 내 맘을 들여다보기라도 한 듯, 브라이언이 씨익 웃어 보였다.

체육 수업이 끝나자, 기진맥진한 몸을 이끌고 스포츠 가방을 넣기 위해 내 라커로 천천히 걸어갔다. 오늘은 배드민턴 시합이 있었다. 제대로 해 보려 했지만 결국 아멜리에게 두 번이나 지는 바람에 더 진이 빠져 버렸다. 그때 저 멀리서 발레리의 앙칼진 목소리가 들려왔다.

"어차피 걔는 이제 너한테 관심도 없는데 왜 자꾸만 쳐다보는 거야?"

너무 지쳐 있었기 때문에 발레리가 누구에 대해서 얘기하는 건지, 아니 누구와 얘기하는 건지도 몰랐다. 말소리가 점점 가까워졌다. 코너를 돌자, 캘럼이 보였다. 둘은 라커 앞에 서 있었고, 발레리가 쏘아붙이는 동안에도 그는 자기 라커만 보고 있었다.

"발레리, 네가 신경 쓸 바가 아니야. 엠마와 나 사이엔 아무 일도 없었어. 몇 번 기타 레슨 해 준 게 다라고. 게다가 내가 누굴 쳐다보든 너랑은 상관없잖아."

그가 잠시 침묵한 후에 말을 이었다.

"어차피 처음부터 단 한 번도 관심 없었어. 그냥 친절하게 대해 준 것뿐이야."

나도 모르게 몸이 돌처럼 굳어 버렸다. 손에서 책이 미끄러져서 바닥으로 떨어졌고, 그 자리에서 도망쳐야 한다는 생각뿐이었다.

"엠마! 엠……."

그의 목소리가 뒤쪽에서 희미하게 메아리쳤다.

무작정 자동차를 세워 둔 데까지 달려왔지만 차 키가 없어서 탈 수가 없었다. 아멜리는 왜 이렇게 꾸물대는 거야? 그 순간, 그가 내 어깨를 돌려서 와락 끌어안고, 머리칼 속에 얼굴을 묻었다. 그의 목소리가 귓가에 파고들었다.

"내가 방금 했던 말은 진심이 아니야. 너도 알잖아. 아니, 알아야만 해."

멍한 시선을 허공에 던졌다. 그의 향기, 그의 감촉과 온기 때문에 혼란스러웠다. 수천 개의 전류가 몸속을 흐르는 것처럼 찌릿거렸다. 숨을 쉴 수조차 없었다.

그에게서 몸을 떼고, 한 걸음 뒤로 물러서서 차에 몸을 기댔다. 자신의 행동에 스스로도 놀란 모양이었는지 캘럼도 서서히 나를 놓아 주었다. 아멜리가 내 책들을 들고서 이쪽으로 뛰어왔다.

"무슨 일이야?"

아멜리가 나와 캘럼을 번갈아 쳐다보며 물었다.

"아무 일도 아니야. 빨리 가자."

바닥만 바라보며 아멜리를 재촉했다. 지금 그의 눈을 바라보면 아마도 무너져 버릴 거였다. 어차피 그의 말이 옳았다. 우리 사이엔 아무것도 없었다. 마음을 진정시키려고 노력하면서 조

220

수석에 올랐다. 아멜리가 차를 출발시키자 백미러에 화난 얼굴의 발레리가 비쳤다. 캘럼은 미동도 없이 주차장에 서서 두 주먹을 꽉 쥐고 있었다. 그의 눈은 마치 어둠을 삼킨 것 같았다.

집에 도착해서도 손 떨림이 멈추지 않았다. 아멜리가 차를 주차시킨 다음 조심스럽게 물었다.

"괜찮아?"

그러고는 내 손을 잡아 주었다.

외숙모에게 인사 한 번 할 기력도 없어서 곧장 내 방으로 갔다. 혼자 있고 싶었다. 침대에 누워 천장을 바라보는데, 아멜리가 문을 두드렸다.

"문 좀 열어 봐."

"열려 있어. 들어와."

"발레리 정말 밥맛 아니니?"

아멜리가 내 침대 귀퉁이에 앉으면서 투덜거렸다.

"에이든이 캘럼이랑 발레리가 얘기하는 거 다 들었대. 방금 전화 왔었거든. 발레리는 아마 캘럼이 자기한테 관심이 없다는 걸 알고 열 받아서 그랬던 것 같아. 내가 봐도 관심 없다는 게 티 나니까. 내 생각에 캘럼이 좋아하는 건 너야."

아멜리가 동의를 구하듯 나를 바라보았다.

하지만 씁쓸한 미소 외에 다른 말은 할 수 없었다.

"캘럼이 널 좋아하지 않는다면 왜 굳이 쫓아왔겠어? 그걸로 이미 모든 게 설명되잖아. 그게 발레리를 더 열 받게 했을 거고."

침묵.

"도대체 너희들 사이에 무슨 일이 있었던 거니? 그게 사랑이 아니라면 뭐였겠어? 아빠가 왜 너희를 떼어 놓은 건지 말해 줘. 울 아빠 그렇게 고리타분한 사람 아니라고."

왜 캘럼은 나를 끌어안았던 걸까? 아멜리의 질문이 귀에 들어오지 않았다. 등줄기에 전율이 느껴졌다. 그가 나를 안았을 때, 두렵거나 무섭지 않았다. 점점 이성의 고삐가 느슨해지고 있었다.

"미안해……. 하지만 설명해 주자면 정말로 복잡해. 내가 말해 줄 수 있는 건, 외삼촌이 우리 사이를 금하는 게 옳다는 것뿐이야. 캘럼과 나는 인연이 아니야. 그냥 끝내는 게 나아."

아멜리가 어이없다는 표정을 지었다.

"뭔 소리야? 늬들처럼 딱 맞는 커플이 어딨다고 그래? 게다가 정말 이해할 수 없는 건 아빠가 캘럼을 싫어할 이유가 없다는 거야. 솔직히 말해서 부모라면 다들 캘럼 같은 사위를 꿈꾼다고. 잘생겼지, 똑똑하지, 다정하지……. 더 얘기해야 돼?"

"그만해!"

결국 웃음을 터뜨리고 말았다. 그리고 슬쩍 화제를 돌렸다.

"내려가서 뭐 좀 먹자. 배고파."

다음 날 아침, 도저히 학교에 갈 용기가 나지 않았다. 솔직히 말하면, 캘럼과 마주할 용기가 없었다. 그의 눈을 바라보는 순간 모든 노력이 물거품이 되어 버릴 것 같았다. 다행히 외삼촌 부부는 오늘 아침 일찍 집을 비우고 없었다.

"아멜리. 오늘 나 두통이 너무 심해. 아무래도 학교 가긴 힘들 것 같아. 나 결석한다고 학교에 좀 말해 줄래?"

콘플레이크를 먹으며 아멜리에게 물었다. 아멜리는 미심쩍은 눈이었지만, 고개를 끄덕이고는 혼자 등교했다.

침대에 누워 보았지만 잠이 오질 않았다. 그래서 소피에게서 빌려 온 책을 꺼내서 읽기 시작했다. 《한여름 밤의 꿈》이었다. 이 책을 펴 든 건 아마도 책의 주제가 '이룰 수 없는 사랑'이기 때문이리라. 책에 집중할 수 있기를 바라면서 1장을 읽어 내려갔다. 첫 페이지부터 공감 가는 내용이었다. 정확히 말하자면 공감이라기보다 충고를 듣는 기분이었다.

내 딸아, 너는 지금 사랑이라는 함정에 빠져 버렸구나! 어린아이같이 고분고분하던 네가 일시적인 반항심에 돌변해 버린 것이니…….

과연 이 책을 계속 읽어야 할까? 마치 내게 하는 말 같았다. 게다가 금지된 사랑에 요정과 마법까지 등장하니 말이다. 당장이라도 책을 덮어 버리고 싶었지만 그럴 수가 없었다. 아버지의 반대를 무릅쓰고 허미아와 라이샌더의 사랑이 이루어질 수 있을까? 왠지 책에서만이라도 해피 엔딩을 보고 싶었다.

시험을 통해 인내를 배울 수 있으리라.

사랑과 고통처럼 잘 맞는 궁합이 또 어디 있을까!

꿈과 한숨, 비밀스러운 소망과 눈물처럼

고통에는 가엽고 처절한 열정이 뒤따르는 법이니…….

정말이지 사랑은 이다지도 고통스러운 것일까? 뭐, 책이랑 현실은 다른 거니까. 게다가 허미아는 시험에 정면으로 용감히 맞섰지만 나는 겁먹은 닭처럼 도망쳐 버렸다. 괴로운 심정에 도저히 책을 더 읽어 나갈 수 없었다.

캘럼의 강한 팔이 나를 끌어안던 순간을 떠올렸다. 왜 굳이 쫓아와 해명하려 한 걸까? 그에게 계속 그렇게 심하게 대했으니 미워할 만도 한데……. 한숨을 쉬며 침대에서 일어나 옷을 걸쳐 입었다. 그래, 고통에는 가엽고 처절한 열정이 뒤따른다는 말이 딱 맞았다.

집에 있으면 머리만 복잡할 것 같아서 산책을 하려고 마음먹고 보니, 구름 낀 하늘 틈새로 가는 햇살이 비쳤다. 날씨가 어떻게 돌변할지 몰라서 두꺼운 겉옷을 챙겨 입었다.

부엌에서 우유 한 컵을 마신 후에 사과를 한 개 챙겼다. 외숙모는 내가 입맛을 잃은 걸 걱정한 나머지 매일 맛있는 요리를 선보였지만, 오히려 미안함과 부담만 커질 뿐이었다.

바깥에 나갔다가, 다시 방으로 올라가서 방구석에 던져두었던 《한여름 밤의 꿈》을 들고 나왔다. 겉옷 밑에 책을 챙겨 넣으면서도 셰익스피어가 나에게 도움을 줄 거라고는 생각하지 않앉다. 그저 엉덩이를 붙이고 책을 읽을 수 있는 마른 풀밭만이라도 찾아낼 수 있길 바랐다.

나는 걷고, 걷고, 또 걸었다. 계속 걷다 보니 저 앞으로 캘럼과 같이 걷던 길이 보였다. 천천히 오솔길로 들어섰다. 숲속을 걷다 보니 온몸의 긴장이 풀리는 것 같았다. 나뭇잎이 우거진 숲길 사이로 햇살이 부서지며 들어와 이끼 낀 길 위로 쏟아졌다. 숲은 아름답고도 고요했다. 잠시 후, 우리가 늘 함께 시간을 보내던 작은 연못을 발견했다. 풀밭 위에 앉아 바위에 몸을 기대고 주위를 둘러보았다. 연못 주변의 나뭇잎은 아름다운 가을빛으로 물들어 있었고, 연못 위에는 낙엽이 떨어져 물결에 몸을 맡긴 채 부드럽게 일렁였다. 머리 위로 빛줄기가 쏟아지며 피부를 간질였다. 잔디는 따스하고 보송보송했다.

주머니에서 사과를 꺼내 옆에 놓고 책을 펼쳤다. 이야기 속으로 빠져드는 데는 그리 오래 걸리지 않았다. 아버지의 반대를 무릅쓰고 라이샌더와 함께 도망을 친 허미아의 용기가 놀라웠다. 또 헬레나를 함부로 대하는 드미트리우스가 미웠다. 헬레나는 이런 남자의 어디가 좋은 거지? 나 같으면 진작 떠났을 텐데, 왜 이렇게 집착하는 거지?

한숨을 쉬며 햇살 아래 잠시 눈을 붙였다.

아마 잠이 들었던 모양이었다. 눈을 떠 보니 해가 기울어 있었고, 추위가 느껴졌다. 집에 돌아가려고 몸을 일으키며, 고통스러운 눈으로 연못을 바라보았다. 이곳에는 행복했던 기억들이 깃들어 있었다.

돌아가기 위해 고개를 드니, 나무 사이에서 어슴푸레한 형체가 움직이는 게 보였다. 겁에 질려 몸을 움직일 수 없었다. 어둠 속에서 서서히 사람의 형체가 드러났다.

캘럼이었다.

그가 조심스럽게 이쪽으로 다가왔다.

"여…… 여기서 뭐하는 거야?"

놀라서 물었다.

"내가 묻고 싶은 말이야. 혼자서 숲 속을 돌아다니다니, 도대체 무슨 생각이야?"

그가 화가 난 듯 되물었다.

"너랑은 상관없잖아!"

그를 무시하기로 결심하고는, 똑같은 어조로 되받아쳤다.

그의 얼굴 위로 여러 가지 감정이 스쳤다. 체념 같기도, 슬픔 같기도 했다. 당장이라도 그의 품에 안겨서 뺨을 어루만지고 싶은 충동이 일었다.

"어제 일 때문에 널 찾고 있었어."

그가 나를 바라보며 한결 부드러워진 목소리로 대답했다.

"걱정할 필요 없어. 어차피 네 말이 다 맞으니까. 우리 사이엔 아무 일도 없었던 거야. 어제 그렇게 도망간 건 바보 같은 행동이었어."

감정을 억누르며 고개를 숙이고 중얼거렸다.

"내가 어제 네게 한 말은 진심이야."

그가 괴로운 듯 말을 이었다.

"단 하루라도 널 보지 못하면…… 머리가 어떻게 될 것 같아."

내 귀를 의심했다. 지금 무슨 말을 하는 거야?

"왜 그런 말을 하는 거야?"

목소리가 떨렸다.

"엠마, 넌 정말 모를 거야. 내가 널 어떻게 생각하는지……."

그가 체념한 듯 중얼거렸다.

나는 머리를 가로저었다. 혼란스러웠다. 아까 그 풀밭 위에서 잠든 채로 계속 꿈을 꾸고 있는 모양이었다.

그가 한 걸음 다가오더니, 팔을 뻗어 나를 와락 끌어안았다. 그의 부드러운 목소리가 귓가에 낮게 울렸다.

"더 이상은 버틸 수가 없어. 하루하루가, 숨 쉬는 게 괴로워. 널 멀리하는 것만큼 힘들었던 건 없었어. 최선을 다해 봤지만, 더 이상 널 상처 입히고 싶지 않아. 차라리 내가 죽는 쪽이 나아. 하지만 누군가 널 다치게라도 한다면 난……."

그의 가슴에 머리를 기댄 채, 가만히 그를 느꼈다.

"제발 날 두려워하지 마……."

그가 당부했다.

"나야말로 미안해. 계속 바보같이 굴었던 건 나야."

오랫동안 하지 못한 말을 겨우 쥐어짜 냈다.

"나도 네가 너무 보고 싶었어. 하지만 뭘 어떻게 해야 할지 몰랐어. 널 다시 한 번 찾아가 보려고도 생각했었지만 또 나를 밀어낼까 봐……. 그건 정말 아팠단 말이야."

그가 나의 말에 대답이라도 하듯 나를 더욱 강하게 끌어안았다. 나도 팔을 뻗어 그의 허리를 안았다. 이제까지 억눌러 왔던 게 폭발해 버린 것 같았다.

"너를 그런 식으로 대하고 싶진 않았어. 물론 엄마의 일을 알게 되었고, 어린 시절부터 셀리코트에 대한 이야기를 들어 왔어. 모든 사실을 알고 나니 두려웠던 게 사실이야. 아니, 두려워야 했는데, 내 안 깊은 곳에선 네가 두렵지 않았어. 그렇게 되니까 머리가 뒤죽박죽이 돼서 뭘 어떻게 해야 할지……. 네가 날 용서해 줄지……."

캘럼은 말없이, 조심스럽게 자신의 입술을 내 뺨 위에 댔다.

"날…… 용서해 줄 수 있어?"

나는 고개를 숙인 채 괴롭게 진심을 토해냈다. 그가 손가락으로 내 턱을 살짝 들어 올리자, 거부할 수 없는 푸른색 눈동자가 보였다. 고래 옆에 앉아 있던 그날, 첫눈에 마음을 빼앗겨 버렸던 그 눈동자였다. 그가 손가락으로 내 입술을 어루만졌고, 눈을 감자 그의 부드러운 입술이 내 눈꺼풀과 뺨을 쓰다듬었다. 숨이 멎을 것 같았다. 마침내 그의 입술이 내 입술 위로 포개지자 입술을 열고 그의 입술을 받아들였다. 서로를 향했던 그리움만큼이나, 고통스럽던 시간만큼이나 간절히 서로의 입술을 찾았다. 마음과 마음이 뒤엉켰고 서로의 감정을 확인하며 전율했다. 마치 시간이 멈춰 버린 것 같았다.

"원래는…… 첫 키스는 더 조심스럽게 시작하고 싶었는데."

캘럼이 놀란 듯 미소를 지었다. 그 말에 얼굴이 빨개져서, 그의 가슴에 얼굴을 묻고 중얼거렸다.

"너무 오랫동안 기다렸단 말이야."

그가 다시 한 번 키스했다. 이번에는 정신이 아득해질 정도로 깊고 열정적인 키스였다. 멍하니 뒤로 한 발짝 물러서자 그가 즉시 나를 놔 주었다.

"네가 원하지 않는다면 맹세코 아무것도 안 할게."

하지만 나는 다시 그의 팔로 뛰어들고 말았다. 그의 가슴에 얼굴을 묻고는 속삭였다.

"난 신경 쓰지 마."

그가 낮게 웃더니, 수줍고 부드럽게 키스했다. 마치 깃털 같은 입맞춤이었다.

"이건?"

그가 속삭였다.

"그럭저럭."

그의 목에 팔을 두르며 말했다.

"흠……."

그가 신음 소리를 내더니 고개를 저으며 낮게 웃었다. 이대로 그와 영원히 함께하고 싶다면, 욕심을 부리는 걸까?

우리는 잔디 위에 앉았고, 그가 나를 자신의 무릎 위에 앉혔다.

"날 멀리하는 게 너를 위한 길이었는데……."

그가 침묵을 깨고 중얼거렸다.

"그런 말을 하기엔 늦었어. 너에겐 그게 쉬웠어?"

"아니. 차라리 가슴을 도려내고 싶었지."

"너한텐 발레리라도 있었잖아."

괜히 열이 받아서 씩씩거렸다.

"바보야, 걘 나에게 아무런 의미도 없었어."

"조금도?"

"털끝만큼도."

"이제…… 어쩌지?"

그가 내 입술을 찾는 동안 물었다.

"몰라."

"정말 아무런 방법이 없는 거야? 뭔가 길이 있을 수도 있잖아! 널 잃고 싶진 않아……. 그동안 얼마나 외롭고 괴로웠는지……."

북받쳐 오르는 감정 때문에 머릿속이 뒤죽박죽이었다. 뜨거운 눈물이 볼을 타고 흘러내렸다. 캘럼이 나를 강하게 안아 주었다. 시간이 얼마나 지났을까. 시간조차 멈춘 것 같았다. 그가 내 곁에 있다는 사실보다 더 중요한 건 없었다. 그가 내 머리칼을 부드럽게 쓰다듬으며, 내 눈물에 입을 맞추었다.

"사랑해, 엠마!"

그가 내 귓가에 속삭였다.

"할 수만 있다면, 영원히 너와 함께하고 싶어."

나도 대답하려고 입을 열었다가 잠시 망설였다.

"왜, 무슨 생각해?"

그가 손가락으로 내 입술과 목을 쓰다듬으며 물었다.

"내가 널 구해 줄게."

어렸을 때부터 동화 이야기를 좋아했다. 동화 속에서 공주는 사랑하는 왕자를 구하려고 일곱 개의 산과 일곱 개의 바다를 건넌다. 결국에는 마법에서 왕자를 구해 내고, 그렇게 오래오래 행복하게 산다…… 동화를 현대에 적용 못 할 이유는 없으니까. 나는 두 주먹을 불끈 쥐었다.

"엠마, 이건 동화 이야기가 아니야……."

캘럼이 안타까운 듯 말했다.

"차라리 겁내는 게 옳아. 우리가 살고 있는 세계는 인간 세계와는 완전히 달라. 마리아에게 무슨 일이 일어났는지 봤잖아. 경계를 넘으면 처벌당하고 말아. 설령 그게 뭔지 몰랐다고 해도 상관없어."

그의 목소리에 슬픔이 묻어났다. 마리아의 초록색 눈동자가 떠올랐다. 그 눈에는 순전한 공포가 서려 있었다.

"그래서 텐트 앞에서 지켜 준 거야? 그날 밤에 밖에 돌아다니는 게 위험해서?"

그가 고개를 끄덕이며 말했다.

"너도 그때 그 소리 들었지? 거기 셸리코트가 있었어. 네스 호는 우리들에겐 성지거든. 우리의 창조주가 셸리코트를 창조했다고 전해지는 곳이야. 그래서 인간들의 접근을 막기 위해서 기괴한 전설을 만들어 냈지. 가끔은 정말 괴물을 목격하도록 신경도 썼어. 인간이 공포에 질리는 대신 호기심을 가지게 되면 괴물을 철수시켰지. 인간이 밤중에 호숫가에 접근하는 건 금기야. 아마도 마리아는 자기가 무슨 잘못을 저질렀는지도 몰랐을 테지. 분명 셸리코트 중 하나가 그녀를 유인했을 거야. 그게 누군지 짐작은 가."

그가 주먹을 불끈 쥐었다.

"막을 수 있었지만 너무 늦고 말았어. 마리아보다 네가 걱정이 되어서 자리를 뜰 수가 없었으니까……."

그의 이야기는 충격적이었다.

"단지 그 이유 때문에 죽어야 하다니……. 너무 끔찍해."

"만약 내가 겁나면 당장 떠나가도 돼."

당연하다는 듯 그가 나를 바라보더니, 이내 자기 곁에 머물러 달라는 듯 강하게 끌어안았다.

"넌 위험하지 않잖아."

내가 떨리는 목소리로 말했다.

"내가 위험하지 않아도 내 종족은 위험해. 우리가 이렇게 가까워질 때마다 넌 위험에 처하게 되는 거야."

그의 말뜻을 몰라서 어리둥절하게 쳐다보았다. 그가 고개를 돌리더니 한숨을 쉬었다.

"우리의 체계는 인간과는 달라. 개인보다 집단의 이익이 우선시 되는 사회거든."

천천히 고개를 끄덕였다. 하지만 우리의 사랑이 나쁜 것도 아니었고, 셸리코트 집단에 해를 끼칠 이유도 없었다.

"지난 10년간, 인간들 사이에서 살면서 수 없이 많은 인간들을 만나 왔지만, 인간과 사랑에 빠지게 된 건 처음이야."

그가 깊이 생각에 잠긴 눈으로 내 머리카락을 쓰다듬었다.

"우리는 인간계에서의 마지막 2년은 에릭슨 박사네 집에서 보내곤 하지."

"잠깐만. 10년? 하지만 넌 지금 열여덟 살이잖아."

그가 땅에서 풀 몇 가닥을 뽑아내며 침묵했다. 그의 눈빛이 신중하게 빛났다.

"우리는 인간과 다르게 나이를 먹어."

그가 내 눈빛을 살폈다.

"우리가 사는 세계의 시간은 인간보다 느리거든. 그래서 인간보다 오래 사는 거야. 지금 나는 인간계 나이로 열여덟 살인 거지."

당혹감을 감추며 물었다.

"그럼 그 2년 후엔?"

"종족에게로 돌아가야 해. 그리고 영영 돌아올 수 없어."

"언제 그 2년이 차는데?"

두려움이 엄습했다.

"이제 1년 남았어."

그가 말을 이었다.

"예전에는 셸리코트와 인간이 어울려 살아가던 시절도 있었다고 해. 그 당시엔 물에서 살지 뭍에서 살지 결정할 수 있었대. 하지만 그건 오래전 이야기고 이젠 아무도 그 시절을 기억 못 해. 과거의 역사가 되어 버렸지."

"네스 호의 전설을 셸리코트가 만들어 냈다는 이야기는?"

"마법으로 거대한 괴물 형상을 만들어 낸 거야. 하지만 실재하는 존재는 아냐."

그가 내 귓가에 속삭였다.

"이제 돌아갈 시간이야. 너무 늦으면 식구들이 걱정할 거야."

"도서관에 갔었다고 말할게."

나는 방패처럼 책을 옆구리에 꼈다. 그가 사랑스럽다는 눈빛으로 나를 바라보며, 내 머리칼에 붙어 있는 낙엽을 떼어냈다.

"네 머리를 이렇게 엉망으로 헝클어뜨린 도서관이 도대체 어디냐고 궁금해할걸?"

그러고는 내 손에서 책을 가져다가 펼쳤다.

"《한여름 밤의 꿈》이라. 셰익스피어의 사랑 이야기군. 소피가 권해 준 거야?"

고개를 끄덕이면서 머리칼을 매만졌다.

"너와 어울려."

그가 팔을 내 허리에 감고 자기 쪽으로 바짝 끌어당겼다. 우리는 나란히 걸어서 숲을 나왔다.

그와 다시 함께하게 될 거라곤 상상도 못 했다. 이제 가까스로 손에 얻은 행복을 다시 놓치기 싫었다. 오랫동안 고통에 몸부림치다가, 더군다나 그가 나를 언제나 사랑하고 있었다는 사실을 깨닫게 된 지금에 와서는 더더욱.

"일단은 이성적으로 행동하자."

그가 제안했다.

"아무도 우리 사이를 눈치 채선 안 돼. 만약에 너희 외삼촌이 너를 미국으로 돌려보내면 우린 영영 만나지 못하게 될 거야. 다른 방법을 생각해야 돼. 날 믿어 줘."

그가 다시 한 번 나를 끌어안고 키스했다. 스코틀랜드에 와서 처음으로 짙은 안개가 고마웠다. 안개가 너무 짙어서 아무도 우리를 보지 못할 테니 말이다. 아쉬운 듯 서로를 바라보다 그가 몸을 돌려 숲 속으로 사라지자 꿈꾸듯 아득한 기분으로 집으로 향했다.

외숙모는 저녁 식사 준비로 바쁜 것 같았다. 그래서 그대로 욕실로 직행했다. 누구와도 마주치지 않은 게 다행이었다. 욕실 거울을 들여다보니 붉게 물든 뺨과 헝클어진 머리칼이 가관이었다. 만약 외삼촌이 이런 나를 봤다면…… . 상상만으로도 끔찍했다. 가까스로 마음을 진정시킨 후에는 미소 짓는 얼굴로 부엌에 내려가 보았다. 정말이지 미소가 얼굴에서 떠나질 않았다. 말할 수 없이 행복했다.

"두통은 좀 어떠니?"

외숙모가 음식을 저으며 물었다.

"사라졌어요. 신선한 공기를 쐬니까 금방 낫더라고요. 오늘 저녁은 뭐예요? 배가 고파 죽을 것 같아요."

외숙모가 놀라움과 기쁨이 가득한 눈으로 나를 바라보았다.

"그건 비밀이야! 그럼 빨리 먹을 수 있게 식탁 차리는 것 좀 도와줄래?"

저녁 메뉴는 해물 스파게티였다. 그렇게 많이 먹은 건 오랜만이었다. 먹고 또 먹어도 질리지 않았다. 식사가 끝난 후에는 침대에 누워서 《한여름 밤의 꿈》을 끝까지 다 읽었다. 나의 삶도 해피 엔딩으로 끝나면 얼마나 좋을까. 오랜만에 행복한 기분으로 잠이 들었다.

14장

≋

"더 얘기해 줘."

나는 그의 옆에 누워서 그의 몸에 팔을 두르며 졸랐다. 우리는 그의 침대 위에 누워 있었다. 최근엔 기회만 되면 집을 몰래 빠져나와서 그를 만났다. 다행히 에릭슨 박사는 집을 비울 때가 많았고, 캘럼과 소피가 진지하게 이야기를 나눈 끝에 우리의 만남을 허락받을 수 있었다. 무슨 이야기가 오갔는지는 알 수 없었지만 말이다. 나는 식구들 중에서는 유일하게 아멜리에게만 사실을 털어놓았다. 아멜리는 정말 감동한 나머지 내 손을 움켜잡고는, 우리 둘 사이를 전적으로 도와줄 테니 맡겨만 달라고 장담했다. 아멜리가 핑계거리를 만들어 준 덕분에 우리는 거의 매일 오후마다 집을 빠져나왔다. 주된 핑계는 도서관이나 수영장, 제이미네 집이었다. 그렇게 집을 빠져나온 다음엔, 각자 에이든과 캘럼을 만났다. 집에 돌아올 때에는 밖에서 만나서 같이 들어갔고, 저녁 먹을 시간을 넘기지 않도록 조심했다.

"엄마가 해 주는 이야기가 동화라고만 생각했었어."

"지난 천 년간 인간들은 우리에 대한 이야기를 전해 왔어. 님프, 수인, 엘프, 트롤, 용과 같은 다양한 주제가 다 인간의 머릿속에서 만들어진 거라고는 믿기 어렵지 않아? 게다가 인간은 자연을 파괴하는 일에서만은 모든 창조력과 상상력을 다 동원해. 안타까운 일이야."

그의 목소리가 살짝 떨렸다.

"미안해……. 인간들 전체를 나쁘게 말한 건 아니야."

그가 내 이마에 입을 맞추며 말했다.

"아무튼 우리는 항상 존재해 왔어. 인간들은 전설이나 동화 속에서 우리를 좋거나 나쁘게 묘사하고 있는데, 이 지구에서 감정을 가진 유일한 종족이 자기들뿐이라고 착각하는 거지."

"그런데 정말 물속에 들어가면 지느러미가 돋아나?"

주제를 돌리려고 엉뚱한 질문을 던졌다. 그가 내 머리를 헝클어뜨리며 웃었다.

"그럴 리가 없잖아! 그거야말로 바보 같은 동화나 전설일 뿐이야. 정작 믿어야 할 건 안 믿으면서, 님프한테 물고기 꼬리가 달렸다든가 뭍에서는 살 수 없다는 말은 그렇게 순진하게 믿다니."

좀 화가 나서 등을 돌려 버렸다.

"미안. 화내지 마."

그가 입술로 내 뺨을 부드럽게 쓰다듬었다. 결국은 다시 몸을 돌려서, 그의 가슴에 얼굴을 묻고 그의 체취를 깊게 들이마셨다.

"더 얘기해 줘."

그의 티셔츠 속으로 손을 집어넣고 따뜻한 온기를 느끼면서 중얼거렸다.

"예전에는 지구 위에서 모든 종족이 평화롭게 어울려서 살았어. 인간 족, 파우누스 족, 늑대인간 족, 님프 족, 요정 족, 뱀파이어 족, 난쟁이 족, 엘프 족, 수인 족 등등. 하지만 인간들은 우리를 적대시하기 시작했고, 전쟁이 일어났어. 인간을 제외한 다른 종족들은 시간 속에 잊혀 갔고, 인간은 자연과 함께 살아가는 방법도, 옛 신들도 망각하게 되었지. 게다가 인구가 증가하면서 살아갈 공간도 확보해야 했던 거야. 결국 더 이상의 성지城地란 없었지. 자신들에게 해를 끼친 적이 없는데도, 다른 종족에 대한 끔찍한 전설들을 만들어 냈어."

그의 목소리에 슬픔이 묻어났다.

"우리들은 삶의 터전을 빼앗긴 채 깊은 바다나 호수, 숲으로 쫓겨났어. 하지만 인간들의 발길이 닿지 못하는 그곳이야말로 태고부터의 아름다움을 간직하고 있지. 할 수만 있다면 너에게도 보여 주고 싶어. 반짝이는 바다와 거친 강물, 깊은 바다 밑바닥을 헤엄치는 것보다 멋진 건 없어."

내가 알지 못하는 어떤 세계가 그의 눈앞에 펼쳐져 있었다.

"아무튼, 그래서 그때 고래랑 대화할 수 있었던 거야?"

그가 고개를 끄덕였다.

"인간들이 내는 소음 때문에 방향 감각을 상실해서 점점 더 많은 고래들이 해안 위로 올라와서 죽어가. 끔찍한 일이야."

"물속이 그립지 않아?"

그가 천천히 수긍했다.

"인간들 사이에서 살 때는 보름달 밤에만 잠시 돌아갈 수 있어. 만약 그 규율을 어기면 두 번 다시는 땅을 밟을 수 없어."

"날 데려가는 건 불가능해? 너와 같이 헤엄치면 물도 그리 무섭지 않을 텐데."

그가 갑자기 몸을 일으켜 앉았다.

"두 번 다시는 그런 말을 입에 올려선 안 돼! 보름달 밤에 날 쫓아오는 건 상상만으로도 위험해! 우리 종족의 눈에 띄기라도 하면……. 만약 인간이 우리 종족에 대해 알게 되면, 죽음으로 그 죗값을 치러야 해!"

놀란 눈으로 그를 바라보며 말했다.

"하지만 너무 비인간적인 처사 아니야?"

이번에는 그가 놀란 눈이 되었다. 잠시 침묵한 후 그가 속삭였다.

"엠마, 우린 인간이 아니야. 그걸 잊어선 안 돼."

"하지만 왜 그렇게까지……?"

"우리 종족을 보호하려는 거야. 과거에 인간과 벌였던 참혹한 전투 이후로 줄곧 그래 왔어. 수인들뿐만이 아냐. 다른 종족들도 인간에 대해서만은 엄격한 규율을 적용하고 있지. 각 종족들의 대표로 구성된 의회는 규율이 잘 지켜지고 있는지 감시하는 역할을 맡고 있어. 규율은 모든 종족의 존속을 위해 절대적이야. 인간들이 했던 행동이 얼마나 잔혹했으면 우리가 다 자취를 감춰 버렸겠어? 인간에 대한 규율도 엄격해질 수밖에 없었지. 물론 전쟁 전에는 지금과는 많이 달랐었지만."

"넌 인간들을 지켜봐 왔잖아? 오늘날의 인간들은 좀 달라졌다고 생각 안 해?"

그가 슬픈 눈으로 나를 바라보며 물었다.

"네 생각은 어떤데?"

나는 아무 대답도 할 수 없었다.

"방금 말한 '전쟁 전에는 달랐다'는 건 무슨 뜻이야?"

그가 한숨을 내쉬었다.

"예전에 우리 종족은 지금보다 수가 많고 강했어. 이제는 수도 줄어든 데다 약해졌지. 우리 중에는 그걸 인간들 탓으로 돌리는 자들이 많아. 전쟁을 일으켜서라도 우리의 삶의 터전을 되찾아야 한다는 거야. 이대로 두면 인간들이 모든 걸 오염시켜 버릴 테니까."

"전쟁을? 어떻게?"

"우리 종족은 마법을 사용할 수 있어. 하지만 모두가 거기에 찬성하는 건 아니야. 셸리코트는 원래 평화주의적인 종족이니까. 게다가 왕이 전쟁을 용납할 리 없어. 그도 유년 시절에 인간 세계에서 머문 적이 있기 때문에 인간들을 좋아한다고 들었거든. 에릭슨 박사는 우리들에게 인간 세계의 아름다움을 가르쳐 주고 있어. 음악이나 책 같은 인간 세계의 문화도. 하지만 왕조차도 규율을 거스를 수 없다는 게 문제지."

"에릭슨 가문과 수인 족은 무슨 관계야?"

"에릭슨 가는 대대로 수인 족의 젊은이들을 맡아서 보호해 주고, 우리가 인간 세상을 경험할 수 있게 도와 왔어. 우리 종족에 대한 비밀은 가문 대대로 철저히 보장되었지. 벌써 몇 세기 동안이나 지속되던 전통이야. 인간력으로 20년마다 수인 족 젊은이 중 한 명이 선발되어서 10년간 인간 세계에서 살아갈 수 있어. 이번에는 내가 뽑혔던 거고."

그가 잠시 침묵했다.

"하지만 에릭슨 박사님에게는 아들이 없잖아. 만약에 박사님이 돌아가시거나 하면 어떻게 되는 거야?"

"그건 나도 몰라."

캘럼이 생각에 잠긴 듯 대답했다.

"아마 의회에서 대를 이을 인간을 결정하게 되겠지. 쉽게 결정할 수 있는 문제는 아니야."

"왜 우리는 서로 사랑할 수 없는 거야? 왜 넌 인간 세상에 머무를 수 없어?"

"규칙이 그래. 인간의 여성과 육체적으로 가까워지거나 우리 종족의 비밀을 누설하는 건 철저히 금지되어 있어. 만약에 우리 사이의 일을 누군가 알기라도 하면 아마 나는 당장 송환될 거고 넌…… 형벌을 받게 될 거야."

그가 고통스러운 표정으로 눈을 질끈 감았다. 조심스럽게 그의 뺨을 어루만졌다.

"나 때문에 네가 그런 위험에 처하게 되는 건 상상도 하기 싫어."

그가 속삭였다.

"규칙에 예외는 없는 거야?"

애써 불안감을 감추며 물었지만, 그가 고개를 저었다.

"하지만 아멜리와 소피 외에는 아무도 몰라. 그 둘은 우리를 밀고하지 않을 거야."

"그러길 바라는 수밖에."

캘럼이 나를 끌어안고 수없이 많은 입맞춤을 퍼부었다.

"가 봐야 돼. 아멜리가 기다릴 거야."

한숨을 내쉬며 몸을 일으켰다. 그가 아쉬운 듯 달콤하게 키스했다.

"네가 밤새 여기에 머무를 수 있다면……."

그가 귓가에 속삭였다. 온몸이 긴장과 흥분으로 요동쳤다. 그가 나를 문까지 에스코트한 다음, 마치 마지막인 듯 길고 깊게 키스하는 바람에 온몸이 마비돼서 비틀거렸다. 그 모습을 보고 그가 낮게 웃었다.

집으로 돌아가는 길에는 차가운 저녁 공기를 들이마시면서 이 모든 이야기가 얼마나 비현실적인지 절감했다. 정말 과거에는 인간과 다른 종족들이 다 함께 어울려 살았던 적이 있었던 걸까? 그 당시의 세상은 얼마나 아름답고 다채로웠을까? 그가 내게 대답해 주지 않은 단 한 가지 질문을 떠올렸다. 그가 인간이 되어서 여기에서 살아갈 수는 없는 걸까? 과연 그가 그런 삶을 원할까? 아니, 내가 그에게 물 밑 삶을 단념하라고 강요할 수 있을까?

저 앞에, 추위에 떨며 나를 기다리는 아멜리가 보였다.

"야! 어디서 대체 뭘 하다 이제 온 거야?"

아멜리가 씩씩거렸다.

"피터한테 전화 왔다구! 아빠가 오늘은 좀 일찍 들어왔대. 서둘러야만 해!"

"이런!"

우리는 얼음처럼 차가운 밤공기를 들이마시며 집까지 달음박질쳤다. 조용히 현관문을 닫고 들어가 보니 에단 외삼촌이 화난 얼굴로 부엌에 서서 우리를 기다리고 있었다.

"대체 어디에 있다 온 거냐?"

그가 몰아붙이는 바람에 겁이 나서 어깨를 움츠렸다.

"도서관에 있다가 왔어요. 엄마한테 허락 받았다구요."

아멜리가 대꾸했다.

"지금이 몇 시라고 생각하는 거냐? 도서관 문 닫은 지 한참 지났어! 날 바보로 보는 거냐?"

외삼촌이 빈정거리자, 온몸에 진땀이 났다. 그때 아멜리가 능청스럽게 대꾸했다.

"도서관 갔다가 제이미네 갔었어요. 설마 그것도 안 된다고 하시진 않겠죠? 저녁 먹을 시간에 맞춰서 돌아왔잖아요."

244

그러고는 화가 난 듯 식탁 의자 위에 털썩 앉았다. 외삼촌은 내 얼굴을 의심스럽게 한 번 쏘아본 다음 말없이 식탁에 앉았다. 앞으로는 좀 더 조심할 필요가 있을 것 같았다.

캘럼은 어디 간 거지? 그의 침대 위에 누워서 퀼트 이불을 덮은 채 생각했다. 그 후로 며칠간 보지 못하다가 오랜만에 만나 달콤한 시간을 보내고 있던 중이었다. 비 내리는 가을 날씨 탓에 피곤했던 탓인지 그의 품에 안겨서 잠시 잠이 든 모양이었다. 눈을 떠 보니 문밖이 소란스러웠다. 무슨 일이지? 나는 겁에 질렸다. 에릭슨 박사의 목소리가 들렸기 때문이다. 소피는 에릭슨 박사가 글래스고Glasgow에 가서 오늘 밤에야 돌아온다고 했었다. 그곳 대학에서 가끔씩 스코틀랜드 신화에 대한 강의를 했기 때문이다. 어쩌면 내가 여기 있다는 걸 알고 돌아온 걸까? 문밖에서는 언성이 높아졌다. 나 때문인 것 같았다. 박사가 화난 듯 소리를 질러댔고, 캘럼은 그를 진정시키려고 애쓰고 있었다.

"캘럼! 당장 이 모든 걸 그만둬!"

에릭슨 박사의 목소리였다.

"더 이상은 못 참겠다. 네가 당장 끝낼 생각이 없다면 내가 그 애 외삼촌에게 말하는 수밖에는 없어. 이게 마지막 경고다!"

심장이 옥죄어드는 것 같았다. 나는 누운 채로 이불을 뒤집어썼다.

캘럼이 뭐라고 대답했는지는 몰랐다. 목소리가 너무 작게 들렸다. 이윽고 그가 방으로 돌아와서 침대 귀퉁이에 앉았다.

"엠마."

그가 부드럽게 내 이름을 부르며 어깨를 어루만졌다.

"일어나. 이제 가야 할 시간이야."

천천히 눈을 뜨고 그의 모습을 본 순간, 겁에 질렸다. 그의 피부는 밝은 은빛으로 빛나고 있었고 눈동자는 차가운 하늘색이었다. 화가 났다는 뜻이었다.

"가자. 데려다줄게."

몸을 일으켜서 손을 잡으려 했지만, 그가 순식간에 몸을 일으키더니 내게서 등을 돌리고 말했다.

"밑에서 기다리고 있을게."

그러고는 방을 나갔다. 나는 얼른 겉옷을 입고 계단을 달려 내려갔다. 부엌에서 그릇이 달그락거리는 소리가 들렸다.

"소피에게 인사라도 하고 갈게."

내 말에, 캘럼이 고개를 저었다.

"일단 나가는 게 좋을 것 같아."

그와 살짝 떨어져서 집까지 걸어갔다. 어색하고 낯설었다. 길 저편에서 아멜리가 우리를 발견하고는 놀란 표정을 지었다. 여태껏 단 한 번도 같이 있는 모습을 보인 적이 없었기 때문이다. 외삼촌에게 발각될 확률도 컸다. 하지만 날씨가 어두웠기 때문에 길 위는 한적했다.

그가 손을 뻗어 잠시 내 얼굴을 쓰다듬었다. 그것만으로도 그의 감정이 충분히 전해져 왔다. 그런 후에는 몸을 돌려 순식간에 어둠이 낮게 내리깔린 길 위로 모습을 감추었다.

우리는 말없이 집까지 걸었다.
"괜찮아?"
아멜리가 물었다. 나는 어깨를 으쓱해 보였다.
"계속 캘럼네 집에만 숨어 있어야 해서 힘들지?"
대답 대신 손을 겉옷 주머니 속으로 깊숙이 찔러 넣고, 깃속으로 고개를 파묻었지만 살갗을 에는 칼바람을 막을 수는 없었다.
"어쩌면 도서관에 가는 건 잠시 중단해야겠어. 아빠가 의심하기 시작했으니 어느 날 갑자기 우리가 정말 거기에 있는지 감시하러 나타나는 것도 시간문제야."
창백한 얼굴로 고개를 끄덕였다. 요새 오후마다 집을 비우는 일이 잦았기 때문에 얼마든지 의심을 살 수 있었다. 더 이상 캘럼을 볼 수 없을지도 모른다는 생각에 가슴이 옥죄는 것 같이 아팠다.
"조만간 애들 몇 명 모아서 영화관 가자. 에이든이랑 캘럼도 부르고. 어때?"
"좋은 생각인 것 같아."
내 대답을 들은 아멜리가 의기양양하게 웃어 보였다.

아멜리답게 곧바로 계획을 실천에 옮기고야 말았다. 다음 날엔 오후 내내 집에 있으면서 한나, 앰버와 함께 부루마블 게

임을 했다. 별로 좋아하는 게임은 아니었지만 다수결을 무시할 수는 없는 법이니까. 외삼촌은 소파에 앉아 신문을 읽다가 이따금 게임에 끼어들어서 한나와 앰버를 도와주었다. 결국은 내가 지고 말았다. 뭐, 아멜리가 약간 꼼수를 부린 것 같은 느낌이 들긴 했지만.

저녁 식사를 하면서, 아멜리가 작전 모드에 돌입했다.

"아빠, 금요일에 친구들 몇 명이랑 영화 보러 가도 돼요?"

그리고는 동의를 구하듯 엄마를 바라보았다. 외숙모는 별로 이의가 없다는 듯 고개를 끄덕였다.

"무슨 영화 보는데? 재미있는 거 하니?"

"몰라요. 먼저 가도 되는지 물어본 다음에 다 같이 결정해야죠."

에단 외삼촌이 아멜리를 미심쩍게 훑어보았다.

"누구누구 가는 거냐?"

그가 슈니첼[13]을 썰면서 물었다.

"제 생각에는 제이미랑 마크, 브라이언, 에이든이 갈 것 같아요. 물어봐야 돼요."

아멜리가 기대에 찬 눈빛으로 대답했다.

"늦어도 밤 11시까지는 돌아와라."

그가 탐탁지 않다는 듯 짧게 대꾸하자 아멜리가 불만을 터뜨렸다.

---

13 오스트리아 식 돈까스.

"아빠, 저랑 엠마는 이제 아기가 아니잖아요. 영화 보고서 잠깐 바에 들렀다 올게요."

"피터, 너도 같이 가거라."

그 말에 외숙모가 끼어들었다.

"여보! 피터는 베이비시터가 아니잖아요. 게다가 다 큰 아이들이니 제 앞가림 정도는 할 수 있다고요."

외숙모의 말에, 외삼촌은 생각보다 쉽게 생각을 바꿔 주었다.

금요일 저녁이 되어서 영화관에 갈 준비를 했다.

"너도 갈 거야?"

피터도 나갈 채비를 하는 모습에, 놀라서 물었다.

"응. 바에서 친구 몇 명 보기로 했어. 아멜리가 캘럼도 온다고 미리 말해 줬어."

그 말에 넋 나간 얼굴로 그를 바라보았다.

"다른 말은 안 할게. 알아서 조심해."

그가 당부하듯 덧붙였다.

"아빠가 전처럼 화내는 건 처음 봤어."

그 말에 고개를 끄덕였다. 피터가 말한 '전'의 일이 머릿속에 똑똑히 떠올랐다.

"아빠는 진심이야. 정말 여차하면 널 미국으로 되돌려 보낼지도 몰라. 물론 아빠가 너희를 떼놓으려는 이유는 모르지만 캘럼은 내 좋은 친구야. 아빠가 캘럼에 대해 뭔가 좋지 않은 걸 알고 있는 것 같긴 하지만 말야."

피터에게 한없이 미안했다. 가족에게 비밀을 가지고 있다는 사실 때문에 마음이 아팠다. 그를 끌어안으면서 나직이 속삭였다.

"피터, 고마워."

"뭘, 이런 걸 갖고."

그가 내 뺨에 입을 맞추어 주었다.

"다시 말하지만 조심해. 엉뚱한 짓은 하지 말고. 내 조언이 필요하면 언제든 말해."

그가 걱정 어린 말투로 덧붙였다.

약속 장소로 가서 차 세 대를 나눠 타고 영화관으로 향했다. 캘럼은 나와 함께 뒷좌석에 앉았다. 발레리도 조수석에 탔다. 발레리를 향해 속으로 저주를 퍼부어 주었다. 캘럼이 바로 옆에 있었지만 그에게 전혀 관심 없다는 듯 연기하기란 쉽지 않았다. 내가 생각해도 여우주연상 뽑칠 정도의 연기였다. 피터가 차를 운전하면서 이 미묘한 상황에 놀란 듯 씨익 웃으며 백미러로 눈치를 보내 왔다. 갑자기 캘럼이 내 손을 조심스럽게 잡았고 다행히 차 안이 어두웠기 때문에 내 볼이 빨갛게 달아오른 걸 눈치 챈 사람은 없는 것 같았다.

차가 영화관 앞에 도착할 때까지도 캘럼은 내 손을 놓지 않았다. 피터는 영화가 끝나고 11시쯤 영화관 앞으로 차를 가지고 오겠다고 했다. 영화관은 만석이었기 때문에 모두 뿔뿔이 흩어져 앉아야 했다. 아멜리는 얼굴에 철판을 딱 깔고 나와 캘럼, 자신과 에이든 네 명을 영화관 맨 끝 열로 밀어 넣는 데 성공했지만 발레리는 우리 앞 열에 브라이언, 제이미, 다른 몇 명과 같이 앉아야 했다. 그래서 영화가 상영되는 내내 다른 사람의 눈을 의식하지 않고 평범한 연인처럼 캘럼과 다정한 시간을 보낼 수 있었다. 캘럼이 내 어깨 위에 팔을 두르고 계속 키스하는 바람에 영화 내용에는 전혀 집중을 할 수가 없었지만 상관없었다. 그를 얼마나 사랑하고 있는지 얼마나 그의 손길에 목말라 있었는지 절실히 느꼈기 때문이다.

영화는 아쉽게도 너무 빨리 끝나 버렸다.

"잠깐 뭐 마시러 가자."

에이든이 제안했다.

"이제 10시 조금 넘었어. 아직 시간은 좀 있는 셈인데. 어때?"

다 같이 바에 들어서니, 좋은 음악이 우리를 맞았다. 댄스 플로어에는 많은 커플들이 춤추고 있었다. 우리는 바에 서서 음료를 주문했다. 모두들 펀치를 주문하기에 나도 한 잔 주문했다. 바깥이 쌀쌀했기 때문이다. 캘럼은 나와 떨어져서 저쪽 끝에 서 있었다. 지난번에 바에서 캘럼과 춤추던 일이 떠올라서 좀 쓸쓸한 기분이었다. 이렇게까지 모두의 눈치를 봐야 되는 게 지긋지긋했다. 캘럼이 내 생각을 읽기라도 한 듯 나를 가만히 바라보았다. 여기, 다른 애들 앞에서 용기를 낼 수 있을까? 입술을 깨물다가 따뜻한 펀치를 단숨에 들이켰다. 강한 럼주가 목을 타고 내려가자 약간 용기가 솟았다. 어차피 외삼촌에게 우리 사이를 고자질할 사람은 없을 터였다. 애원하듯 캘럼을 바라보자 그가 내게 다가와 내 손을 잡고 댄스 플로어로 이끌었다. 그가 내 몸에 팔을 두르고 나를 자기 쪽으로 강하게 끌어당겼다. 우리를 본 발레리는 입을 다물지 못했고 아멜리도 어이없다는 듯 고개를 흔들었다.

"이건 현명한 행동은 아니야."

그가 귓가에 부드럽게 속삭였다.

"상관없어."

나직하게 대꾸하고는 본능에 따라 그에게 강하게 몸을 밀착했다.

"너 취했구나."

그가 내 대담함에 놀란 듯 중얼거렸다.

"펀치 반 잔 마셨다고 취하지는 않는다구!"

투덜거리긴 했지만, 그의 말이 옳았다.

"네 존재가 날 취하게 하는 거야."

나의 속삭임에 그가 나를 강하게 끌어안았다.

"그건 정말…… 듣기 좋은데?"

그러고는 밴드의 노래를 나직이 따라 불렀다. 그의 목소리를 들으면서 눈을 살포시 감았다. 그리고…….

누군가가 거친 손길로 나를 캘럼에게서 떼어 냈다. 정신을 차려 보니, 눈앞에 외삼촌이 서 있었다. 그의 눈이 분노로 활활 타오르는 것 같았다. 그는 말없이 나를 데리고 바를 나갔다. 발레리의 얼굴 위로 승리의 미소가 번졌다.

외삼촌의 차에 앉고 나서야 정신이 들었다. 그가 화를 낼 걸 예상하고 바싹 긴장하고 있었지만, 의외로 조용해서 슬며시 그를 쳐다보았다. 외삼촌의 얼굴은 근심에 차 있었고, 몇 년은 더 늙어 보였다.

"엠마야, 내가 더 이상 어떻게 해야 할지 모르겠다. 분명히 나는 너희 둘이 만나는 걸 금지했었는데 이제는 아멜리와 피터까지 합세해서 나를 속이다니⋯⋯."

"하지만⋯⋯ 어떻게 아신 거예요?"

"난 내 딸을 잘 알아. 하지만 피터까지 나를 속일 줄은 생각도 못 했다."

그가 고개를 가로저었다.

"에릭슨 박사한테서 전화가 왔었어. 하지만 그전부터 너희 둘이 몰래 만난다는 건 짐작하고 있었지."

"외삼촌, 걱정 끼쳐서 죄송해요. 하지만⋯⋯ 전 캘럼을 정말 사랑하고 있어요. 그가 너무도 필요해요. 왜 절 이해하지 못하는 거예요?"

그가 생각에 잠긴 눈으로 나를 바라보았다.

"너도 네 엄마와 똑같구나. 한번 고집을 부리면 당할 수가 없지. 하지만 너는 몰라. 그 애가 얼마나 위험한지, 앞으로 너의 인생에 무슨 일들이 닥칠지⋯⋯."

"외삼촌, 저 다 알아요. 캘럼에 대해서요."

그가 브레이크를 밟는 바람에 차가 도로 한복판에서 급정거

했다.

"뭐라고? 네게 다 털어놓았단 말이냐?"

그가 창백한 얼굴로 나를 바라보았고, 나는 고개를 끄덕였다. 그가 불안한 듯 손으로 머리칼을 쓸어 넘겼다.

"상황이 변했군."

그의 말뜻을 이해하지 못한 채 침묵 속에 차를 달려 집으로 돌아왔다.

나와 외삼촌이 집 안에 들어서자, 외숙모가 놀란 눈으로 물었다.

"아멜리와 피터는요?"

"곧 올 거야."

외삼촌이 짧게 대꾸한 후, 침실로 사라졌다. 외숙모의 당혹스러워하는 모습을 뒤로한 채 방으로 올라가 문을 잠가 버렸다. 당분간은 누군가의 관심이나 호기심이 필요 없을 테니 말이다.

잠시 후에는 부엌에서 시끄러운 말싸움이 내 방까지 들려왔다. 아멜리와 외삼촌의 고함 소리, 그 옆에서 피터가 싸움을 말리는 소리도 났다. 이 모든 걸 견딜 수 없어서 쿠션으로 귀를 틀어막았다.

그 일이 있고 난 후 며칠간은 수용소 생활을 방불케 했다. 외삼촌은 아침부터 저녁까지 나를 감시했고 아멜리와 피터와도 계속 싸웠다. 간간이 외숙모의 울음소리가 들렸다. 이 모든 게 나 때문이었다. 내가 오기 전까지는 행복하고 완벽한 가정이었는데, 다 망가뜨려 놓고 말았다는 생각에 고통스러웠다.

15장

힘겨운 며칠이 흘러갔다. 외삼촌은 내가 등교하는 것조차 허락하지 않았다. 결국 병가를 내고 집에 갇혀서, 하루 종일 벽난로 불꽃만 바라보며 앉아 있었다.

뭘 어떻게 해야 할지 알 수 없었다. 캘럼을 만날 수 없다는 사실 때문에 순간순간이 고통스러웠다. 만약 외삼촌과 외숙모가 그렇게 심하게 싸우지만 않았어도, 외숙모가 며칠간 그렇게 우울해하지만 않았어도 당장이라도 집을 뛰쳐나갔을 거다. 하지만 언제나 내 편을 들어주셨던 외숙모에게 또 다른 걱정거리를 안기고 싶은 마음은 없었다.

집에서는 서로 간에 최소한의 대화만 했다. 외숙모가 우리 일이나 캘럼에 대해 얼마나 알고 있는지는 몰랐지만 외숙모도 내게 더 이상 질문하지 않았다.

집 밖으로 거센 바람이 몰아쳤다. 폭풍이 휘몰아치거나, 비가 오거나, 우박이 떨어지면서 기온이 점점 내려갔다. 피터에게 캘럼이 학교에 나왔는지 물어봤더니 그가 안타깝다는 듯 고개를 저었다.

"아니. 캘럼한테 무슨 일이 있는 것 같긴 한데 핸드폰을 안 받아. 네가 원한다면 내일 목사관에 들러서 안부를 물어봐 줄게."

그도 학교에 나오지 않는다는 말에 걱정이 되었다.

"부탁해, 피터. 캘럼한테 내가 많이 보고 싶어 한다고 전해 줄 수 있어?"

대답 대신, 그가 나를 가볍게 안아 주었다.

"걱정하지 마. 전해 줄게."

그의 짙은 갈색 눈동자에는 이 모든 일에 대한 궁금함과 안타까움이 묻어났지만, 다행히 아무것도 묻지는 않았다. 그게 정말 고마웠다.

다음 날, 피터가 학교에서 돌아오기만 기다렸다. 부엌 창으로 그의 모습이 보이자 쏜살같이 내려가서 맞이했지만, 그가 고개를 가로저으며 말했다.

"에릭슨 박사님이 날 들여보내지 않더라고. 오히려 화를 내면서, 네가 날 보냈는지 물어보더니 나까지 이 일에 끌어들일 셈이냐고 물어보라더군. 그게 무슨 뜻이야?"

"피터, 정말 미안해. 설명해 줄 수는 없지만 박사님 말이 옳아. 나 때문에 노력해 준 건 고마워."

낡은 트레이닝 바지에 물 빠진 티셔츠 차림으로 나는 침대 위에 털썩 주저앉으며 말했다. 울적한 내 기분과는 상관없이 한데 묶은 포니테일이 명랑하게 흔들렸다.

"너 고통스러운 중생이여! 너희 둘 다 정말 눈 뜨곤 못 보겠다. 아마 분명히 길이 있을 거야. 무슨 문제든 해결책은 있기 마련이니까."

그가 내 곁에 앉으며 어깨를 다독여 주었다.

"이번만큼은 틀린 것 같아."

고개를 흔들며 내가 대꾸했다. 어떻게 그렇게 낙관적일 수 있는 건지는 모르겠지만, 희망이 없어 보였다.

"아무튼 계속 이 상태를 유지하는 건 무리야. 아빠도 너를 평생 가둬 둘 수는 없어. 캘럼이 무슨 식인종도 아니잖아!"

그가 확신에 찬 한마디를 던지면서 내 방에서 나갔다.

식인종은 아니지만, 위험한 존재이긴 했다. 눈빛만으로 날 사로잡아 버렸으니 말이다.

목욕이나 하려고 욕실로 들어갔다. 싸워 보지도 않고 포기하지는 않을 생각이었다.

욕조에 물을 받고 앉아서, 눈을 감고 따뜻한 물을 즐겼다. 얼마나 지났을까. 똑똑 노크 소리가 들렸다.

"나야 아멜리. 잠깐 들어가도 돼?"

"응."

이놈의 집구석에는 프라이버시란 게 없다.

"할 말이 있어."

아멜리가 머뭇거리며 욕실 안으로 들어왔다.

"좀 어때? 피터랑 요새 네 걱정만 해."

오히려 잘된 셈이다. 외삼촌에게 혼쭐이 나면서도 둘이서 똘똘 뭉쳐서 나를 보호해 준 이후로, 남매는 더 용감해졌다. 요새는 째려보는 눈빛, 말싸움 한번 없이 찰떡궁합이다.

"난 괜찮아."

별로 많이 떠들고 싶은 마음은 없었다.

"너 진짜 요새 폐인…… 같아 보여. 미안."

아멜리가 씨익 웃었다.

"내가 머리 감겨 줄까?"

그러고는 욕조 끄트머리에 몸을 숙이고 앉아서 샴푸를 집어 내 머리에 바르고 부드럽게 문질렀다. 눈을 감고 복숭아 향 샴푸가 두피 사이로 퍼지는 걸 즐겼다. 두 번이나 샴푸를 한 후에는 깨끗한 물로 헹구어 주었고, 린스까지 해 주었다.

"고마워."

"사실은…… 에이든이 캘럼을 만나고 왔어."

아멜리가 말했다.

"뭐? 왜 그걸 이제야 말해 주는 거야?"

나도 모르게 버럭 화를 냈다.

"어떻게 지낸대? 언제 보였대?"

"알잖아. 남자들끼리는 속 깊은 얘기 잘 안 트는 거. 하지만 에이든 말로는 캘럼 꼴도 말이 아니라던데? 그것만으로도 어떻게 지내는지는 말 다 했지 뭐. 둘이 얘기를 많이 나누진 않았지만, 네가 집 밖으로 못 나온다는 얘기는 해 줬나 봐."

나는 욕조 안에서 다리를 끌어안고 몸을 웅크렸다. 그가 보고 싶다고 비명이라도 지르고 싶었다.

"캘럼이 너한테 이걸 갖다 주라고 했대."

아멜리가 가죽으로 된 검은 끈을 손에 쥐여 주었다. 욕실 램프 아래서 끈 중간에 달린 작은 하늘색 아쿠아마린 보석이 반짝거렸다. 작은 하트 모양이었다.

"정말 예쁜 것 같아!"

아멜리가 감탄했다.

"심플하면서도 귀여운 게 너랑 잘 어울려."

말없이 캘럼의 선물을 바라보았다.

"이제 나와. 물에 불어서 쭈글쭈글해지겠다. 물도 차가워졌잖아! 으이그."

아멜리가 예전의 활기를 되찾은 듯 쫑알거리며 나를 욕조 밖으로 꺼내서 수건으로 물기를 닦아 준 후, 자기 방에서 보디 로션을 몇 개나 가져다가 그중 한 개를 골라서 바르라고 명령을 내렸다. 아멜리가 이렇게 나오면 반항해도 소용이 없다. 자포자기해서 몸에 로션을 바르는 동안 깨끗한 속옷과 청바지와 티셔츠를 가져다주었다. 옷을 입고 나니 훨씬 기분이 밝아진 것 같았다. 마지막으로, 아멜리가 내 목에 걸려 있던 엄마의 은 목걸이를 빼고 캘럼이 준 목걸이를 걸어 주었다. 차가운 보석이 목욕 후 더워진 피부 위에 시원하면서도 불꽃처럼 뜨겁게 얹혀 있는 것 같았다. 손을 뻗어서 보석을 꼭 움켜쥐었다.

"요새 에이든과는 어때?"

아멜리의 방에서 함께 음악을 듣다가 물었다. 요새 모든 게 나 위주로만 돌아가는 것 같아서 미안했다.

"음……. 괜찮긴 한데……."

아멜리가 대답을 머뭇거렸다.

"그냥 가끔씩 완전 짜증 나는 행동을 할 때가 있어."

깜짝 놀라서 아멜리를 바라보았다.

"둘 사이…… 괜찮은 거야?"

"솔직히 말하면……."

아멜리가 천천히 입을 열었다.

"꽤 사랑했었어. 하지만 사귀고 난 이후엔…… 뭐랄까……. 내 생각하고는 좀 다르더라. 권위적이고, 날 소유물로 생각하고, 제일 짜증 나는 건 진지한 얘기를 나눌 수가 없다는 거야. 나한테 정말 관심이 있다기보다 그냥 장식품이나 트로피처럼 생각하는 것 같아."

그러고는 침묵했다.

아멜리가 그런 상황이었다는 게 안타까웠다. 나와 캘럼은 그렇게나 행복했는데, 아무것도 모르고 상처 준 건 아닌지 미안했다. 나란 애는 얼마나 이기적인가. 아멜리를 살포시 안고 말없이 위로해 주었다.

"너랑 캘럼은 특별해."

아멜리가 잠시 후에 입을 열었다.

"솔직히 남자애들과 많이 사귀어 봤거든. 캘럼이 널 바라보는 눈빛만 봐도 알아. 언젠가는 내게도 그런 눈으로 바라봐 주는 남자가 나타나면 좋겠어."

나를 바라보던 캘럼의 파란 눈동자가 떠올랐다. 그 눈빛만으로도 온몸이 마비되곤 했는데…….

"아멜리, 더 이상은 못 참겠어. 뭐라도 해 봐야 될 것 같아."

"나도 어떻게 도와줘야 될지는 모르겠다. 에릭슨 박사가 그 집에 우리 식구는 아무도 못 들어가게 하니까. 어쩌면 에이든이 한 번 더 찾아가 보게 할 수는 있을 것 같아."

"네가 도와주는 건 고맙지만 사양할게. 여태껏 너희 가족들한테 폐만 끼쳤는걸."

내 말에 아멜리가 어이없다는 표정을 지었다.

"야, 무슨 소리야? 너희 가족? 너도 우리 가족이야! 네가 믿든 안 믿든, 다들 그렇게 생각하고 있어."

저녁 식사 후에 외삼촌이 나를 서재로 불렀다. 그는 가끔씩 집 안 공기가 답답해지면, 그 안에 틀어박혀 있곤 했다.

외삼촌의 비좁은 서재 안은 낡은 책상과 오래된 책, 신문 따위로 가득 차 있었다.

"왔니?"

그가 조심스럽게 말을 꺼냈다.

"엠마, 나한테 네 행복보다 더 중요한 건 없단다. 언제나 그걸 염두하고 있어. 이 결정이 나에게도 쉽지 않았다는 걸 알아주길 바란다."

외삼촌이 잠시 침묵하더니 몸을 돌려서 창밖을 내다보았다. 왠지 나와 눈을 맞추는 걸 피하는 것 같았다. 방 안에는 기분 나쁜 냉기가 감돌았고 안 좋은 예감이 들어서 한 걸음 뒤로 물러섰다.

"내가 보기에, 지금 네가 처한 상황이 얼마나 심각한지 모르는 것 같다. 이해할 수 있어. 넌 젊고, 또 첫사랑이니까 그런 거겠지. 우리도 네가 겪고 있는 감정을 알고 있기 때문에 정말 잘 이해할 수 있다. 캘럼 없이는 살 수 없다는 생각이 들 거야. 하지만 바로 그런 식으로 네 엄마의 삶이 무너져 버렸다. 그런 실수를 또 반복할 수는 없어."

마지막 문장에서 굳은 결심이 느껴졌다. 그가 내 안색을 살피느라 잠시 침묵한 후, 말을 이었다.

"물론 인생에서 여러 번의 사랑을 겪을 필요는 없다. 되도록 많이 사랑해 보라는 말도 그다지 옳은 말은 아니란다. 하지만 언젠가는 캘럼과 같은 감정을 느낄 수 있는 사람을 만날 수 있을 거다. 너를 위해서 내가 너희 둘을 헤어지게 해 주마. 너희들이 못 하니까 도와주는 거다."

그가 내 눈을 바라보았다.

"넌 캘럼의 정체가 뭔지 알지? 캘럼과 앞으로 영원히 함께할 수 없다는 것도? 이미 에릭슨 박사와 상의했다. 너희 둘 중 한 명은 이 섬을 떠나야 해. 고민한 결과, 네가 떠나는 게 나을 거라는 결론을 내렸다."

"왜 저에게 이러시는 거예요?"

절망에 빠져 고개를 흔들며 외쳤다. 최근 며칠 동안은 반드시 해결책이 있으리라고 생각했다. 하지만 캘럼 말이 맞았다. 우리의 현실은 동화가 아니었다. 아무도 우리를 도울 수 없었다. 나는 얼굴을 감싸 쥔 채, 문에 기대어 바닥으로 주저앉았다. 그가 내 앞으로 다가와 몸을 굽히고 머리칼을 쓰다듬으며 말했다.

"우리도 네가 떠나길 원치 않아. 게다가 네가 돌아오고 싶다면 언제든지 돌아올 수도 있단다. 캘럼을 좀 더 빨리 귀환시키는 방법도 있지만 그게 얼마나 복잡한 상황을 초래할지 알겠니? 그들의 규율은 엄격하다고 에릭슨 박사가 말해 줬다. 너도 캘럼을 사랑한다면 뭐가 최선인지 알겠지."

"……언제 떠나야 하는데요?"

"다음 주 수요일이야. 내 대학 동기 하나가 미국에서 살고 있는데 그 집에서 머물면서 일단 고등학교를 졸업하면 어느 대학으로 갈지 네가 결정할 수 있어. 네 성적에 따라 자유롭게 선택하거라."

외삼촌은 이미 모든 걸 계획하고 준비해 둔 것 같았다. 진심으로 그가 미웠다. 그의 친절한 척하는 얼굴과 자기가 옳다는 식의 논리적인 말투가 내 마음을 산산이 부숴 놓았다. 모든 게 이성적이고 합리적인 것처럼 들렸지만 내가 원하는 건 이성적인 결말이 아니었다.

　몸을 일으켜서 서재를 걸어 나와 내 방으로 올라갔다. 침대 위로 몸을 웅크리고 누워서 고민에 빠졌다.

　정말로 다른 방법은 없는 걸까? 적어도 미국으로 떠나기 전에 단 한 번만이라도 그를 볼 수 있다면……. 몸을 일으켜서 창가로 다가가 밖을 내다보았다. 얼음처럼 차가운 바람이 안개 덮인 초원 위를 쓰다듬고 있었다. 창문을 열고 수정처럼 청명한 공기를 들이마셨다. 밤인데도 사방이 밝았다. 하늘을 올려다보니 거대하고, 차갑고, 창백한 달이 떠 있었다. 보름달이었다.

　바로 그 순간, 바보 같은 아이디어가 떠올랐다. 내가 과연 그 정도의 위험을 감수할 수 있을까? 아니, 그렇게 해도 괜찮긴 한 걸까? 침대 위에 앉아서 생각에 잠겼다. 일단 떠오른 이상 무슨 일이 있어도 실행에 옮기긴 할 거다. 두세 시간 정도 기다려서 모두 잠들고 나면, 아멜리의 차를 빌려야 했다.

　계속 방 안을 서성이면서 시간이 흘러가기만을 기다렸다. 목이 타는 것 같았지만 부엌에 내려갔다가 외삼촌을 만날까 봐 두려웠다.

　밤 11시쯤 되니 집 안이 고요해졌지만 좀 더 기다려야 했다. 인내심을 가지고 30분을 더 기다린 후, 두꺼운 겉옷을 걸쳐 입고서 방문을 열었다. 집 안에는 정적이 감돌았다. 양말 바람으로 조심스럽게 삐걱 소리가 나는 마루와 계단을 지나 복도 현관으로 갔다. 거기 열쇠 걸어 두는 데에 자동차 키가 걸려 있길 바라면서.

"젠장!"

뭐든지 필요할 때에는 없는 법이다. 이제 어쩌지? 호흡을 가다듬고, 마지막으로 차를 사용한 사람이 누구일지 생각해 봤다. 아멜리일 거다. 다시 조심스럽게 위층으로 올라가, 아멜리 방의 문을 열었다. 그리고 깊게 잠든 아멜리의 어깨를 조심스럽게 흔들었다.

"아멜리, 제발 일어나 봐!"

아멜리가 잠에 취해 내 쪽으로 몸을 돌리며 눈꺼풀을 들어 올렸다. 그리고 두꺼운 겉옷 차림의 나를 보자 잠이 확 달아났는지, 겁에 질린 얼굴로 물었다.

"뭐…… 뭐야? 너 대체 무슨 생각으로…….."

"아멜리, 무슨 일이 있어도 너만은 내 편을 들어줘야 해. 외삼촌이 날 미국으로 돌려보낼 생각이래."

아멜리가 충격을 받은 듯, 눈을 크게 떴다.

"엄마가 절대로 그렇게 놔두지 않을 거야!"

흥분 때문에 아멜리의 목소리가 높아졌다.

"쉿! 너 때문에 다 깨겠다. 이미 다 결정 난 일이야. 외삼촌이 벌써 비행기 표까지 끊어 뒀어. 다음 주 수요일에 떠나."

아멜리가 아직 잠이 덜 깬 것 같아서 일부러 또박또박, 천천히 설명했다. 그러자 알아들었다는 듯 고개를 끄덕거렸다.

"아무튼 차 열쇠 좀 빌려줘. 떠나기 전에 한 번은 봐야만 해.

이해해 줄 거지?"

내 말에, 아멜리가 벌떡 일어나 바닥에 뒹구는 청바지 주머니에서 차 열쇠를 꺼내 건네주었다.

"조심하겠다고 약속해. 그리고 반드시 돌아와야 해, 알았지?"

아멜리가 걱정스러운 눈으로 속삭였다.

"어디 도망칠 데도 없어. 네가 더 잘 알잖아. 그냥 캘럼한테 작별 인사만이라도 하고 싶어. 외삼촌은 절대로 허락하지 않으실 거야."

아멜리가 나를 끌어안았다.

"행운을 빌어 줘."

아멜리의 귀에 속삭인 다음, 조용히 아래로 내려가 신발을 챙겨 신고 집을 빠져나왔다.

지금부터 내가 하려는 행동을 캘럼이 알았다면 가만히 있지 않았으리라. 몇 번이나 '절대로 해서는 안 될 일' 리스트의 제일 첫 항목이라고 말했었으니까. 보름달 밤에 호숫가로 가까이 가서 그곳에서 일어나는 일들을 봐선 안 되었다. 만약 셸리코트에게 발견되면 죽게 될 수도 있었다.

하지만 다른 방법이 없었다. 게다가 단 한 번이라도 좋으니 캘럼의 본모습을 보고 싶었다. 그는 확실히 인간이 아니었고 스코틀랜드의 전설에서는 셸리코트에 대해 오싹하게 묘사하고 있는 게 사실이었다. 하지만 그의 진짜 모습을 보고 싶다는 생각에는 나름대로 확신이 있었다. 그에 대한 두려움을 떨쳐 버리고 싶었기 때문이다. 아멜리는 내가 목사관으로 갈 거라고 생각했겠지만 에릭슨 박사의 눈을 피해서 그 집에 침입하는 건 불가능했다. 캘럼이 자유롭게 집을 떠날 수 있는 순간은 보름달이 뜬 밤뿐이었고, 그게 나에게 주어진 유일한 기회였다. 내 호기심과 그를 향한 그리움이 우리를 더 큰 위험에 빠뜨리지 않기만 바랄 뿐이었다. 거기까지는 생각하고 싶지도 않았다. 지금 당장은 그를 영영 보지 못하게 된다는 사실이 다른 어떤 어려움이나 괴로움보다 끔찍했다.

호숫가는 고요했다. 짙은 남색 수면 위로 창백하고 환한 보름달이 비꼈다. 물빛은 캘럼이 기쁠 때의 눈동자 색 같았다. 호수 주변이 이상할 정도로 조용하다는 사실을 깨달은 건 어느 정도 시간이 흐른 뒤였다. 나뭇잎이 흔들리는 소리, 새소리조차 들리지 않았다. 지난 며칠간 하루 종일 휘몰아치던 칼바람도 멎어 있었다. 그제야 후회가 밀려오기 시작했다. 어쩌자고 여길 올 생각을 했을까? 하지만 돌아가기에는 이미 늦었다. 밤의 냉기가 온몸을 마비시켜 갈 즈음, 호수 표면이 부글거리기 시작했다. 부글거리다 못해 마치 물이 끓고 있는 것 같았다. 기포가 호수 전체에 퍼지더니, 호수를 넘어 호수 주변의 풀밭까지 물로 뒤덮였다. 나는 수풀 뒤에 숨어서 아무도 내가 여기 있다는 사실을 눈치 채지 못하도록 빌었다. 두려움이 온몸에 엄습했고 주위의 사물이 일그러져 보이며 마치 다른 세계의 문이 열린 것 같은 느낌이 들었다. 혼신의 힘을 다해 심호흡을 했다. 깊게 숨을 들이쉬고 내쉬자 약간 진정되는 것 같았다. 다시 호수 표면을 바라보자, 공포감이 엄습하면서 아까와 똑같은 패닉 상태에 빠졌다.

이번에는 호수에서 하늘로 거대한 물기둥이 솟구치더니 반짝이는 물방울들이 수면 위로 분사되었고, 물기둥 사이로 수인들이 하나 둘 솟아올랐다. 그들이 어찌나 빨리 움직이던지, 수를 세기 위해서는 엄청나게 집중해야 했다. 모두 세 보니 약 30명 정도였고, 연령대는 제각각이었다. 어찌나 빠른 속도로 수영을 하던지, 그들이 움직이고 있다는 사실만 겨우 알 수 있었다. 물속에서 계속 새로운 형태로 춤을 추다가, 몇 미터나 솟아올라 공중제비를 돌았다. 그러고는 입수하는 소리조차 들리지 않을 정도로 매끈하게 다이빙했다. 몇 명은 다리 힘만으로 수면 위를 걷듯이 헤엄치다 높이 점프하기도 하면서 호수를 누볐다. 그들의 힘과 우아한 모습에 넋을 잃을 것 같았다.

나는 그들 사이에서 한눈에 캘럼을 알아보았다. 그의 몸은 다른 셸리코트보다 더 매끈하고 아름다웠고, 몸동작도 훨씬 수려하고 우아했다. 그의 춤에는 기쁨과 정열이 배어 나와서 도저히 눈을 뗄 수가 없을 정도였다. 그의 몸이 달빛 아래 은빛으로 빛났고, 그의 눈동자는 짙은 남색이었다. 그를 좀 더 자세히 보려고 몸을 일으킨 순간, 그와 눈이 마주쳤다. 그의 눈동자가 검은색으로 번뜩이며 나를 바라보았다. 겁에 질려서 한 발짝 뒤로 물러나서 다시 수풀 속에 몸을 숨겼다. 깊은 숨을 들이마시며 그 말고 다른 셸리코트의 눈에 띄지 않기만 빌었다.

춤은 계속되었고, 점점 무아지경에 빠져 갔지만 도저히 몸을 움직일 엄두가 나지 않았다. 어린 시절, 엄마는 셸리코트의 춤에 대해 정확히 묘사해 주었다. 만약 엄마가 이를 직접 보지 않았다면 어떻게 그렇게 자세하게 알고 있었던 걸까?

기억을 더듬어 보았다. 에단 외삼촌과 에릭슨 박사님이 엄마에 대해 해 줬던 이야기들을 떠올렸다. 혹시 엄마도 보름달 뜬 밤에 셸리코트의 춤을 봤던 게 아닐까? 그래서 물 근처에는 다가가지도 않았던 게 아닐까?

거기까지 생각이 미치자 공포가 전신을 엄습했다. 주위를 둘러보니 칠흑 같은 적막이 깔려 있었다. 조심스럽게 풀숲에서 나와 보니 호수 표면은 잔잔했고 무슨 일이 있었냐는 듯 고요했다. 숲길을 마구 달려서 자동차에 탄 후, 시동을 걸고 집까지 질주했다. 조심스럽게 집 안으로 들어가서 내 방에 들어선 순간까지도 심장이 쿵쾅거렸고 온몸은 얼음장같이 차가웠다. 옷을 벗은 후, 침대 이불 속으로 파고들어 체온이 올라가길 기다렸다. 침대 속에서 생각을 정리해 보았지만 소용없었다. 피로가 몰려왔고, 깊은 잠에 빠져들었다.

시간이 얼마나 흘렀을까. 캘럼의 팔이 내 몸에 닿자 잠에서 깨어났다.

"방금 전의 행동은 정말 위험했어."

그가 내 귓가에 속삭였다. 하지만 화가 난 것 같지는 않았다.

"하지만 네가 너무 그리워서 견딜 수가 없었다구!"

나도 모르게 울컥해서 쏘아붙이고는, 그에게로 달려들었다. 그러고는 이게 우리의 마지막인 것처럼, 서로의 입술을 격정적으로 탐했다. 그의 손이 내 몸을 쓰다듬자, 마치 모든 피부가 그를 느끼는 것 같았다. 몸이 불타오르는 것 같았다. 그에게 온몸을 밀착하자 우리의 심장이 마치 하나로 합쳐진 것 같았다. 잠시 후, 그가 거친 숨을 몰아쉬며 내게서 한 걸음 물러났다. 애원하는 눈빛으로 그를 바라보며 속삭였다.

"가지 마……."

그가 고개를 저었다.

"지금 나를 네게서 떼어 놓을 수 있는 사람은 아무도 없어. 단지……."

그가 내 얼굴에 부드럽게 입 맞추고는 손가락으로 내 뺨을 천천히 더듬었다. 눈을 감고 이 밤이 영원히 지속되길 빌었다.

"계속하다간…… 심장 마비가 올 것 같아서 그래."

그가 내 귀에 속삭였다. 그가 입술로 내 목을 더듬자 살갗에 가볍게 소름이 돋았다. 그의 손길을 온몸으로 기억하려고 눈을 감았다. 그러고는 심장에 돌처럼 얹혀 있던 말을 하기 위해 입을 열었다.

"외삼촌이 날 미국으로 돌려보낼 거래."

그가 나를 강하게 끌어안으며 말했다.

"알고 있었어. 오늘 에릭슨 박사님이 말씀해 주셨거든. 어쨌든 오늘 밤에는 여기 올 생각이었어."

"정말 다른 방법은 없는 거야?"

이 문제에 대해서는 이전에도 이야기를 나눴었기 때문에 질문 자체가 공허하게 들렸다. 창밖으로 동이 터오자 어슴푸레한 태양빛 아래 그의 수심에 찬 밝은 하늘색 눈동자가 보였다. 오늘도 어김없이 태양은 떠오르고야 말았다. 그를 좀 더 붙잡아 두고 싶어서 그의 가슴에 매달렸지만 그가 부드럽게 나를 떼어 놓으며 몸을 일으켰다.

"이성적으로 행동해야 해. 운명에서 도망칠 수는 없어."

"알아, 하지만 못 하겠어. 조금만 더 같이 있어 줘."

침대 끄트머리에 걸터앉으며 떨리는 목소리로 애원했다. 그에겐 이 모든 게 견딜 만한 걸까?

"하지만…… 태양을 멈출 수는 없어."

그가 내 머리칼을 쓰다듬으며 말했다.

"태양을 멈출 순 없겠지만 조금만 더 머물러 줄 순 있잖아. 너 없이 어떻게 살아가야 할지 모르겠어."

마지막 말이 마치 한숨처럼 입술 사이로 튀어나왔다. 그가 내 앞에 한쪽 무릎을 꿇고 앉아서 내 손을 잡았다.

"엠마, 널 사랑해. 넌 나에게 있어서 이 세상의 전부야. 앞으로 무슨 일이 일어나든, 내 심장은 영원히 너만을 위해 뛰게 될 거야."

그가 내 손을 자신의 심장 위에 올려놓으며 말했다.

"날 위해서 네 삶을 살아 내 주겠다고 약속해 줘. 매일 아침마다 눈을 뜨고, 네게 주어진 일들을 하겠다고, 부탁이야. 난 언제나 너만을 생각할 거야."

그를 쳐다보지 않으려고 노력하면서 고개를 끄덕였다. 눈물을 간신히 삼켰다. 그가 내 턱을 끌어당겨 마지막 입맞춤을 해 주었다. 부드럽고 달콤한 키스였다.

그렇게 눈을 감고 있자니 창문에서 낮게 삐걱거리는 소리가 났고, 그가 떠났음을 알았다. 얼음같이 차가운 바람이 방 안으로 들이닥쳤지만 차마 창문을 닫을 힘이 없었다. 참았던 눈물이 볼을 타고 흘러내렸다.

잠시 후, 아멜리가 방 안으로 들이닥쳤다.

"어휴, 왜 이리 춥게 있어?"

얼른 창문을 닫고는 아멜리는 내 곁 침대 위에 앉으며 조심스레 물었다.

"그래서, 캘럼은 만나고 왔어?"

고개를 끄덕였다.

"여기 왔었어."

"여기?"

아멜리의 목소리가 놀라움으로 커졌지만 이내 위로하듯 나를 안아 주었다.

아침 식사를 하러 내려가니 외숙모가 걱정스러운 얼굴로 내 안색을 살피며 물었다.

"스크램블 에그 먹을래?"

그러고는 내 머리칼을 쓰다듬어 주었다.

"네."

외숙모에게는 가능한 한 마지막까지 잘 대해 드리고 싶었다. 정말 할 수 있는 한에서는 내 편을 들어주셨고, 여기에 머

물도록 도와주셨기 때문이다. 접시 위의 음식을 멍하니 내려다
보고 있노라니, 늘 소란스럽던 아침 식사 자리에 어색한 침묵
만 감돌았다. 아멜리가 피터에게 외삼촌이 날 미국으로 돌려보
낼 거라는 사실을 말했다. 그러자 그가 아버지를 노려보았다.
외삼촌은 피터의 눈을 피하면서 한나와 엠버가 토스트 먹는 걸
도왔다. 갑자기 피터가 주먹으로 식탁을 쾅 내리쳤다. 모두들
놀란 얼굴로 식사를 멈췄다.

"아빠, 설마 진짜로 엠마를 돌려보낼 생각은 아니죠? 우리가
엠마한텐 유일한 가족이에요. 어떻게 생면부지의 사람한테 가
족을 보낼 수가 있죠? 저나 아멜리, 한나, 엠버라면 그렇게 하
실 수 있어요?"

그가 이렇게 화를 내는 모습은 처음이었다. 단 한 번도 자
기 아버지에게 저런 식으로 소리를 질러 본 적이 없었는데 말
이다. 숨을 죽이고 외삼촌이 분노하거나 고함을 터뜨리기만을
기다렸지만 오랜 침묵이 이어졌다. 모두의 시선이 집중된 가운
데, 외삼촌이 피로한 얼굴을 두 손으로 감쌌다.

"그래, 안다 알아. 너희 모두 이 상황을 이해하기 어렵겠지."

그가 다시 침묵했다. 마치 무언가를 고심하는 것 같았다.

"엠마랑 피터는 나와 같이 지금 당장 에릭슨 박사 집으로
가자. 여보, 당신도 와요. 아멜리는 한나, 엠버랑 집에서 기다
려라."

그가 단호하게 명령했다. 아멜리가 불만스러운 얼굴로 입술
을 내밀었지만, 더 이상의 타협은 없었다.

16장

"당장 에릭슨 박사와 얘기를 나누고 싶소. 지금 집에 있습니까?"

문을 열고 나온 소피에게 외삼촌이 설명했다. 소피가 고개를 끄덕인 후, 우리를 집 안으로 안내했다.

에릭슨 박사는 캘럼과 함께 거실에 앉아 있었다. 분명 둘이서 진지한 대화를 나누고 있었던 것 같았다. 무슨 내용일지 짐작이 갔다.

우리가 다 같이 방으로 들어가자, 둘이 소파에서 몸을 일으켰다. 에릭슨 박사가 눈썹을 찌푸렸다. 잠시 침묵이 감돌다가, 에릭슨 박사가 일단 앉기를 권했다. 캘럼이 나를 소파로 이끌었고, 피터, 캘럼과 나는 소파 위에 자리를 잡았다. 소피가 큰 쟁반 위에 차와 쿠키를 가지고 들어오자, 분위기가 좀 부드러워졌다. 외숙모가 찻잔에 차를 따랐다. 익숙한 일상적 행동이 외숙모의 긴장 상태를 약간은 완화해 준 모양이었다.

드디어 에릭슨 박사가 입을 열었다.

"에단, 이제 와서 다 같이 찾아온 이유가 뭔지 모르겠군. 지난번에 결론을 내렸던 것 같은데. 엠마는 미국으로 가고, 둘이 다시는 만나지 못하게 하기로 했던 걸 잊은 건가?"

당사자들 모르게 자기들끼리 결론을 내렸다는 말에 화가 났다.

"한번 내린 결정을 번복해서 미안하게 됐네."

외삼촌이 확고한 어조로 말을 이었다.

"하지만 내 생각에 우리 가족들도 진실을 알 권리가 있어. 모두들 당시 일어났던 일을 아직도 기억하고 있고, 그 상처를 아직도 짊어지고 살아가고 있네. 그 일을 다시 겪게 할 수는 없어. 아내와 아들은 절대 이 일을 발설하지 않을 거야. 난 이들을 믿네."

"그건 스스로가 선택할 문제야."

에릭슨 박사가 외삼촌을 바라보며 말했다.

"여기에는 큰 희생이 따를 수도 있어. 다들 그 사실은 알고 있는 건가?"

외삼촌이 고개를 끄덕였다. 그러자 에릭슨 박사가 설명을 시작했다. 이야기를 듣는 외숙모와 피터의 얼굴 위로 놀라움과 황당함이 교차했다. 모든 게 마치 판타지 영화 스토리처럼 들렸으리라. 몇 가지 이야기는 나도 처음 듣는 것이었다.

"셸리코트 사회는 씨족 사회입니다. 각 씨족들은 리더를 세우고, 최종적으로는 모든 씨족과 셸리코트를 대표하는 왕을 선출하죠. 왕은 후계자를 지명할 수 있지만, 장로 의회가 이를 최종적으로 승인해야 합니다. 일정 나이가 되면 왕을 사임해야 하고 젊은 셸리코트끼리의 결혼도 미리 정해져 있습니다. 장로 의회가 모든 규율을 최종적으로 감독하기 때문에 왕조차 그들의 권력에 굴복해야 합니다. 우리가 보기에는 그다지 민주적이지는 않지요. 어쨌든 우리 문화는 다른 방향으로 발전했으니까. 하지만 셸리코트의 규율은 몇 세기 전부터 확고히 정해져 있었고, 개혁 없이 그대로 준수되어 온 겁니다. 모든 개인은 다수의 뜻에 복종해야 하지요. 그게 그 사회를 존속시킬 수 있는 유일한 방법이라고 믿고 있으니까요. 셸리코트 사회에서 남자아이가 태어나면 몇 년간은 엄마 옆에 있다가, 미리 정해진 후견인에게 보내져서 성장하게 됩니다. 후견인은 그 아이의 모든 것을 책임져야 합니다. 여자아이는 계속 엄마 옆에서 자랄 수 있습니다."

그가 잠시 침묵했다.

지난밤에 셸리코트의 춤을 보고 난 후, 단 한 가지 생각이 뇌리에서 떠나질 않았다. 결국 참지 못하고 내내 입안에 맴돌던 질문을 꺼내 놓고 말았다.

"에릭슨 박사님, 제 아빠를…… 아세요?"

에릭슨 박사의 얼굴이 당혹감으로 굳어졌고, 캘럼도 얼떨결에 나를 잡고 있던 손을 놓았다. 캘럼의 얼굴을 바라보았지만, 그의 표정을 읽을 수는 없었다.

"네 아버지는…… 셸리코트란다."

에릭슨 박사가 천천히 입을 열었다.

"지금 캘럼과 같이 그 당시의 네 아버지도 우리 집에 머물고 있다가 네 엄마를 만나서 사랑에 빠졌지. 하지만 캘럼과는 달리 자신의 비밀을 누설하지 않았다. 그러던 어느 보름달 밤에 네 엄마가 셸리코트의 의식을 보게 된 거다. 게다가 발각되었지. 결국 네 아버지는 강제 송환 당하고 말았다. 그렇게 끝이었지. 괴로워하는 네 엄마에게 나는 셸리코트의 비밀에 대해 이야기해 줬고, 앞으로 무슨 일이 있어도 강이나 바닷물에 들어가지 말라고 경고했지. 그게 도움이 될 거라고 믿었던 거다."

"엠마의 아버지가 누구죠?"

캘럼이 에릭슨 박사의 눈을 들여다보며 물었다. 에릭슨 박사가 어쩔 수 없다는 듯 대답했다.

"캘럼, 엠마의 아버지는 바로…… 아레스네."

그 이름을 듣자마자, 캘럼이 탄식하며 두 손으로 얼굴을 감싸 쥐었다.

"왜? 아레스가 누구야? 그게 어떤 의미인 건데?"

캘럼이 믿을 수 없다는 듯 머리를 흔들었다.

"엠마, 아무래도 상황이 좀 더 복잡해진 것 같아."

그가 내 시선을 피하며 말했다.

"그래……. 어쩌면 처음부터 무의식중에 알고 있었어. 네가 수영하는 모습, 네 눈동자 색깔을 보면 언제나 아레스가 떠오르곤 했지만 설마 그의 딸이었다고는……. 어쩌면 단지 받아들이고 싶지 않았을 뿐인지도 모르겠군."

"엠마, 아레스가 바로 현재 셀리코트들의 왕이자 캘럼의 후견인이란다."

에릭슨 박사가 입을 열었다.

"그들의 세계에서 후견인은 생부보다 더 중요한 의미야. 넌 아레스의 친딸이니 어차피 셀리코트 사회에서 너와 캘럼은 남매 지간이 되는 거다. 게다가 인간과 셀리코트의 혼혈은 사회 구성원으로 받아들여지지 않을 거야. 그들은 철저한 순혈주의거든. 물론 사고방식이 좀 구식인 건 맞지만 네 존재가 그들에게 알려지는 건 너무 위험한 일이다. 무슨 일이 일어날지 알 수 없어. 아레스조차 네 존재에 대해 모를 거다."

에릭슨 박사가 외삼촌에게 미안한 표정을 지어 보였다.

"에단, 미안하네. 자네에게도 진작 말해 줬어야 했었는데. 어쩌면 엠마가 이리로 오는 것 자체를 막았어야 했을지도……."

가만히 둘의 대화를 듣고 있자니 화가 치밀었다.

"이 일에 대해 누구보다도 알아야만 했던 건 제가 아닐까요?"

"네가 이 일에 대해 모르는 편이 더 안전할 거라고 생각했단다. 네 엄마도 그걸 원했고, 나로서는 그 뜻을 따를 수밖에 없었어. 처음부터 너희 둘이 가까워지는 걸 막지 못한 건 내 잘못이다. 하지만 또 이런 일이 일어나리라곤……."

"에릭슨 박사님은 셀리코트와 무슨 관련이 있으신 거죠?"

피터가 물었다.

"전 세계에는 우리 가문과 같은 역할을 담당하는 사람들이 있지. 우리 스스로는 '인도자'라고 부르고 있다네. 마법 세계는 수 세기 전에 당시의 '인도자'들과 조약을 맺었어. 일정 거리를 유지하면서 인간 세계의 일부가 되기로 말이야. 당시에는 인간의 세계로 다시 돌아올 수 있으리라는 실낱같은 희망이 존재했지만 안타깝게도 현재까지는 아무런 성과가 없지."

그의 눈에 슬픔이 묻어났다.

"오히려 많은 셸리코트들이 인간을 적대시하고 있다네. 그래서 인간과의 사랑은커녕, 엠마와 같은 혼혈이 존재한다는 것도 있을 수 없는 이야기지. 내 기억으로는 셸리코트와 인간 사이의 혼혈이 있다는 이야기는 들어 본 적도 없네."

에릭슨 박사와 캘럼의 눈이 마주쳤다.

"과거에는 인간과의 긴밀한 관계가 존재하긴 했었죠. 하지만 전쟁 후에는 모든 게 금지되었고, 그런 관계가 적발될 때에는 형벌을 면하지 못하게 되었습니다. 셸리코트와 인간…… 남자 또는 여자가 긴밀한 관계라는 것이 밝혀지면 그 인간은 죽음으로서 대가를 치러야 하죠. 그렇게 그 오랜 시간 동안 우리의 비밀이 보호되어 온 겁니다."

피터는 몸을 앞으로 내밀고 에릭슨 박사와 캘럼의 말에 귀 기울였다. 그리고 잠시 침묵이 이어지자 다시 몸을 세워 앉은 다음 믿을 수 없다는 듯 긴 한숨을 내쉬었다. 그렇게 몇 시간 동안 여러 가지 논의와 토론이 이어졌다.

"아무튼 이 사실을 안다는 것만으로도 여러분의 생명에 위험이 미칠 수 있다는 사실을 명심해야 합니다."

에릭슨 박사가 다시 한 번 당부했다.

"게다가 최근에 갑자기 이렇게 많은 수의 인간들이 이 일에 대해 알게 되었다는 사실을 알면 의회에서 어떻게 나올지……. 솔직히 상황이 그리 좋아 보이진 않는군요."

"제가 미국으로 떠나는 건 잠시 보류하는 게 좋지 않을까요?"

내 물음에, 외삼촌이 고개를 저었다.

"네 미국행은 이미 결정 된 거다. 이렇게 하는 게 옳아. 너도 이미 동의한 것 아니었니?"

그때 외숙모가 입을 열었다.

"여보, 내 생각과 기억과 경험을 통틀어 봤을 때 이건 전혀 옳지 않아. 브렌다가 그렇게 억지로 헤어지고 난 뒤에 결국 어떻게 됐어? 삶이 망가졌잖아. 엠마도 그렇게 될 거야. 그러니까 여기에 있어야 하고 또 캘럼과 만나는 것도 허락해 줘야 해."

외숙모가 확고한 어조로 모두를 둘러보며 말을 이었다.

"둘을 갈라놓는 것 외에 다른 방법을 찾아야 해요."

외삼촌은 적잖이 놀란 눈치였다. 외숙모는 물러서지 않고 꼿꼿이 앉아 모두의 동의를 구했다. 잠시 후, 외삼촌이 한숨을 내쉬었다.

"그래. 어쩌면 그 말에도 일리가 있군. 여기가 오히려 미국보다 안전할 수도 있어. 엠마는 여기 머물도록 해라."

그 말에, 가슴속의 돌덩이가 내려간 것처럼 안도감이 들었다. 캘럼과 나는 서로를 꼭 끌어안았다.

"단, 조건이 있다."

에릭슨 박사가 끼어들었다.

"뭐죠?"

이번엔 또 뭔가 하고 긴장이 되었다.

"조심, 또 조심하겠다고 약속하거라. 특히 물가 근처로 가선 안 돼. 누가 너희를 발견하게 될지 모르는 일이다. 너희 둘이 만나는 건 비밀에 부쳐져야만 해. 그리고 캘럼, 내가 굳이 당부하지 않아도 너희가 넘어서는 안 되는 선이 있다는 건 알고 있겠지?"

캘럼이 고개를 끄덕였다. 하지만 우리가 만나는 걸 공식적으로 허락받았다는 사실 외에 다른 건 중요치 않았고, 그 어떤 조건이라도 기꺼이 받아들일 수 있었다.

그날 이후, 우리의 삶에 마법 같은 일상이 찾아왔다. 스코틀랜드의 추위조차 아무렇지도 않게 느껴졌다.

캘럼과 나는 오후마다 함께 시간을 보냈다. 이제는 더 이상 몰래 집 밖으로 기어 나갈 필요도 없었다. 방과 후에 그가 우리 집으로 오든가, 내가 목사관에 들렀다. 일주일에 두 번은 함께 소피의 책방에 가서 책 정리를 도왔다. 매번 새로운 책이 들어올 때마다 속수무책으로 여기저기 책 더미가 쌓여 갔는데, 그걸 다 정리하고 분류해야 했다. 소피의 책방은 자주 가도 언제나 마음을 잡아끄는 데가 있었다. 분류 작업이 끝나면 소피가 책방 안에 있는 작은 주방에서 차를 내왔다. 그리고 매번 새로운 책을 권해 줬는데, 덕분에 거의 매일 오후만 되면 목사관 소파 위에 두꺼운 퀼트 담요를 덮고 앉아 서로의 체온을 느끼면서 책을 읽었다. 캘럼은 《호밀밭의 파수꾼》, 《모비 딕》, 《위대한 개츠비》나 《맥베스》를 좋아했다. 소피가 내게 권한 책들은 대부분 고전 중에서도 신판이 아니라, 오래되고 헌 초판 서적들이었다. 나는 그중에서도 《주홍 글씨》, 《폭풍의 언덕》이나 《제인 에어》를 좋아했는데, 어찌된 일인지 읽을 때마다 눈물이 났다. 캘럼은 내가 책을 읽다가 눈물을 흘릴 때마다 신기해했다. 그리고 손에서 책을 뺏은 다음, 가만히 끌어안고 키스해 주었다.

크리스마스가 다가오자, 외삼촌 부부가 올해 크리스마스 파티에 에릭슨 가를 초대하기로 결정했다. 우리 일 때문에 양가가 더욱 가까워졌기 때문이다.

크리스마스 저녁이 되자 에릭슨 박사가 초인종을 눌렀다. 외숙모와 소피는 어제부터 함께 음식을 준비했고, 부엌에는 접근 금지 명령이 떨어졌다. 올해 크리스마스 메뉴는 둘이서 준비한 비밀 메뉴가 될 거라며 즐거워했다. 이렇게 즐겁고 자유로운 분위기 속에서 크리스마스를 맞는 건 처음이었다. 여태까지는 늘 엄마와 단둘이서 우울한 크리스마스를 보냈던 기억뿐이었다.

차를 마신 후, 캘럼이 나를 옆자리에 앉혔다.

"엠마."

그의 목소리에서 긴장감이 느껴졌다.

"너와 처음 맞는 크리스마스에 무슨 선물을 해야 할지 모르겠어서 한참을 고민했어. 내 심장은 이미 주었으니……."

그가 미소 짓자, 나는 목에 걸린 아쿠아마린 목걸이를 어루만졌다. 그가 말한 심장이 이걸 의미하는 건 아니었지만 말이다.

"여름방학 때 런던에 있는 앤티크 가게에서 이걸 보고 네게 선물하고 싶어서 샀어. 그때는 다시 한 번 선물할 수 있는 기회가 오리라고는 생각 못 했지만."

그의 말에 뺨이 붉게 달아올랐다. 그가 주머니에서 무언가를 꺼냈다. 작은 보석함이었다. 조심스럽게 열어 보니 붉은색 우단에 작은 요정 모양의 은 귀걸이 한 쌍이 꽂혀 있었다. 요정의 눈에는 아주 작은 파란색 보석이 장식되어 있어서 아쿠아마린 목걸이와 잘 어울렸다.

"정말 예뻐."

작게 속삭이자, 그의 얼굴이 기쁨으로 빛났다.

"마음에 들어?"

대답 대신, 발끝으로 서서 그의 목에 팔을 두르고 키스해 주었다. 에단 외삼촌의 헛기침 소리에 얼른 떨어져야 했지만 말이다.

1월에는 학교 공부와 숙제라는 산에 깔려서 허덕여야 했다. 캘럼이 여름에 졸업 시험을 치러야 했기 때문에 여러모로 준비할 게 많았다. 졸업 이후의 일을 고민하는 건 일단 미뤄두기로 했다. 졸업 시험을 치르기 위해서 지난 몇 년간 공부했던 걸 한꺼번에 다시 복습해야 했기 때문이다.

우리는 거의 매일 만나서 같이 공부했다. 캘럼의 과제가 나보다 2배는 많았지만, 늘 나보다 먼저 마쳤다. 어떻게 그럴 수 있냐고 툴툴거리면 은근히 자기가 나이 많은 걸 으스대며 웃었다. 그러면 내 입도 2배로 튀어나왔다.

시간이 흘러가는 동안, 언제까지나 이런 삶이 계속되기를 바랐다. 보름달 밤에 캘럼이 의식에 참여하기 위해 호수에 갈 때가 가장 불안했다. 혹시라도 그가 그대로 돌아오지 않을까 봐, 누군가가 우리 사이를 알아챘거나 밀고했을까 봐 두려웠다. 캘럼은 그런 나를 진정시키려 노력했지만, 그도 두려워하고 있다는 걸 알았다. 보름달을 바라보며 밤새 창가에 앉아 그가 돌아오기만 기다렸고, 그의 온기를 느껴야만 안심하고 잠들 수 있었다.

"하지만 이렇게 밤에 만나는 것에 대해서 너희 외삼촌께도 허락을 구해야 하지 않을까?"

12월의 첫 보름달 밤에 그가 내게 물었다.

"안 그러는 게 나을걸. 보름달 밤에만 오는 거잖아. 네가 오지 않으면 걱정 때문에 죽을지도 몰라."

물론 매일 밤 만날 수 있다면 더 좋겠지만, 현재 얻은 행복만으로 만족하기로 했다. 괜한 모험은 화를 자초할 수도 있었다.

3월에 접어들어서 해가 길어지고 따스한 날씨가 이어지자, 다시 숲 속 공터에 갈 수 있게 되었다. 공터 안의 작은 연못에서 혹시라도 셸리코트와 마주치지 않을까 걱정이 되었지만 캘럼이 안심시켜 주었다.

"이 연못은 셸리코트가 드나들기엔 너무 작으니 걱정하지 않아도 돼. 게다가 어차피 저 물 속에는 들어가지 않을 거니까. 하지만 언젠가는……."

그가 생각에 잠긴 듯 중얼거렸다.

"언젠가는 뭘?"

하지만 캘럼은 아무것도 아니라며 고개를 흔들고, 주제를 바꾸었다.

그렇게 3월도 어느덧 흘러갔다.

4월의 어느 보름달 밤, 나는 열린 창가에서 캘럼을 기다리며 서 있었다. 4월치고는 날씨가 이상할 정도로 후덥지근했다. 따스한 바람이 부드럽게 불어 와 초원을 쓰다듬었고, 하늘에는 거대한 보름달이 밝게 빛나고 있었다. 정말 아름다웠지만 역시 보름달 밤은 날 두렵게 만들었다. 특히 오늘은 더 그랬다. 벌써 올 시간이 한참 지났는데도 그의 모습이 보이지 않았다. 시간이 흘러가는 내내 안절부절못하다가, 인기척이 느껴져서 몇 번이나 창가로 달려가 보기도 했다. 시계를 보니 벌써 2시였다. 침대에 앉아 노트북 화면만 멍하니 들여다보고 있는데, 창가에서 익숙한 삐걱거림이 들렸다. 하지만 그가 돌아왔다는 안도감보다 화가 치밀어서, 돌아보지 않은 채 컴퓨터 화면만 계속 바라보았다.

"미안. 이렇게 늦게까지 기다리고 있을 줄은 몰랐어."

그가 낮게 웃으며, 내 뒤편 침대 위에 앉았다.

"안 추워?"

티셔츠에 짧은 바지 차림인 나를 훑어보며 그가 물었지만, 대꾸하지 않았다. 그가 천천히 내 목과 등에 키스해 주자 몸이 금세 달아올랐다.

"화났어?"

고개를 가로저었다.

"내가 안 올까 봐 무서웠던 거구나……."

그가 약간 놀랐다는 듯 말했다. 마치 내 마음속의 두려움을 들여다보기라도 한 것 같았다.

"놔!"

그의 손을 뿌리치며 말했다.

"그래, 화났어! 왜 이렇게 오래 걸린 거야? 매번 네가 늦게 올 때마다 혹시라도 돌아오지 않을까 봐 걱정돼서 죽을 것 같아! 날 놀리는 게 그렇게 재밌어?"

대답 대신 캘럼이 나를 힘껏 끌어안고 내 목을 입술로 더듬자 온몸에 전율이 일었다.

"이거 놓으라고!"

그를 뿌리치며 말했다.

"이번엔 절대 화 안 풀 거야."

"당연히 그래야지. 화내도 돼."

그가 나를 번쩍 들어 올려 무릎에 앉히더니, 부드럽고 달콤하게 키스해 주었다. 그의 입술에 온몸이 녹아 버릴 것 같았다.

언제나 보름달 의식 후의 캘럼은 평소보다 기분이 좋아 보이곤 했다. 마치 보름달 밤의 의식이 그에게 생기를 불어넣는 것 같았다. 그 의식이 캘럼에게 어떤 의미인지는 상상도 할 수 없었지만, 그의 삶에서 가장 중요한 부분을 차지하고 있다는 것만은 알 수 있었다.

"사실 전부터 시도해 보고 싶었던 게 있었어."

그가 머뭇거리며 입을 열었다.

"하지만 네가 들으면 미쳤다고 할지도 몰라. 완전히 미친 생각이야."

혼란스러운 눈으로 그를 바라보았지만 그가 이렇게 부드럽고 따스한 목소리로 말을 꺼내면 그 무엇도 거부할 수 없었다.

"그래도 한번 해 보고 싶어. 옷 입어 봐."

캘럼이 바닥에 놓인 내 옷가지들을 순식간에 주워서 내게 건네주었다. 그런 후에는 창문을 통해 밖으로 빠져나가는 걸 도와주었다. 우리는 집을 빠져나와 손을 맞잡고 초원을 가로질러서 달렸다.

"어디 가는 거야?"

차에 올라타면서 물었다.

"비밀."

그가 시동을 걸었다.

"오늘 밤은 어땠어, 의식?"

최대한 아무렇지 않은 척하며 물었다.

"늘 똑같아."

그는 무심하게 대답했지만, 왠지 기분이 고조되어 있다는
게 느껴졌다. 그가 내 손을 잡고 입을 맞추었다. 말없이 의자
등받이에 몸을 기댔다. 어차피 지금 어디에 가는 건지, 뭘 하려
는 건지 알아내기는 힘들 것 같았다.

목적지에 도착하기까지는 꽤 오랜 시간이 걸렸다. 차에서
내려 주변을 돌아보니, 완전히 숲 속 한가운데였다. 보름달이
떠 있었기 때문에 그나마 사물을 분간할 수 있었다.

"캘럼, 뭘 하려는 거야?"

걱정스레 물었다.

"두려워하지 마. 이건 정말 같이 해 보고 싶었어."

그가 내 손을 잡고 이끌었다. 오로지 그의 손길에 이끌려서,
어두운 숲길에서 넘어지지 않으려 조심하면서 산을 올랐다.
그의 보폭이 워낙 넓은 데다가 산길도 울퉁불퉁해서 정말이지
어디로 가는지 주위를 둘러볼 겨를도 없이, 그를 따라가는 데
만 집중해야 했다. 그러다가 그가 일순 걸음을 멈추는 바람에
그의 몸에 쿵 부딪히며 멈춰 섰다. 어느덧 정상에 올라 있었는
데, 눈앞에 호수가 하나 있었다. 검은 호수 물이 달빛에 반짝
였다. 캘럼이 기대에 찬 눈빛으로 나를 바라보았지만, 어이가
없었다.

"왜 이 한밤중에 이런 곳에 데려온 거야?"

화가 나서 쏘아붙였다.

"같이 수영하자."

그의 눈이 반짝였다.

"말도 안 돼……. 진지하게 하는 말 아니지?"

나는 한 발짝 뒤로 물러나며 고개를 흔들었지만, 그가 내 손을 꼭 잡았다.

"내가 물에 못 들어가는 건 둘째치고, 이 한밤중에 호수 물에 들어가다니? 전에 외삼촌과 모두 앞에서 약속한 건 어쩌고?"

"네 말이 맞아. 나도 이 문제를 오랫동안 고민해 왔어. 하지만 여기, 이 호수만큼은 안전할 거라고 생각해. 엠마, 내 평생단 한 번만이라도 너와 수영하고 싶다면 욕심일까? 게다가 보름달 밤이라면 완벽할 거야."

그가 애원하듯 속삭였다.

"왜 이게 너에게 그렇게 중요한 거야?"

고개를 흔들며 눈썹을 찌푸렸다. 혹시 보름달 밤이어서 이성을 잃어버린 걸까?

"엠마, 난 수인이고, 헤엄치는 건 나의 삶이야. 그냥 날 믿고 단 한 번만 나와 함께 물에 들어가 보면, 조금이라도 내가 사는 세계를 이해할 수 있을 거야."

그가 이렇게까지 부탁하는 걸 거절할 수도 없었다.

"아무것도 걱정할 필요 없어. 너에게서 단 1초도 눈을 떼지 않을 거니까."

결국 고개를 끄덕이자, 그에게서 폭발할 것 같은 기쁨과 흥분이 느껴졌다.

제정신으로 그런 결정을 한 건 아니었겠지만, 번복하기에는 너무 늦어 버렸다. 그와 함께 언덕을 내려가 호숫가에서 옷을 벗었다. 티셔츠와 팬티 차림으로 조심스럽게 호수로 발을 디디자, 저 앞에서 캘럼이 나를 기다리고 있었다. 그의 맨몸이 달빛 아래 황홀하게 은빛으로 반짝였다. 그 모습을 바라보는 것만으로도 호흡이 가빠졌다. 정말이지 너무 아름답고 또 완벽해서, 나도 모르게 그를 향해 손을 뻗었다. 그가 걱정스러운 눈빛으로 나를 안아 주었다.

"널 다시 뭍으로 데려다줄게. 걱정할 필요 없어. 오늘 네 머리카락 한 올도 다치지 않게 할 거라고 약속할게."

그의 목소리가 거칠게 갈라졌다. 말없이 고개를 끄덕였다. 아마 내가 두려워하고 있다고 오해한 모양이었다. 의외로 그리 겁나지는 않았고 오히려 내 몸 깊은 곳에서 순수한 갈망이 느껴졌다. 이 새로운 감정을 억누르느라 몸 전체가 떨렸다.

우리는 천천히 차가운 호수 속으로 들어갔다. 검은 물이 발목에 감기자, 잊고 있던 공포가 스멀스멀 올라와서 지금이라도 도망치고 싶었다. 심장 박동이 빨라졌지만 캘럼의 손이 아주 강하게 나를 끌어당겼다. 물이 목까지 차오르자, 그가 내 쪽으로 몸을 돌린 다음 팔로 나를 안아 주었다. 이제 나의 심장은 그의 가슴에 밀착되어서 미친 듯이 쿵쾅거렸다.

"겁내지 마."

그가 내 귀에 속삭였다.

"이제 물속으로 들어갈 거야. 넌 할 수 있어."

공포 때문에 정신을 잃을 것 같았다. 결국은 몸을 버둥대기 시작했지만, 캘럼은 나를 놓지 않았다. 그가 내 눈을 똑바로 들여다보며 물속으로 이끌었다. 그 안은 온통 새까맸다. 아무것도 보이지 않아서 단지 느낄 수밖에 없었다. 대체 뭘 하려는 거야? 입안 가득 공기를 문 채 그에게서 벗어나기 위해 몸부림쳤지만 그는 나를 계속 물 밑으로 잡아끌었다. 이대로는 익사할 거다. 눈앞이 흐려졌다. 갑자기 불이 켜진 듯, 주변이 환해졌다. 그의 얼굴과 눈동자가 보였다.

"숨 쉬어 봐."

그의 목소리가 머릿속에 울리는 것 같았다. 이상한 기분이었다.

"날 믿어 줘. 숨을 쉬어!"

이젠 그의 말을 따르는 수밖에는 다른 방법이 없었다. 더 이상 숨을 참는 건 무리였다. 입을 열고 공기를 방출하자마자 폐속으로 물이 차올랐다. 그러자 놀라운 일이 벌어졌다. 마치 물 위에서처럼 자연스럽게 호흡할 수 있었던 것이다. 어떻게 이런 일이? 캘럼이 이루 말할 수 없을 정도로 기쁜 표정을 지었다.

"놀라워! 예상은 했지만……."

이번에도 그의 목소리가 내 머릿속에 울렸다. 마치 그가 내게 직접 말하는 것처럼 한마디 한마디가 또렷이 들렸다. 이게 꿈은 아닐까?

물 밑 세상은 놀라웠다. 만 가지 푸른 색채로 영롱하게 빛나는 물줄기가 내 손가락 사이로 흘렀다. 그 푸른색은 캘럼의 눈동자 색과 같았다.

생각에 잠길 틈도 없이, 캘럼이 내 손을 잡고 더 깊은 곳으로 이끌었다. 점점 더 아래로 내려갈수록 꿈에서조차 그려 보지 못했던 신세계가 눈앞에 펼쳐졌다. 모든 게 어찌나 아름다운 색으로 빛나던지, 호수 바닥의 모래조차 영롱하게 반짝였다. 화려한 녹색으로 반짝이며 유유히 일렁이는 물풀 사이로 물고기들이 노닐었다. 캘럼과 함께 이렇게 새롭고 아름다운 세상을 보고 있노라니, 언제까지고 지치지 않을 것 같았다. 거대한 돌덩이들이 미로처럼 놓인 수중 정원 안을 빠른 속도로 헤엄쳤다. 마치 물밑으로 가라앉은 고대 성읍같이 신비로운 모습이었다.

하지만 가장 놀랍도록 아름다운 건 캘럼이었다. 그가 물속에서 움직이는 모습을 보노라니 다른 풍경에는 눈이 가지 않을 정도였다. 물속에서 그렇게나 빠르게 움직이는데도 팔과 다리에는 기의 움직임이 없는 것처럼 보였다.

그의 피부는 은빛으로 반짝였고, 눈동자는 깊은 바다색으로 빛났다. 그런 그를 바라보고 있노라니 어떤 욕망 때문에 온몸이 뜨거워졌다. 더 이상은 폭발하는 몸의 요구를 억누를 수 없었다. 그가 나에게 무언가를 보여 주기 위해 잠시 멈춘 순간, 그의 등을 부드럽게 끌어안았다. 그 접촉 때문에 그의 몸이 일순 굳어졌다. 물속에서는 모든 게 더 강하게 느껴졌기 때문에 평소에 그의 몸을 만지던 느낌과는 전혀 달랐다. 나는 그의 몸에 매달려서 몸을 밀착하고, 그의 가슴과 목에 키스하며 그를 내게 끌어당겼다. 그가 내 몸을 만지자, 온몸이 불에 타는 것 같았다. 이제까지 느껴 보지 못한 전율이 느껴졌다. 마치 내 몸

어딘가에서 폭발이 일어난 듯, 눈꺼풀 뒤로 형형색색의 광채가 보였다. 그에게 내 몸을 더욱 강하게 밀착하고, 다리로 그의 몸을 끌어안았다. 이 순간 내가 원하는 건 오직 캘럼뿐이었다. 마치 내 안의 모든 게 그를 원하는 것 같았다. 물의 흐름에 몸을 맡긴 채 두 개의 육체가 엉켰고, 쾌락과 관능에 도취된 채 물속에서 춤을 추는 것 같았다.

갑자기 그가 내게서 몸을 떼고, 엄청나게 빠른 속도로 도망쳤다. 얼떨결에 깊은 물 아래서 혼자가 되자, 공포와 혼란이 엄습했다. 몸을 어떻게 움직여야 할지 몰라서 돌덩이처럼 가라앉자, 다시 눈 깜짝할 새에 캘럼이 곁에 나타났다.

"엠마, 두 번 다시는 아까와 같은 행동을 해선 안 돼. 우린 선을 넘을 뻔했어."

그의 숨 가쁜 목소리가 머릿속에 울렸다. 하지만 그의 눈빛에서도 나와 같은 욕망을 읽을 수 있었다. 머릿속이 혼란스러웠고, 영원히 멎지 않을 것처럼 심장이 고동쳤다. 그와 내가 꿈꾸는 욕망을 이룰 길이 없다는 사실이 머릿속을 스치자 일순 모든 게 텅 빈 것처럼 허무했다.

캘럼이 내 손을 잡고 수면으로 올라갔다. 물 밖으로 나와서 돌멩이로 뒤덮인 평지를 절뚝거리며 걸었다. 캘럼이 잡아 주지 않았다면 몇 차례나 굴렀을 거다. 마치 연체동물이 된 것처럼 다리가 흐물거렸고 차가운 새벽 공기 때문에 젖은 몸이 덜덜 떨렸다. 젖은 옷을 재빨리 벗은 후 청바지와 스웨터를 입었다. 침묵을 깨고 캘럼이 내 뒤에서 속삭였다.

"엠마, 미안해. 널 다치게 하고 싶지는 않았어."

"그럼 이 모든 게 다 뭐였던 거야?"

목소리가 떨렸다.

"네 엄마와 같은 길을 걷게 하고 싶지 않아. 우린 선을 넘어선 안 돼. 내 말뜻 알지?"

고개를 끄덕였지만 이해하고 싶지도 않았다. 차마 그를 쳐다볼 수도 없었다. 그가 내 허리에 팔을 두르고 막 걸음을 떼려는 찰나, 저 앞 어둠 속에서 무언가가 움직였다. 너무 놀라서 그 자리에 얼어붙어서 비명을 지르고 말았다. 캘럼이 재빨리 나를 등 뒤로 숨기며 한 발짝 앞으로 나갔다. 너무 두려웠지만 그의 등 뒤에 숨어서 눈앞의 존재가 무엇인지 숨 죽여 지켜보았다.

긴 금발 머리의 마른 사내가 다가오자, 직감적으로 그도 셸리코트라는 걸 알았다. 언뜻 캘럼과 닮아 보였지만 눈빛만은 얼음같이 차가운 푸른색이었다. 그의 눈동자 깊은 곳에 타오르는 분노와 증오가 느껴졌다. 분명 아름답고 잘생긴 얼굴이었지만 어딘가 사악함으로 일그러져 있었다.

알 수 없는 두려움이 엄습했다. 분명 우리 사이를 알아채고 지켜봐 온 게 분명했다. 최악의 시나리오였다.

"엘린, 여기서 뭐하는 거지?"

캘럼이 나직하지만 날카롭게 물었다. 그의 목소리에 두려움은 없었다.

"그건 내가 묻고 싶은데? 네가 우리 종족의 뒤통수를 칠 거라는 건 늘 예상하고 있었다. 아미아조차 네가 자신을 사랑하지 않는다는 걸 알고 있더군. 그걸 알게 된 게 나한텐 행운이었지만."

그가 경멸스럽다는 듯 웃었다.

몸속의 피가 얼어붙는 것 같았다.

"규율을 알고 있다면 어떤 형벌을 당해야 하는지도 알고 있겠지. 네가, 누구보다도 모범적인 척하는 네가, 보름달 밤에 인간 여자와 함께 물속에 들어가다니! 그 대가를 어떻게 치르게 될지는 알고 있겠지?"

그의 표정에서 캘럼을 향한 경멸과 미움이 뿜어져 나왔다.

"이 여자, 내가 이 자리에서 죽여도 되겠나? 아니면 직접 할 텐가. 그 외의 선택지가 없다는 건 알고 있겠지, 안 그래?"

그가 무서운 속도로 내게 다가와 목을 움켜쥐었고, 어찌나 빨랐던지 그에게 반항할 겨를도 없었다. 그가 목을 움켜쥔 손아귀에 더 이상 힘을 가하지 않아도 온몸의 힘이 빠져나가는 것 같았다. 호흡이 희미해져 갔다. 그가 캘럼을 노려보았다.

"그 여잘 놔 줘."

캘럼이 낮게 속삭였다.

엘린의 눈이 가늘게 찢어지며 날카롭게 번뜩였다. 그 순간 그의 팔을 깨물고는 발버둥 쳐서 벗어나 캘럼의 팔에 매달렸다.

"엠마, 당장 차로 달려가!"

그가 명령했지만 몸이 말을 듣지 않았다. 그의 목소리가 귓가에 웅웅거렸다.

"엠마, 여기에서 달아나서 집으로 가!"

그가 다시 한 번 외쳤다. 캘럼의 얼굴은 돌처럼 굳어져 있었고, 눈은 살기로 번뜩였다. 억지로 몸을 일으켜서 차까지 달렸다.

"제발…… 다리야, 말 좀 들어!"

연체동물처럼 어기적거리는 다리로 기다시피 그곳을 빠져나오자, 뒤통수에서 찢어지는 고성이 울렸다. 인간의 성대에서 나오는 소리라고는 믿을 수 없는 기괴한 울음이었다. 그러고는 무언가가 부딪치고 부서지는 소리가 들렸다. 나는 뒤도 돌아보지 않고 차까지 달렸다.

드디어 차에 앉자, 제어할 수 없을 정도로 온몸이 덜덜 떨렸고 이 사이에서도 따닥따닥 소리가 났다. 겉옷을 단단히 여민 후, 숨을 고르면서 진정하려고 노력했다. 다리 사이에 얼굴을 파묻었다. 마치 시간이 멈춘 듯 느껴졌다.

만약 엘린이 캘럼을 다치게 하거나 죽이면 어쩌지? 도움을 청해야 하나? 그를 저기에 두고 와도 되는 걸까? 하지만 그는 분명히 도망치라고 명령했다.

나는 이를 악물고 시동을 걸었다.

목사관까지 무슨 정신으로 달렸는지는 기억나지 않았다. 캘럼이 걱정되어서 견딜 수가 없었다. 이미 동이 터 오고 있었다. 산 너머로 붉게 타오르는 태양빛에 장밋빛으로 물드는 하늘에는 눈길도 주지 않은 채 목사관 초인종을 눌러 댔다.

이른 시간이었지만 내 표정을 본 박사는 무언가 심각한 일이 벌어졌다는 걸 직감한 모양이었다. 무슨 일이 일어났는지 설명하려고 말을 더듬자 박사가 나를 거실로 이끌어 소파 위에 앉히고는 따뜻한 담요와 럼주를 넣은 차를 가져다주었다. 차에 혓바닥을 데었지만 차 속에 넣은 럼주가 금방 온몸에 온기를 불어넣어 주었다.

"무슨 일이 일어난 거냐?"

자신의 찻잔에 차를 따르면서 박사가 물었다. 심호흡을 한 다음, 입을 열었다.

"캘럼이 저랑…… 수영을 했어요. 호수에서요."

내 말을 들은 에릭슨 박사는 찻잔 대신 손등에 뜨거운 차를 부었다. 그래도 아무런 감각이 없는 것 같았다. 그가 멍한 눈으로 나를 바라보았다.

"지금 내가 뭘 잘못 들은 건 아니겠지? 그 어떠한 대가를 치르더라도 그걸 알고 싶었던 건가……."

박사의 말뜻을 잘 이해할 수는 없었다.

"지금 캘럼은 어디에 있지?"

그가 물었다.

"절 먼저 이리로 보냈어요. 엘린이라는 다른 셸리코트가 우리를 쫓아다닌 것 같아요. 둘은 싸우고 있을 테니 지금 당장 캘럼한테 가 봐야 해요! 다쳤을지도 몰라요!"

"어서, 엠마! 길을 가르쳐 다오."

담요를 두른 채로 차에 올라타 빠른 속도로 차를 몰아 산 위

호수까지 도착했다. 차에서 내리자 사방이 고요했다. 아직 숲 속에는 햇빛이 닿지 않아서 사방이 어슴푸레했다.

"넌 여기 있거라."

박사가 명령했다. 나도 차에서 내리고 싶었지만 그의 눈빛은 완강했다. 한숨을 쉬며 좌석에 몸을 묻었다.

잠시 후 차문이 열리더니 운전석에 캘럼이 탔다. 그의 얼굴을 보자마자 안도감과 함께 긴 한숨이 새어 나왔다. 눈물을 참느라 손으로 입을 꾹 눌렀다. 에릭슨 박사도 뒷좌석에 타자 캘럼이 시동을 걸었다. 그 순간 엘린이 저 앞 산등성이에 서서 우리를 노려보는 게 보였다. 희미한 아침 여명 아래, 그가 다쳤다는 걸 깨달았다. 그의 뺨에서는 피가 흘러내리고 있었다.

"너희가 어디로 가든지, 끝까지 쫓아가서 죽여주마!"

그가 빽 고함을 질렀다.

"듣고 있나? 다 죽여 버리겠어! 다 죽이기 전까지는 단 한순간도 쉬지 않을 거다! 한 놈 한 놈씩 차례대로 말이야. 나에게서 도망칠 수는 없을 거다! 숨어 봤자 다 찾아내고 말 거다!"

그러고는 교활하게 웃더니, 몸을 감췄다. 캘럼이 내 손을 잡아 주었고, 내 심장이 쿵덕거리는 소리 외에는 그 누구도 말이 없었다.

목사관으로 돌아와서야 화난 에릭슨 박사가 입을 열었다. 이제껏 그렇게 화가 난 모습은 본 적이 없었다.

"어째서 네 자신을 제어하지 못했나? 결국은 엠마를 위험에 몰아넣고 말았어!"

그가 캘럼에게 으르렁거렸다.

"엠마의 엄마가 죽은 걸로 모자라서 이제는 엠마까지 죽일 셈인가? 그걸 감당할 수 있겠나?!"

캘럼은 침묵하며 모든 분노를 묵묵히 견뎠다. 박사가 결국 신음 소리를 내며 소파 위로 무너져 내렸다.

"하나님 맙소사! 게다가 엘린과 마주친 건 최악의 시나리오 였네. 차라리 다른 셸리코트였다면 좋으련만! 그에게는 자비 따위 없을 거네. 오히려 이 순간만을 기다려 왔겠지. 그의 눈을 봤나? 아주 기쁨으로 미친 것 같더군. 결국은 자네를 향한 증오가 그를 삼켜 버린 거네!"

박사가 잠시 말을 중단했다.

"그건 그렇고……. 엠마가 자네를 거부할 수 있었나?"

캘럼이 천천히 고개를 끄덕였다.

"그래서, 알고 싶었던 건 알게 된 건가?"

"엠마는 물속에서도 숨 쉴 수 있어요."

에릭슨 박사의 눈이 놀라움으로 커지더니 나를 쳐다봤다.

"들은 적이 있네."

그가 잠시 생각에 잠긴 후, 입을 열었다.

"하지만 실제로 그런 게 가능하리라고는……. 그렇지만 그 어떤 경우에도 엠마를 위험에 처하게 해서는 안 되었네!"

그들의 대화를 알아들을 수가 없었다. 게다가 피곤이 몰려오기 시작해서 더 이상 눈을 뜨고 있을 수가 없었다. 그들의 말도, 목소리도 들어오지 않았고 이해할 수도 없었다.

"엠마를 침대로 데려다주게. 나중에 계속 이야기하도록 하지. 에단에게 전화를 걸어서 엠마가 여기 있다고 말해 놓겠네."

캘럼이 나를 팔에 안아서 계단을 올라 자기 방 침대 위에 눕혀 주었다. 그러고는 따뜻한 이불을 덮어 주었다.

"그게 무슨 뜻이야? 거부할 수 있었다니?"

피곤함 때문에 입술에서 새어 나오는 말도 무뎌졌다.

"일단 자. 나중에 설명해 줄게."

그가 내 옆에 누워서 나를 안아 주었다. 그의 품에 안겨서 깊은 잠에 빠져들었다.

17장

눈을 떠 보니, 캘럼이 내 곁에 잠들어 있었다. 나는 오랫동안 그의 얼굴을 관찰했다. 그는 정말 아름다웠다. 그보다 더 아름다운 인간은 본 적이 없었다. 엄밀히 말해 인간은 아니었지만 말이다. 조심스럽게 그의 입술을 어루만지자 그가 눈을 떴다.

"미안. 깨울 생각은 없었어."

그가 말없이 나를 끌어안고 키스했다. 그런 그에게서 낯선 슬픔이 느껴졌다. 나의 몸은 자연스럽게 그와 얽혔고, 가쁜 숨을 내쉬며 그에게 밀착되었다.

그때 똑똑, 문 두드리는 소리가 났고 그가 달갑지 않은 듯 몸을 일으켜 문을 열었다. 소피였다. 둘은 잠시 이야기를 나누었다. 캘럼이 다시 내게로 돌아오길 바랐지만 그는 몸을 돌리더니 말했다.

"아침 먹으러 내려가자."

　같이 부엌으로 내려가는 길에는 불안감과 두려움이 스멀스멀 차올랐다. 부엌에서는 에릭슨 박사가 어두운 얼굴로 식탁에 앉아서 차를 마시고 있었다. 소피가 미소를 지어 보였지만 그의 이마에는 깊은 주름이 패어 있었다. 식탁에 앉기도 전에 지난밤에 대한 이야기가 화두에 올랐다. 박사는 내 쪽을 바라보지 않은 채 캘럼을 향해 입을 열었다.

"자네가 지난밤 저지른 행동은 무책임했어. 하지만 이미 엎질러진 물이야. 엘린은 아마 자네 둘을 의회에 고발할 걸세. 그러면 얼마 안 있어서 스스로의 행동을 변명해야 할지도 모르네. 시간이 없어. 하지夏至가 끝나기까지는 몇 주 안 남았네. 더 이상 도울 방법도 없어. 자, 선택하게. 지금이라면 아직은 돌아갈 수 있네. 아직 엠마와 깊은 관계를 맺지 않았으니 기회가 있어. 게다가 아레스는 자네가 필요할 거야. 혼자서 엘린에게 맞설 수는 없을 테니 말일세. 엠마의 어머니가 죽은 이후로, 그의 마음은 부서진 상태네. 엘린은 무슨 수를 써서라도 그의 뒤를 이으려 할 테고 그건 나도 자네도 잘 알지. 아미아와 결혼하게. 그리고 이미 준비되어 있던 자리에 올라야 하네."

　귀를 의심할 수밖에 없었다. 에릭슨 박사님이 지금 도대체 무슨 말을 하는 거지? 입을 열려고 하는 찰나, 캘럼이 내 어깨에 손을 올리며 말했다.

"박사님 말씀이 옳아. 이 모든 게 내 실수고, 용서될 수 없는 행동이었어. 엘린이 날 의심하고 있다는 걸 눈치 챘어야 했는데……. 하지만 그가 나를 감시하고 있었다는 건 전혀 알 수 없었을 거야. 아직까지 한 번도 뭍으로 올라와 본 적이 없거든. 그만큼 인간들과 친인간적인 셸리코트들을 경멸해."

"캘럼, 엘린이 노리는 건 너의 자리야. 아마 수단 방법을 가리지 않고 후계자가 되기 위해 발버둥 칠 테지."

박사의 목소리가 떨렸다.

"무슨 일이 있어도 그렇게 되도록 해선 안 되네."

"알아요."

캘럼이 머리칼을 헝클어뜨리며 대답했다.

"아마 다른 셸리코트였다면 기꺼이 후계자 자리를 내줬겠지만, 엘린만은 안 됩니다."

그러고는 긴 침묵이 이어졌다. 무거운 공기 때문에 숨이 탁 막힐 것 같았다.

"이제는 선택할 수밖에 없네. 부디 옳은 선택을 하길……."

박사가 나지막이 중얼거렸다.

캘럼이 고개를 저었다.

"못 할 것 같아요. 엠마를 떠날 수는 없습니다."

그 말에, 돌덩어리가 내려간 것 같았다.

"일단 엠마를 집에 데려다주고 오게나. 우리 둘만 이야기를 나눠 봐야 할 것 같네."

박사가 차갑게 대꾸했다.

우리는 차까지 나란히 걸었다. 하지만 집에 도착하기 전에 머릿속에 맴도는 몇 가지 의문과 궁금증을 풀지 않고는 못 견딜 것 같았다. 하지만 어디서부터 시작해야 할지 몰랐다.

"캘럼."

조심스럽게 말을 꺼냈다.

"몇 가지 설명해 줬으면 하는 게 있어."

"알아."

그가 미소 지었지만, 어딘가 힘없고 지친 것 같아 보였다.

"조금 나중으로 미루면 안 될까? 당장은 설명할 힘이 없어."

그가 나를 부탁하듯 바라보았다.

"알았어. 하지만 약속해 줘. 경솔한 행동은 안 하겠다고."

아빠가 그랬던 것처럼 갑자기 사라져 버릴까 봐 두려웠다. 고통 같은 두려움이 엄습했다. 그의 손을 붙잡고 눈을 똑바로 바라보며 말했다.

"캘럼, 돌아가지 않겠다고 약속해 줘! 너 없이는 살 수 없어."

그가 깊은 고뇌가 담긴 눈빛으로 바라보았다.

"나한테 그런 아픔을 주지 않겠다고 약속해 줘."

어떻게 보면 참 이기적인 요구였지만 상관없었다. 그를 내 곁에 두겠다는 게 욕심이고 이기심이라면 어쩔 수 없었다. 내 생존이 걸린 문제였으니까. 캘럼 없이는 살 수 없었다.

일순, 캘럼의 눈이 화난 듯 번득거렸다.

"엠마, 너도 내가 널 떠날 수 없다는 걸 알잖아. 설마 아직 그걸 모르는 거야?"

"알았어. 미안해."

그의 분노를 무시하면서, 한결 가벼워진 마음으로 차에 올랐다. 집에 도착해서 그의 뺨에 입 맞추려 했지만 그는 나를 바라보려 하지 않았다. 어쩌면 지난밤부터 너무나 많은 일이 일어났기 때문에 약간은 자신을 추스르고 생각할 시간이 필요할지 모른다는 생각이 들었다. 나조차도 생각해 두어야만 할 게 많았다. 집으로 들어가면서 외삼촌과 외숙모가 쏟아 낼 비난의 화살에 대비해서 마음의 준비를 하고 있는데, 맨 처음 화를 퍼부어 댄 건 놀랍게도 피터였다.

"어떻게 그렇게 바보 같은 행동을 할 수 있어?"

그가 내 방으로 들어와 화를 내며 물었다.

"누구한테 들었어?"

"에릭슨 박사님이 전화를 했어."

"흠."

솔직히 말해 혼자 있고 싶었고, 누군가와 긴 토론을 할 힘도 없었다. 그래서 가능한 한 짧게 대답하면서, 그가 제발 나가 주길 바랐다. 하지만 피터는 그럴 생각이 없다는 듯, 내 침대 끄트머리에 앉아서 계속 질문을 퍼부어 댔다.

"엠마, 캘럼이나 에릭슨 박사님한테서 셸리코트 사회의 규율에 대해서 들은 적 있어?"

최대한 한 귀로 흘려들으려고 노력하면서 입술을 깨물었다. 물론 내가 아는 지식들은 단편적인 것뿐이었지만, 이미 충분히 머리가 복잡했다. 그제야 캘럼의 상태가 이해가 되었다. 지난밤 이후로 그는 극심한 충격과 스트레스에 시달리고 있을 터였다.

"제발 잠시만이라도 나 좀 내버려 둬. 조금 있다가 얘기할 수 없을까?"

내 간청에, 그가 말없이 일어나 내 방을 나갔다.

긴 한숨과 함께 침대 위에 웅크리고 앉아서 다리를 끌어안았다. 눈을 감고 캘럼과 함께 헤엄치던 순간을 떠올려 보았다. 그 기억은 놀랍도록 아름다웠고, 그래서 더욱 처절했다. 갑자기 어린 시절부터 꿔 오던 꿈이 떠올랐다. 검은 물 아래로 나를 끌어당기는 은빛 손. 하지만 꿈에서는 그다음에 벌어질 일을 가늠하지 못했었다.

사방이 어둑할 무렵에 캘럼이 찾아왔다. 그를 보자마자 안도감이 밀려왔다. 그에게 달려가서 안겼지만, 어딘가 힘없고 나른한 슬픔이 느껴졌다. 그가 내 곁에 앉아서 나를 바라보았다. 그의 눈에서 피로가 묻어났다.

"질문에 답해 주려고 왔어."

그가 미소 짓자, 설렘과 기쁨으로 가슴이 벅차올랐다.

"뭐부터 물어봐야 할지 모르겠어……."

"그럴 거야. 먼저 너에게 사과하고 싶어. 널 호수에 데려간 건 큰 실수이자 이기적인 행동이었어."

그가 내 손을 잡고 사과했고, 나는 고개를 저었다.

"사과할 필요 없어. 그건 내가 겪은 일 중에 최고의 경험이었어."

그의 눈을 바라보며 힘주어 말했다.

"하지만 만약 내 가설이 틀렸더라면 네가 죽었을 수도 있어. 네가 물 밑에서 숨 쉴 수 있으리라는 확신이 부족했음에도 강요했던 거야."

그가 내 뺨을 부드럽게 어루만졌다.

"하지만, 네가 물 밑에서 숨을 쉴 수 있길 진정으로 바랐어."

"왜?"

잠시 침묵한 뒤, 그가 입을 열었다.

"난 이미 인간 세상이 어떤지 알지만, 넌 내가 사는 세상을 모르니까…… 극히 일부분이라도 보여 주고 싶었어."

그가 침묵했다.

"왜 여기엔 머무를 수 없는 거야?"

그가 고개를 끄덕이며 양손으로 머리를 감싸 쥐었다.

"아직 결정하진 못했어. 아니, 결정하고 싶지 않아. 아직 뭔가 다른 길이 있기를 바라고 있어."

그가 말하는 '다른 길'이 어떤 건지는 알 수 없었다. 그가 몸을 일으켜 나를 끌어당겨, 머릿속에 각인이라도 하겠다는 듯 얼굴의 윤곽을 손가락으로 찬찬히 쓰다듬었다. 그의 입술이 바로 눈앞에 있었고 입 맞추고 싶다는 욕구가 끓어올랐지만, 우리가 지금 이 순간 하는 모든 행동은 우리를 더욱 떨어지기 어렵게만 만들 뿐이라는 걸 알았다. 그가 나를 힘겹게 밀어내며 한숨을 내쉬었다.

"아미아가 누구야?"

침묵을 깨고, 내 머릿속에 계속 맴돌던 이름을 어렵게 꺼내 놓았다.

그가 설명하는 게 내키지 않는다는 듯 고개를 흔들었지만 이대로 물러설 생각은 없었다.

"내 질문에 대답해 주기로 했잖아."

그러자, 그가 어렵게 입을 열었다.

"네가 정말로 알고 싶다면⋯⋯. 아미아와는 어린 시절부터 결혼이 약속되어 있었어. 우린 어렸을 때부터 친했지."

내 표정이 굳어지는 걸 보고, 그가 킥킥 웃었다.

"바보야, 너랑은 달라."

그가 나를 사랑스럽다는 듯 바라보았다.

"아미아와는 남매 같은 사이야. 결혼 상대자로 아미아가 결정되었을 땐 기뻤어. 만약에 반드시 어떤 셸리코트와 결혼해야만 한다면, 아미아가 그나마 제일 나을 거야."

내 얼굴에 감정이 그대로 노출되는 바람에, 캘럼이 웃음을 터뜨렸다.

"네가 먼저 말해 달라고 했잖아."

그가 짓궂게 웃었다.

"그렇게 자세히 말해 줄 필요는 없었잖아."

기분이 상해서 입술이 비쭉 나왔다.

"이왕 말해 줄 거라면 모든 걸 다 말해 주고 싶었어. 네 앞에서는 아무것도 숨기기 싫으니까."

그가 나를 끌어안으며 속삭였다.

"네가 아미아보다 천배는 더 매력적이야."

"예를 들면?"

투덜거리면서도 귀를 쫑긋했다.

"그렇게 쉽게 토라지거나 화를 내는 거. 당황하면 얼굴이 빨개지는 거. 그리고…… 너의 열정…… 뜨거움."

그 말에 얼굴이 달아오르지 않을 수 없었지만 태연한 척하며 다음 질문을 꺼내 놓았다. 하지만 어떻게 말을 꺼내야 할지가 관건이었다. 물속에서 그가 나와 깊은 관계를 피했던 이유말이다.

"네가 뭘 물어보려고 하는지 알아."

그가 마치 내 마음을 들여다보기라도 한 듯 대답했다.

"셸리코트에게 있어서, 육체적으로 깊은 관계를 맺는다는 건 결혼과도 같아. 단지 의식이 아니라 더 깊은 의미지. 그렇게 맺어진 연인과는 죽는 순간까지 함께해야 돼."

그의 말뜻을 정확히 이해할 수 없었다.

"예를 들자면 너희 엄마와 아레스는 육체적으로 긴밀한 관계였어. 그래서 둘의 이별 후에 너희 엄마의 마음은 산산조각나 버렸을 거야. 미국으로 떠난 이후에 너희 엄마가 진정으로 행복해한 적이 있었어? 아니면 달리 사랑하는 사람이 생겼어?"

나는 고개를 저었다.

"나도 정말 원해. 넌 상상할 수조차 없을 거야. 하지만……."

그가 어두운 얼굴로 말을 이었다.

"그건 널 더 불행하게 만들 뿐이야. 더 이상 상처 입히고 싶지 않아."

"그게 에릭슨 박사님이 말한 '한계선'이야?"

캘럼이 나를 바라보지 않은 채 고개를 끄덕였다.

"나도…… 널 원해."

조용히 속삭였다.

"어차피 너 이외의 다른 사람과는 사랑할 수 없을 거야. 부탁이야……. 너도 원하잖아."

그가 거세게 고개를 가로저었다.

"제발……. 이 이상 문제를 복잡하게 만들 수는 없어. 지난밤에 널 뿌리치는 게 얼마나 어려웠는지 알아? 만약 그런 일이 또 한 번 벌어지면 나 자신을 자제할 수 없을 거야."

"과연 내가 얼마나 견딜 수 있을지 모르겠어."

"내가 도와줄게."

그가 미소 지으며 내 곁에 앉더니, 귓바퀴와 뺨을 입술로 천천히 쓰다듬으며 내게 입 맞추었다.

"지금 불난 데 부채질해?"

"그만할까?"

"아니."

그가 내게 입을 맞추며 물었다.

"질문할 것 더 있어?"

"사실…… 있어. 그럼 엄마는 아레스의 아내였던 거잖아? 그럼……."

이번에도 캘럼은 내 질문의 요지를 알아차렸다.

"이론적으로는 그렇지. 하지만 아레스는 당시 왕의 후계자였어. 왕으로서 동족에 대한 의무를 저버릴 수는 없었지. 그의 아내는 오래전부터 정해져 있었고, 이름은 에긴이야. 아레스는 물 밑으로 돌아왔지만, 경솔했던 한순간 때문에 아레스와 너희 엄마는 평생 괴로워해야 했지."

경솔했다고? 잠시 생각에 잠겼다. 둘은 단지 경솔했던 게 아닐 거라는 생각이 들었다. 캘럼의 설명이 이어졌다.

"아레스와 에긴 사이에서 태어난 게 엘린이야. 하지만 아레스는 엘린에게 사랑을 줄 수 없었어. 적어도 엘린이 원한 만큼 넉넉히는 못 줬지. 엘린이 태어나고 얼마 지나지 않아 에긴이 죽었고, 엘린은 후견인에게 보내졌어. 부자 사이는 점점 멀어졌고, 엘린이 가끔 아레스와 만나기라도 하는 날이면 둘 사이의 위화감은 커져만 갔어."

캘럼이 침묵했다.

다음 날, 방과 후에 캘럼과 목사관에 가 보니 에릭슨 박사와 피터가 거실에서 대화를 나누고 있었다. 왠지 피터가 우리 문제에 겁 없이 자꾸만 끼어드는 것 같아 화가 났다. 도대체 여기서 뭘 하는 거지?

"피터, 이 일에 얽히려고 하지 마. 너까지 끼어들면 더 곤란해질 뿐이야!"

동의를 구하듯 캘럼을 돌아보았다.

"좀 설득해 줘! 피터는 이 일과 관계없잖아!"

하지만 캘럼이 피터와 에릭슨 박사를 번갈아 보며 천천히 말했다.

"아니, 아마 피터도 이 일에 관계되기로 결정한 것 같군. 안 그래?"

그들의 대화를 들어보니, 뭔가 내가 모르는 이야기가 있는 듯했다.

"뭐야, 나만 쏙 빼놓고 정말 다들 이러기야?"

화가 나서 쏘아붙였다.

"피터가 내 뒤를 잇기로 결정했단다."

에릭슨 박사가 대신 설명했다.

에릭슨 박사의 뒤를 잇는다고? 그게 무슨 뜻인지 몰라 어리둥절했다.

"그게 무슨 뜻이죠? 그럼 어떻게 되는 거예요?"

"일단 앉아 보거라."

에릭슨 박사가 자리를 권했다.

"너희도 알다시피, 우리 가문은 대대로 '인도자'의 임무를 이행해 왔다. 하지만 안타깝게도 소피와 나 사이에는 자식이 없어서 인도자의 역할을 수행하는 것도 우리 대에서 끊어질 상황이었다. 누군가는 우리의 뒤를 이어 줘야 하지. 이런 상황에서 셸리코트에 대해 이미 알고 있는 피터만큼 적합한 사람은 없다고 생각했다."

설마 피터가 인도자가 될 거라고는 생각하지 못했다. 그가 어떤 생각으로 그런 결정을 내렸는지 놀라울 뿐이었다.

"피터는 용기가 있고, 정직하고, 믿을 만할 뿐 아니라 너희 가족의 일원이다. 분명 그의 도움이 필요한 순간이 올 거야."

박사가 피터에게 격려의 눈빛을 보낸 다음, 캘럼 쪽을 바라보았다.

"캘럼. 너는 이제 곧 다른 셀리코트 앞에서 재판을 받게 될 거야. 그리고…… 아마 선택을 해야만 하는 순간이 오겠지."

박사의 얼굴에서 미소가 사라지고, 걱정과 피로가 묻어났다.

"재판까지는 시간이 얼마나 있을까요?"

내가 물었다.

"엘린은 아마 이 일을 의회 앞에 가지고 갈 거야. 만약 벌써 고발했다면 나도 즉시 송환되었겠지. 하지만 바보가 아닌 이상 그걸로 끝내려 들지는 않을 거야. 다수의 셀리코트들이 나를 지지하는 걸 엘린도 잘 알고 있으니, 사건을 크게 터뜨리려면 모든 종족의 대표들이 모이는 의회에서 이 일을 고발하겠지. 매년 하지마다 한 번씩 대의회가 열려. 거기에서 종족 간의 분쟁이나 다툼을 가지고 나와서 규율에 따라 판결 받을 수 있어. 그 기회를 엘린이 놓칠 리 없을 거야. 대의회의 규정상 인간에게 마법 세계에 대한 정보를 누설한 죄는 사형이니까."

캘럼이 설명해 주었다.

"캘럼, 다음번 보름달 밤에도 호숫가에 나가는 거야?"

피터가 물었다.

"그날 밤에 다른 셀리코트들과 함께 춤추는 의식에 참여하는 거지? 하지만 꼭 함께해야만 하는 거야? 아니면 혼자 해도 되는 거야?"

"만약 의식에 참여하지 않으면 죽게 돼. 뭍에서는 4주 이상 살 수 없거든. 물론 모두와 함께 의식에 참여하는 것과는 다르겠지만, 혼자서 헤엄치는 것도 생존하는 데에는 도움이 될 거야."

"그럼 다음번에는 셸리코트가 없는 호수를 찾아서 혼자 의식을 치르면 되지 않아? 그러면 꼭 돌아가지 않아도 되잖아."

"나도 따라가 줄게. 혼자 헤엄치면 외롭잖아."

캘럼의 귀에 속삭였다. 그러자 그가 화난 눈빛으로 쏘아보았다. 최대한 순진한 미소를 지어 보려 했지만, 잘되지 않았다. 나의 연기력도 문제였지만 그와 다시 한 번 헤엄을 치게 된다는 상상만으로도 가슴이 두근거렸기 때문이다. 캘럼은 내 말에 대답하지 않았다. 대답을 기대하지도 않았다. 아마도 다시는 나를 데려가지 않겠지만, 그의 손을 꼭 잡았다.

캘럼이 피터를 바라보며 말했다.

"하지만…… 내가 의회 앞에 서지 않으면 일이 더 복잡해질 거야. 엘린이 제멋대로 구는 걸 지켜보고만 있을 수는 없어."

"그럼, 일단 아레스와 상의해 보도록 하는 건 어떠냐."

에릭슨 박사가 권했다.

"아레스라면 이 상황에 대해 조언해 줄 수 있을 거다. 게다가 엘린이 어디까지 발설했는지도 알아둘 필요가 있어. 아마 입을 다물고 있진 않았을 테니."

캘럼이 깊은 생각에 잠긴 채 고개를 끄덕였다.

"박사님 말씀이 옳은 것 같습니다. 아마 누구보다도 아레스가 이 상황을 먼저 이해해 주겠죠."

"아레스라고? 셸리코트의 왕 말이야? 어떻게 연락을 해서 어디서 만날 건데? 위험하지 않을까?"

내 두서없는 질문에 캘럼이 고개를 저었다.

"걱정하지 마. 내가 부르면 나타날 테니."

18장

아레스를 만나러 갈 때 동행해 달라는 캘럼의 말에 가슴이 뛰었다.

"아레스가 널 꼭 만나보고 싶대. 평생 동안 네 존재에 대해서 전혀 몰랐으니까."

그러고는 생각에 잠긴 눈으로 말을 이었다.

"그를 만나 보고는 깜짝 놀랐어. 몇 달 새 갑자기 많이 쇠약해져 있어서……. 네 엄마의 죽음과 엘린의 배신이 그를 충격으로 몰아넣은 것 같아. 거의 알아볼 수 없을 정도야."

"캘럼, 사실은 좀 겁이 나. 만약에 그가 날 좋아하지 않거나 내가 그를 좋아할 수 없으면 어쩌지? 내 아버지라고는 하지만 여태껏 아버지가 있을 거라고는 상상도 못 했는데……. 어떻게 대해야 할지도 모르겠어. 게다가 모든 불행의 주범이잖아."

마치 엄마의 죽음과 내 인생의 불행이 다 아버지 탓이라는 듯 퉁명스럽게 중얼거렸지만, 진심은 아니었다.

"걱정 마. 만나 보면 그를 좋아하게 될 거야."

캘럼이 힘주어 말했다.

3일 후, 드디어 아레스를 만나기로 한 날이 다가왔다. 난생처음으로 아버지를 만나러 나가는 자리에 도대체 무슨 옷을 입어야 할지 걱정이 되었다. 게다가 아버지는 수인이니 말이다. 아멜리조차도 고민에 고민을 거듭하며 나와 함께 옷장을 초토화시켰다. 시간이라도 멈추고 싶은 심정이었다. 캘럼은 외숙모와 함께 부엌에서 묵묵히 나를 기다리고 있었다. 결국엔 절망스러운 기분으로 블라우스에 청바지를 입고 어깨 위에는 스웨터를 하나 둘렀다. 부엌으로 내려가 보니, 나를 본 캘럼이 미소 지어 주었다.

"정말 아름다워."

그가 귓가에 속삭였지만, 입에 침이나 바르라지! 그의 옆구리를 팔꿈치로 쿡 찔러 주자 아멜리가 웃음을 참느라 킥킥거렸다.

아직 새벽이었다. 우리는 차에 올라 아레스와 만나기로 약속한 해안까지 달렸다. 하늘 저편에서 붉은색 태양이 하늘을 찬찬히 주홍빛으로 물들이며 얼굴을 내밀고 있었다.

캘럼과 아레스가 만나기로 한 곳은 어느 한적한 해변이었다. 이렇게 이른 시간에는 아무도 나타나지 않을 만큼 인적이 드문 곳이었지만, 혹시라도 다른 수인들이 우리를 보게 되는 게 두려워서 바닷물에서는 멀리 떨어져 있기로 마음먹었다.

긴장 때문에 몸이 차가워졌다. 차에서 내려서 몽유병자처럼 멍청히 서 있다가 캘럼의 손에 이끌려서 간신히 걸을 수 있었다. 저 앞에 한 남자가 서 있었다. 처음 아버지를 본 순간, 충격에 휩싸였다. 아레스의 단정한 얼굴을 보니 과거의 매력이 엿보였지만 온통 깊은 주름으로 뒤덮여 있었다. 그의 강렬한 은빛 눈동자도 마치 검은 천을 뒤집어씌워 놓은 것처럼 서서히 그 생기를 잃어 가는 것 같았다. 그의 전체적인 느낌은 전혀 다른 세계의 존재 같았고, 그에 비하면 오히려 캘럼이 인간에 가까워 보였다. 그래서인지 종종 그가 수인이라는 사실을 잊어버리는 것 같았다.

아레스가 우리를 바라보며 입가에 미소를 지었다. 일순 그의 얼굴에서 엄마가 사랑에 빠졌던 젊은 남자의 얼굴이 엿보였다.

아레스는 파도가 그의 몸을 어루만지는 바다 끄트머리에 서 있었다.

"미안하지만 바다를 벗어날 수가 없다네."

그가 양해를 구하듯 나와 캘럼을 번갈아 바라보았다.

캘럼이 그에게 다가가 포옹했고, 나는 미소를 지어 보이며 모래사장 위에 앉았다. 아레스가 조용히 나를 훑어보며 말했다.

"엠마, 반갑구나. 너의 모습을 보니 꼭 네 엄마를 보고 있는 것 같구나……. 캘럼과 함께 이곳에 와 준 용기가 고맙다. 만약 그 당시 브렌다가 아이를 가지고 있었다는 걸 알았다면, 많은 게 달라졌을 거다."

"글쎄요, 과연 그럴까요?"

의도와는 달리 카랑카랑하게 쏘아붙였다.

그는 잠시 깊은 상념에 잠겼다.

"네 말이 맞다. 아마 달라진 건 없었을지도 모르겠구나."

그가 무기력하게 중얼거렸다.

"나에게는 다른 선택의 여지가 없었단다. 그냥 그렇게 그녀의 인생에서 사라져 주는 게 훨씬 나을 거라고 판단했다."

"그건 변명일 뿐이에요."

내가 항의하듯 대꾸했다.

아레스가 천천히 고개를 끄덕이며 침묵했다.

침묵을 깨고, 캘럼이 아레스에게 우리의 이야기를 전했다. 이야기가 계속되는 동안 아레스는 단 한 번도 그의 말을 중단하지 않고 먼 바다와 나와 캘럼을 번갈아 바라보았다.

캘럼의 이야기가 끝나자, 그가 잠시 침묵한 후 입을 열었다.

"캘럼, 네가 변했다는 게 느껴지는구나. 이 모든 일이 여기까지 진행되기 전에 나와 상의했더라면 좋았을 텐데……. 네가 진정 나와 같은 운명에 휩싸이게 될 줄은 꿈에도 생각하지 못했다. 너희 둘이 여기에 앉아 나에게 설명해 주지 않았다면 아마 네 말을 믿지 못했을 거다."

"저희 둘은 앞으로 어떻게 이 일을 헤쳐 나가야 할지 막막한 상태예요. 엘린도 걱정이 되고요."

내가 덧붙였다.

아레스가 고개를 끄덕였다.

"엘린은 아직까지 이 일에 대해 보고하지 않았다. 그의 진짜 의도가 무엇일지 예상하니 걱정이 되는구나. 그의 몸에 상처가 난 걸 보았지만 누가 그랬는지 말하려 하지 않았다. 아마 뭔가 끔찍한 일을 계획하고 있을 거다. 대의회에서 너희들을 고발하려 하겠지. 그래야 처벌의 강도가 높아질 테니 말이다. 내가 너희들을 어떻게 도와야 할지 모르겠다."

그가 캘럼을 바라보았다.

"어쩌면 엠마의 존재에 대해 밝히는 게 좋을 것 같구나."

그 말에 캘럼이 고개를 저었다.

"하지만 그건 너무 위험합니다. 만약 엠마를 죽여야 한다는 판결이라도 나면……. 몇 세기 동안 혼혈인이 존재한 적도 없는데, 엠마를 의회에 세우면 무슨 일이 벌어질지 모릅니다!"

"캘럼, 잘 듣거라. 엠마와 함께 의회 앞에서 모든 진실을 밝히는 거다."

아레스가 나지막이 속삭였지만, 캘럼은 재차 고개를 흔들었다.

"내가 그녀에게 했던 실수를 되풀이하지 말거라……."

아레스의 목소리가 떨렸다.

"내게 용기가 있었다면, 사실을 밝혔더라면……. 브렌다는 내 결정을 이해해 주었을지도 몰라."

그 말에 캘럼이 입을 꾹 다물었다. 그의 손을 잡아 주려고 손을 뻗었지만, 만지지 않아도 그의 전신이 딱딱하게 굳어 있는 걸 느낄 수 있었다. 혹시 내가 모르는 뭔가가 더 있는 걸까?

"그게 내가 너희들에게 해 줄 수 있는 유일한 조언이란다. 도망칠 곳은 없어."

그런 다음 아레스가 은빛 눈동자로 나를 바라보았다.

"엠마야, 네가 날 이해하거나 용서할 수 있을지 모르겠구나. 나는 너의 어머니를 진정으로 사랑했었다. 하지만 나에게는 네 엄마 곁에 머무를 용기가 없었단다. 선택의 순간에 나는 당시에 옳다고 생각되는 길을 선택했다. 나에게는 동족을 보살필 의무가 있었어. 하지만 그 대가로 네 엄마를 불행에 빠뜨리고 말았다. 나를 용서해 다오."

그러고는 잠시 침묵했다. 아마 그 당시를 떠올리는 것 같았다.

"만약 다시 한 번 그때로 돌아갈 수만 있다면 다시 한 번만이라도 그녀와 이야기를 나눌 수 있다면 무엇이든 하겠다. 하지만…… 너무 늦어 버리고 말았구나."

"엄마를 만난 적이 있나요?"

그가 바다를 바라보며, 손가락으로 부드럽게 물결 위를 어루만졌다.

"사고가 있던 날, 네 엄마가 물과 접촉했을 때 우리는 연결되었단다. 그녀가 날 불렀다."

그 말에 멍하니 아레스를 바라보았다.

"사랑하는 연인들끼리는 물을 매개체로 언제 어디서나 연결된단다. 서로의 목소리를 들을 수 있지. 에릭슨 박사가 물에 접근하지 말라고 그녀에게 경고한 걸 알고 있었기 때문에 자신의 의지로 물과 접촉했을 거라고는 생각할 수 없었다. 그리고 바로 그 순간 엘린도 그녀를 찾아낸 거지."

그가 손바닥으로 얼굴을 감싸며 말했다.

"난 아무것도 할 수 없었다. 그녀를 찾아냈을 땐 이미 거의 생명이 끝나 가고 있었어……. 그래도 내 팔 안에서 눈을 감았단다."

그제야 엄마의 마지막 얼굴이 왜 그렇게 평온해 보였는지 이해가 되었다.

"너희 둘이 서로를 만나지 않았더라면 좋았을 텐데……."

그 말에 무어라 대꾸해야 할지 몰랐다.

"모두의 앞에서 절 딸이라고 인정해 주실 수는 없는 건가요?"

"우리 종족의 법은 만인에게 똑같이 적용된다. 왕이라고 해서 법을 피해 갈 수는 없어. 오히려 더욱 모범을 보여야만 했지. 그래서 더더욱 내 행동은 용서 받을 수 없었다. 만약 그날, 보름달 밤에 브렌다가 내 뒤를 밟지만 않았더라면 결과는 달라질 수도 있었겠지. 하지만 네 엄마에게는 그 모든 게 너무도 충격이었던 거다. 결국 에긴이 브렌다의 존재를 알게 되었을 땐 이미 모든 게 늦어 버렸어. 네 엄마가 안전하기 위해서는 내가 인간 세계를 떠나는 길밖에는 없었다. 아니, 그렇게 믿었던 내가 틀렸던 거야. 에긴은 똑똑했지만 교활한 여자였고, 내가 자신을 사랑하지 않는다는 걸 알고 난 후에는 평생 이를 갈며 복수의 칼날만 갈았다. 엘린은 제 엄마의 고통과 미움을 보면서 자라난 아이지.”

“캘럼이 인간 세상에 머물도록 힘을 써 주실 수는 없을까요?”

끝까지 포기할 수는 없었다.

“그건 캘럼이 선택할 문제다. 캘럼, 그게 진정 네가 원하는 거냐?”

아레스가 내 뒤에 앉은 캘럼을 바라보았다. 하지만 차마 뒤돌아서 그의 얼굴을 볼 용기가 나지 않았다. 그가 어떤 결심을 내렸는지는 대충 짐작할 수 있기 때문이다. 아레스가 고개를 끄덕이자, 내 예상이 어느 정도는 맞았다는 걸 알 수 있었다.

“내가 더 도울 수 없어서 미안하구나.”

아레스는 이 말을 남긴 후, 마지막으로 나를 한 번 더 바라본 후 파도 속으로 모습을 감췄다. 캘럼이 미동 없이 앉아 있는 날 안아 주었다. 우리는 한참 동안 말없이 그렇게 앉아서 태양이 수평선 위로 떠오르는 모습을 바라보았다. 시간이 흐른 후, 캘럼이 나를 축축한 모래에서 일으켜 함께 자동차로 향했다.

집 안에서 아멜리가 나를 기다리고 있었다.

“서둘러! 학교에 늦겠어.”

가방을 챙겨 내려오면서 오늘 하루도 정해진 일과에 집중해야만 한다는 걸 떠올렸다. 하지만 두 개의 완전히 다른 세계를 알고 나니 마치 내가 그 사이에 껴 있는 것 같았다. 아멜리가 계단 아래에서 뜨거운 찻잔을 들고 쪼그려 앉아 있다가 내가 내려오는 소리에 벌떡 일어났다. 그 바람에 뜨거운 차가 손등 위로 쏟아졌다.

"젠장!"

손등에 묻은 차를 바지에 쓱쓱 닦아내며 허둥거리는 아멜리의 모습이 낯설었다. 평소였다면 절대로 옷에다 뭘 닦거나 하지는 않았을 터다. 그만큼 이 모든 상황이 낯설고 당황스러운 거겠지.

영어 수업이 진행되는 교실에 들어가 앉자마자, 1교시를 알리는 종이 울렸다.

수업이 끝난 후에 목사관에 가 보았다. 캘럼은 소피와 함께 정원에 앉아 있었다. 그들과 함께 앉아서 차와 쿠키를 함께 나누었다.

"캘럼……. 지난번에 아레스가 말한 게 무슨 뜻이야? 혹시 내가 모르는 이야기가 더 있는 거야?"

캘럼이 침묵하는 동안, 소피가 몸을 일으키며 말했다.

"차를 좀 더 내오마."

그러고는 캘럼을 바라보았다.

"캘럼, 엠마에게 모든 걸 다 말해 주어야 해."

평소라면 셸리코트에 관한 일에는 끼어들지 않던 소피가 이렇게 말하는 건 처음이었다. 예상 외였지만, 소피도 이 일에 대해서 많은 것을 알고 있다는 느낌이었다. 부엌으로 사라지는 그녀의 뒷모습을 고맙게 바라보았다.

"엘린과 나는 거의 형제 지간 같은 사이야."

캘럼이 머뭇거리며 입을 열었다.

"어린 시절에 엘린과 나, 아미아 이렇게 세 명은 죽마고우였어. 하지만 내가 아레스 밑에서 자라면서부터는 상황이 달라지고 말았지. 엘린이 그의 친자긴 하지만, 우리 사회에선 후견인 관계에 있는 아이도 친자처럼 대우하거든. 아레스가 엘린 대신 나를 후계자로 추천하자, 분노한 엘린은 그 결정을 돌려 보려고 온갖 시도를 다 했지. 의회를 매수하려고까지 했어. 사실 엘린이 인간과 전쟁을 일으키려고 하지만 않았다면 기꺼이 그에게 후계자 자리를 넘겨줬을 거야. 엘린이 왕이 되어서 인간과 전쟁을 일으킨다면 우리 종족은 멸망할지도 몰라. 엘린은 내가 인간 사회에 머무르는 동안에 추종자 무리를 만들었고 지금 아레스는 엘린에게 대항할 만한 권위가 없는 상태야. 원래는 더 일찍 돌아가서 모든 사태를 바로잡아야 했지만 널 떠날 수가 없었어. 그래서 원래 나를 따랐던 무리조차 떨어져 나가고 있는 상태지. 그들은 내가 왜 이렇게 인간 세상에 오래 머무는지 의아하게 생각하고 있어. 만약 이 모든 걸 알게 되면 모두가 나에게서 등을 돌릴 거야."

그의 목소리에 고통이 묻어났다.

"엘린은 왜 그렇게 인간들을 미워해?"

"이유는 여러 가지야. 먼저 우리 셀리코트들은 일정 나이가 되면 약혼자를 정하게 되는데 아무도 그 결정을 거스를 수 없어. 게다가 한번 약혼한 상대와는 반드시 결혼해서 죽는 순간까지 함께해야 돼."

솔직히 셸리코트 문화 중에 결혼 풍습이 제일 기괴하다는 생각이 들었지만 문화 차이려니 생각하기로 했다.

"끔찍하다고 생각하면 솔직히 말해도 돼. 사실 끔찍한 풍습이야."

캘럼이 미소 지으며 말했다.

"하지만 의외로 수 세기 동안 별문제 없이 다들 행복하게 살고 있어. 아무튼 아레스와 에긴은 오래전부터 약혼한 상태였기 때문에, 인간 세상에서 돌아온 아레스는 에긴과 결혼해야 했어. 하지만 에긴은 아레스의 마음이 이미 떠났다는 걸 알았지. 에긴은 평생 동안 아레스를 비난했고, 엘린은 매일같이 아버지에 대한 비난을 들으면서 자랐어. 엘린도 덩달아 아레스와 네 엄마를 미워하게 됐지. 에긴은 엘린에게 너희 엄마가 물에 닿는 순간 죽이라고 부탁했을 거야. 나와 아미아는 엘린이 괴물로 변해 가는 걸 지켜볼 수밖엔 없었지. 방법이 없었어. 이미 운명은 우리의 손을 벗어난 상태였으니까."

"셸리코트는 집을 떠나서 후견인과 사는 거 아니었어? 엘린과 에긴, 아레스는 어떻게 그렇게 늘 긴밀한 관계였던 거야?"

"당연히 친부모님과의 관계도 계속 유지되는 거야. 에긴은 엘린이 어릴 때 어부에게 잡혀서 죽을 때까지 고문당하다가 생을 마쳤어. 그때부터 오로지 복수하는 것만이 엘린의 삶의 목표가 되어 버린 거야. 아마 네 엄마의 죽음도 엘린의 짓이겠지.

오랫동안 계획해 왔던 게 틀림없어."

캘럼의 말에 너무도 놀란 나머지 머리를 흔들었다.

"……엄마가 사고로 죽은 게 아니었다고?"

"엠마, 수인들이 얼마나 두려운 존재인지 분명히 알아 둬야
해. 엘린은 네 엄마를 찾아내서 죽인 거야. 에릭슨 박사는 그걸
대비해서 물을 멀리하라고 네 엄마에게 당부한 거지. 하지만
결국은 엘린의 계획대로 되고 말았어……."

그의 말은 너무도 충격적이었다. 엘린이 어디까지 위험해질
수 있는지 알게 되자 오싹했다. 잠시 침묵이 흐른 후, 오랫동안
머리에 맴돌던 질문을 어렵게 꺼내 놓았다.

"만약 돌아가게 되면, 아미아와 결혼하는 거야?"

그가 어떤 대답을 할지 두려웠지만, 진실을 알고 싶었다.

"응. 만약 돌아가게 되면 아미아와 결혼할 거야."

그러고는 한숨 섞인 탄식을 터뜨리며 덧붙였다.

"아미아는…… 엘린의 여동생이야."

캘럼이 그렇게 고민했던 이유를 알 것 같았다. 나도 모르게
긴 한숨이 나왔다.

"하지만 내 마음은 언제나 너만을 향해 있을 거야."

그 말도 그리 위로가 되지는 않았다. 모든 게 너무 복잡하고
어려웠다.

"하지만 이해가 되지 않는 게 있어. 셸리코트는 개인보다는
집단의 이익을 우선시한다며? 지금 엘린이 하려는 건 개인적인
복수잖아? 다들 그걸 알 텐데 어떻게 엘린이 아레스보다 더 많

은 지지를 얻고 있는 거야?"

캘럼이 고개를 끄덕였다.

"네 말이 맞아. 엘린이 주장하는 건 단지 개인의 복수가 아니야. 우리 종족은 천천히 멸망의 길을 걷고 있어. 기형아가 태어나는 횟수도 잦아지고, 정상적으로 태어난 아이들도 청소년기에 이르기 전에 세상을 떠나는 경우가 많아."

캘럼의 목소리가 무거웠다.

"우리들에게 삶의 터전인 호수나 바다는 더 이상 안전하지 않아. 인간들이 모든 걸 파괴하고 있으니까. 물이 점점 오염되는 바람에 식량조차 구하는 게 어려워졌어. 물풀이나 미역류는 입에 대지도 못해. 배에서 나오는 소음 때문에 의사소통도 어렵고, 인간들이 배출하는 가스가 후각을 마비시켜. 게다가 방향 감각마저 잃게 하지. 대형 어망 때문에 아이들은 더 이상 마음껏 바닷속을 누비지도 못해. 그 밖에도 우리의 생존을 위협하는 문제가 많지만, 이건 단지 셸리코트만의 문제는 아니야. 모든 생명체의 생존의 문제인 거지. 지난번 일어났던 고래들의 스트랜딩 사건을 떠올려 봐. 바로 이게 엘린이 다른 셸리코트를 선동하는 주된 논점이야. 인간과 전쟁을 해서 삶의 터전을 되찾고 모든 생명체를 지켜 내자는 거지. 상당히 설득력 있는 게 사실이야."

"다른 방법은 전혀 없는 거야?"

"만약 다른 방법이 생각나면 말해 줘. 우리도 정말 오랜 시간 동안 고민해 오고 있으니까."

그가 내게 슬픈 미소를 지어 보였다.

여태껏 그런 문제로 오랫동안 고민해 본 적은 없었다. 물론 인간들 때문에 많은 문제가 발생한다는 사실은 알고 있었지만, 언젠가는 어떻게든 해결되겠지…… 인간들도 정신을 차리고 현명하게 생각하겠지…… 하고 막연하게 생각해 왔다. 내가 할 수 있는 일이 없었다. 솔직히 인간인 게 부끄러웠다. 캘럼의 입에서, 자기 종족이 천천히 죽어 가고 있다는 말을 들어야 한다는 게 너무 슬펐지만, 마땅한 해결 방법은 떠오르지 않았다.

"이건 어때? 우리와 같이 생각하고 느낄 수 있는 인간과 같은 존재가 물 아래서 살아간다는 사실을 인간들에게 알게 해 주면 뭔가 다르게 행동하게 될지도 모르잖아."

"엠마, 안타깝지만 그럴 가능성은 적어. 인간들은 우리와 지구상의 모든 생명체에게 지난 수 세기 동안 해를 끼쳐 왔어. 자신들과 비슷한 존재라고 해서 달라지지는 않을 거야. 내 눈으로 지난 몇 년간 놀랄 만한 일들을 많이 봐 왔거든……."

"그런데도 어떻게 몇 년이나 여기에 머무를 생각을 한 거야?"

"왜냐하면 너희가 살아가는 세상이 너무도 다채롭기 때문이었어. 그걸 바라보는 건 정말 즐거웠지. 음악만 해도 수많은 음과 음표로 만들어지잖아? 삶에 대한 새로운 이야기를 들려주는 수많은 책들……. 인간만 해도 그래. 모든 인간은 다 다르고 개성이 넘쳐. 정말이지 모든 게 나에게는 새롭고 멋진 경험이었어."

캘럼이 마치 이제 이 모든 게 '과거'의 일이라는 투로 설명하자 왠지 끔찍했다. 나는 입술을 꽉 깨물며 침묵했다.

"하지만 인간의 잔혹함이나 옛 실수로부터 배우지 못하는 어리석음이 두려워. 인간 세상의 여러 가지 상황이 변하지 않는 한, 셸리코트의 존재를 세상에 드러내는 건 무리야."

19장

핸드폰 벨 소리가 시끄럽게 울려 댔다. 발신자는 캘럼이었다. 왠지 불길한 예감이 들었다. 나는 《한여름 밤의 꿈》에 대한 에세이를 쓰는 중이었다. 자유 테마였기 때문에 직접 고른 것이었지만, 지난 며칠간의 긴장 상황이 극심했던 터라 문장이나 내용에 집중할 수가 없었다. 핸드폰을 집어 수신 버튼을 눌렀다.

"왜?"

수화기 저편에서 침묵이 이어졌다.

"캘럼?"

수신 상태가 안 좋은 건지 걱정이 되었다.

"여보세요? 내 말 들려?"

"……엠마, 때가 됐어."

그가 작고 낮은 목소리로 속삭였다.

"의회에서 초대장이 왔어. 엠마, 너도 같이 와 주길 바라나 봐. 하지만 넌 갈 필요 없어. 그들이 어떤 판결을 내릴지 모르는 데다 널 거기에 데려가는 건 사자 굴로 끌고 들어가는 거나 마찬가지야."

그가 말한 내용을 이해하려고 잠시 침묵해야 했다. 엘린이 드디어 일을 저지르고 만 거다. 의회에 우리에 대한 걸 알린 걸 보면 정면으로 싸움을 건 거나 마찬가지다. 하지만 캘럼이 나에게 의회에 참석하지 말아 달라고 부탁하는 건 이해할 수 없었다.

"캘럼, 당연히 나도 같이 갈 거야. 너 혼자 보낼 수는 없어. 이건 네 문제만이 아니라 나와도 상관이 있는 거잖아."

최대한 억지스럽지 않게 설명하려고 노력했지만 의회에 참석하려는 생각은 확고했다. 제삼자들이 우리의 삶을 결정하도록 놔두라는 거야?

"정말 고집불통이구나."

수화기 너머로 캘럼이 낮게 중얼거렸다.

"오늘 들를 거지?"

그의 화를 무시하며 물었다.

"모르겠어."

그러고는 전화가 끊어졌다.

핸드폰을 멍하니 들여다보았다. 이제 때가 온 것이다. 엘린에게 우리 사이를 들킨 뒤부터 정말 매 순간 불안에 떨며 기다

려 왔다. 하지까지는 아직 2주가 남아 있었다. 2주 후에 앞으로
의 삶을 판가름 짓게 될 중대한 판결이 내려진다는 걸 상상하
기 어려웠다. 어쩌면 상상하지 않는 게 나았다. 과연 어떤 일이
벌어지게 될까?

두려움이 스멀스멀 차올랐다.

부엌으로 내려가니 피터가 컵을 씻고 있었다. 냉장고에서
오렌지 주스를 꺼낸 후 컵을 꺼내려고 몸을 돌리는데 주스 통
이 손에서 미끄러지더니 바닥으로 곤두박질쳤다. 사방으로 주
스가 튀었다.

"엠마, 괜찮아? 너 얼굴이 창백해 보여."

"캘럼이 전화했었어."

가능하면 이성적으로 생각해 보려고 노력했다. 바닥을 정리
하는 동안, 피터는 참을성 있게 나를 기다려 주었다.

"그래서 무슨 말을 했는데?"

침묵을 깨고 그가 물었다.

"대의회에서 초대장이 왔대. 그런데 캘럼뿐만 아니라 나도
같이 와 주길 바란다는 거야. 캘럼은 내가 거기에 가지 않는 게
나을 거라고 했지만 난 도망치지 않을 거야."

사실 스코틀랜드의 평범한 가정집에서, 평범한 부엌 안에서
주스를 닦아 내며 이런 이상한 이야기를 하는 게 정말 안 어울
려서 나도 모르게 고개를 흔들며 웃고 말았다. 피터가 굳어진
얼굴로 말했다.

"너 인도자 외의 다른 인간이 의회 앞에 서는 게 금기라는 건 알고 있어?"

"그건 또 어떻게 알게 된 거야? 아니, 몰랐어! 왜 나는 몰랐지?"

눈살을 찌푸리면서 바닥을 닦던 행주를 설거지통 안으로 던져 넣었다.

"전에도 말한 적 있었잖아. 캘럼이 사는 세계를 좀 더 이해해야만 한다고. 그들이 널 초대한 건 정말 예외적인 일이야. 어쩌면 캘럼 말이 맞아. 네가 집에 있는 편이 안전할 수도 있어."

"아니면 내 말이 맞을 수도 있지. 내가 거기 가는 편이 더 안전할 수도 있어."

그의 말투를 흉내 내며 비아냥거렸다. 피터가 잠시 고민하더니, 나를 주방 의자에 앉혔다. 사실은 더 서 있을 수도 없는 지경이었다. 의자에 몸을 웅크리고 앉아서 팔로 다리를 감싸 안은 후 다리 사이에 얼굴을 묻었다. 그가 내 곁에 앉아서 어깨를 다독여 주었다.

"사실은 최근에 에릭슨 박사님 집에 자주 찾아갔었어."

그가 미안하다는 듯 말을 이었다.

"박사님이 나에게 '인도자'가 알아야만 하는 모든 걸 다 알려주셨거든. 그런 다음엔 의회 앞에 서서 그들의 시험을 통과해야 인도자로 선출될 수 있어."

그런 게 있었다니……. 전혀 몰랐다.

"아무튼 나도 너희와 함께 갈 거야."

그 말에 깊이 안도했다. 마치 든든한 지원군이 배후에 버티고 있는 것 같아서였다. 말없이 그를 안고 한숨을 내쉬었다.

2주의 시간은 너무도 빠르게 흘러갔다. 캘럼과 단둘이 보낼 수 있는 기회는 드물었다. 항상 피터나 에릭슨 박사와 함께 앉아서, 대의회에서 벌어지게 될 일들에 대한 설명을 들어야만 했다.

"네가 이 모든 걸 어떻게든 알고 있어야만 해."

피터가 한 천 번쯤 했던 말을 반복했다. 한숨을 내쉬면서 캘럼의 어깨에 머리를 얹었다.

"피터, 다 알아들었어. 정말 충분히 이해했다니까. 이제는 내가 뭘 해야 할지 알겠으니까, 제발 오늘 저녁만이라도 우리 좀 놔둬."

피터가 캘럼을 바라보았고, 그가 고개를 끄덕이자 말없이 자리를 비켜 주었다.

"진짜 지친다……."

한숨을 토해 내며 투덜거렸다.

캘럼이 말없이 나를 무릎 위에 앉히며 말했다.

"네가 걱정돼서 그러는 거야."

그가 중얼거렸다.

"아직 의회의 부름을 거절할 기회는 있어. 네가 그냥 집에 있어 준다면 얼마나 좋을까."

"싫어. 무슨 일이 있어도 함께 갈 거야."

그의 입을 내 입술로 덮어 버리면서 말했다. 우리는 집 뒤의 정원 벤치에 앉아 있었다. 오후의 햇볕이 따뜻하게 내리쬐었고, 따스한 바람이 살갗을 어루만졌다. 정원의 꽃들 사이로 꿀벌과 나비가 왕래하는 소리가 간간이 들려올 뿐, 사방은 고요하고 평화로웠다. 때로 집 앞을 지나가는 오토바이나 자동차의 엔진 소리가 들려올 뿐이었다. 이런 평화가 곧 끝나리라는 게 믿기지 않았다. 캘럼이 따스한 손가락으로 내 얼굴을 어루만졌다. 눈을 감고 이 순간을 만끽했다.

헛기침 소리가 났다. 눈을 떠 보니 피터가 팔짱을 끼고 서 있었다. 어쩌면 마지막일지도 모르는 우리만의 시간을 자꾸만 방해하는 게 화가 났다.

"엠마, 이제 가야 해. 내일 새벽에 출발해야 하기 때문에 짐도 미리 꾸려 놔야 한다고."

투덜거리고 싶은 마음을 참으면서 캘럼의 팔짱을 끼고 입술을 삐죽 내밀었다.

"오늘 밤, 들러 줘."

캘럼의 귓가에 속삭였다. 이게 부탁이 아니라 명령이라는 걸 그가 알아채야 할 텐데. 캘럼이 내 이마에 입 맞추며 말했다.

"피터가 옳아. 오늘 밤엔 푹 자 두어야 해."

어떻게 피터 편을 들 수가 있지? 화가 나서 자동차까지 씩씩대며 걸었다. 집에 돌아가면서 피터와는 말도 섞지 않았다. 도착하자마자 내 방으로 뛰어올라가 방문을 쾅 닫아 버렸다. 정말이지 혼자 있고 싶었다.

　다행히 모두들 내 기분을 살펴 준 건지, 저녁 먹을 시간까지 아무도 나를 귀찮게 하지 않았다. 그래서 조용히 혼자 짐을 꾸렸다. 요정, 늑대인간, 뱀파이어나 그 밖의 다른 '마법 세계의 존재들'을 만날 때에는 도대체 무슨 옷을 입어야 하지? 바보 같은 남자들은 거기에 대해서는 일언반구의 조언도 해 주지 않았다. 소피한테 전화해 볼까? 아마도 어떤 복장이 나을 거라고 조언해 주실 텐데. 하지만 평소 소피의 스타일로 짐작하건대, 화려한 색상의 옷을 권해 줄 확률이 높았다. 그런 옷은 입고 싶지 않았다. 오랜 시간 고민한 끝에, 다리에 가볍게 달라붙는 갈색 바지에 흰색 티셔츠, 반소매의 초록색 볼레로를 골랐다. 이건 외숙모가 지난 크리스마스 때 아멜리와 내게 하나씩 직접 떠서 선물해 준 거였다.

　짐을 꾸리고 핸드폰을 충전시켜 놓은 다음엔, 노트북 앞에 앉아서 에세이를 마저 썼다. 물론 이걸 제출하게 될 수 있을지는 확실치 않았지만, 일단 부정적인 생각은 접어 두기로 했다. 몇 시간 동안 집중한 끝에 《한여름 밤의 꿈》에 등장하는 모든 등장인물—오베론, 헬레나, 라이샌더, 드미트리우스와 허미아에 대한 에세이를 써 냈다. 그런 후에는 저장 버튼을 누르고, 노트북을 껐다.

　시간을 보니 벌써 7시 30분, 저녁 식사 시간이었다. 부엌으로 내려가 보니 평소와 달리 모두 조심스럽고 조용했다. 식탁 위에는 긴장이 감돌았고, 문득 벌써 몇 주째 입맛이 없다는 걸 깨달았다.

외숙모는 나에게 힘을 주고 싶었던 건지, 아니면 단지 자신을 진정시키고 싶었는지 모르겠지만 내가 제일 좋아하는 음식을 해 놓고 기다리고 있었다. 채소를 넣은 치즈 오븐 라자냐에 후식으로는 루밥 크럼블이 준비되어 있었다. 맛은 있었지만 다들 입맛이 없는 듯 얼굴이 어두웠다. 아무것도 모르는 한나와 앰버조차도 기운이 없어 보였다.

식사 후 외숙모가 식탁을 치우는 걸 도운 다음에는 다시 곧장 방으로 올라왔다. 계속 앉아서 설교나 경고성 잔소리를 듣기에는 너무도 지쳐 있었다. 재빨리 잠옷으로 갈아입고 욕실에서 후다닥 씻은 후 침대에 누웠다. 캘럼이 오리라고는 기대하지 않았지만, 설마 하는 마음에 이리저리 뒤척이다, 새벽녘에야 겨우 잠이 들었다.

그의 온기가 느껴져서 잠에서 깨어났다.

"더 자."

그가 속삭였다.

눈을 감고 그의 체취를 맡으며, 그의 입술을 찾았다. 손으로 그의 등 근육을 어루만졌고, 그의 몸에 내 몸을 강하게 밀착하며 떨어지기 싫다는 의사를 표현했다. 이게 정말 마지막일지도 모르니까. 캘럼도 나와 같은 생각이었는지 말없이 나를 강하게 끌어안았다. 심장이 마치 하나로 합쳐져서 녹는 것 같았다. 하지만 마지막 키스의 순간은 너무도 빨리 찾아왔고, 그는 아침 해가 뜨기 전에 소리 없이 창밖으로 사라졌다.

그의 텅 빈 온기와 체취를 끌어안으며, 다시 한 번 잠을 청했다.

동이 틀 무렵, 똑똑 노크 소리가 들렸다. 헝클어진 머리칼을 정돈하고 몸을 일으켰다. 어쩌면 내 일생일대의 날로 기억될지도 모르는 하루가 시작되려 하고 있었다. 한번 크게 숨을 골랐다. 방문 앞에는 아멜리가 벽에 등을 기대고 서 있었다. 그러고는 나를 욕실로 이끌고 가 샤워를 시킨 후 머리부터 발끝까지 단장해 주었다. 눈썹을 정리하고 화장을 한 다음 립글로스로 마무리하니 왠지 산뜻하면서도 강해 보였다. 겉모습만으로 약간은 압도할 수 있을 것 같은 기분이었다.

"정말 예쁘다!"

아멜리가 감탄했다.

그러고는 머리칼이 부드럽고 윤기 있게 찰랑거릴 때까지 빗으로 빗어 주었다. 몸단장을 마친 후에는 출발 직전까지 방에 혼자 있을 수 있도록 배려해 주었다. 엄마의 사진을 바라보면서, 마음속으로 조용히 말을 걸었다. 엄마도 아마 나와 같은 기회를 가질 수 있길 바랐을 거다. 손끝에 입을 맞추어서 엄마의 얼굴을 어루만졌다. 이게 마지막은 아닐 거라 믿었다. 아니, 믿고 싶었다.

외삼촌과 외숙모, 아멜리가 복도에 서서 우리를 배웅해 주었다. 외삼촌이 나와 피터를 차례대로 끌어안아 주었고, 외숙모는 피터를 어찌나 세게 끌어안았던지 마치 영원히 놓고 싶지 않은 것 같았다. 피터가 천천히 포옹을 풀면서 엄마의 볼에 입을 맞추며 말했다.

"엄마, 반드시 돌아올게."

외숙모의 눈가에 눈물이 맺혔다.

그런 다음엔 집 앞에서 대기 중인 차에 올라탔다. 차 안에는 에릭슨 박사와 캘럼이 기다리고 있었다. 외삼촌과 에릭슨 박사가 굳은 악수를 나누었다.

차가 스코틀랜드의 초원을 달리는 동안, 캘럼과 뒷좌석에 앉아 손을 꼭 잡았다. 회색빛 하늘은 온통 구름으로 뒤덮여 있었다. 어제는 그렇게나 따뜻하고 쾌청했는데 비라도 한바탕 쏟아질 것 같은 예감이 들었다. 만약 이후에 닥칠 일들에 대한 걱정만 없었더라면 창밖으로 스쳐 지나가는 아름다운 스코틀랜드의 풍경에 마음을 빼앗겼을 거다. 산과 호수, 집을 지나칠 때마다 에릭슨 박사의 설명이 이어졌다. 어느덧 빗방울이 굵어지자 와이퍼가 끊임없이 움직이며 차창 위의 물방울을 치워 냈다. 와이퍼가 뻑뻑대며 움직이는 소리를 들으면서 꼬리에 꼬리를 무는 상념 속으로 빠져들었다.

도착지에 가까워질수록 심장이 죄어드는 것 같았다. 그러다가 문득 정신을 차려 보니 캘럼의 손을 너무 세게 쥐고 있던 탓에 피가 통하지 않아서 하얬다. 미안한 생각에 얼른 손을 놓으니, 그가 미소 지으며 내 어깨를 안아 주었다.

"엠마, 정말 아름다워. 오늘 무슨 일이 일어나든 지금 너의 이 모습을 영원히 기억할 거야."

에릭슨 박사가 우리를 돌아보며 말했다.

"자, 이제 얼마 안 남았다. 반 마일만 더 가면 목적지에 도착하게 될 거다. 엠마, 마음의 준비는 된 거니?"

자세를 고쳐 앉으며 고개를 끄덕였다. 긴장 때문에 목소리는 나오지 않았다.

피터가 백미러로 나를 바라보며 말했다.

"의회 앞에 서면 네가 먼저 말을 꺼내선 안 돼. 에릭슨 박사님이 말하도록 하고 만약 너에게 직접 질문하면 그때만 대답할 수 있어. 그게 규칙이니까 잘 염두에 둬."

"알았어. 이 중세적 고리타분한 관습에 대해서는 벌써 백번도 넘게 들었잖아. 못 알아먹을 정도로 바보는 아니야!"

백미러에 비친 피터의 눈을 쏘아보자, 그가 알았다는 듯 입을 다물었다. 솔직히 피터가 동행해 줘서 기뻤는데도 마음과는 정반대로 쌀쌀맞은 말들이 튀어나왔다. 긴장된 얼굴로 차창을 바라보았지만, 아무것도 보이지 않았다. 유리창에 비치는 초록색으로 숲에 들어왔다는 걸 짐작할 수 있을 뿐이었다.

"아직은 아무것도 안 보일 거야."

캘럼이 귓가에 속삭였다.

"아발라Avallach는 비밀을 전수 받은 자들에게만 보여."

무슨 뜻인지 몰라 어리둥절한 표정을 지었지만 캘럼은 미소 지을 뿐이었다. 우리는 작은 강 위의 낡은 돌다리를 건넜다. 강에서 은빛 안개가 스멀거리며 올라와 사방에 짙게 깔렸다. 에릭슨 박사가 차의 속력을 낮추었다. 한참을 기다린 끝에 안개가 약간 걷혔고, 저편 산속에 성 하나가 보였다. 아래쪽에는 여전히 안개가 깔려 있어서 뾰족한 네 개의 첨탑 외에는 잘 보이지 않았다. 녹색 산들로 둘러싸인 성의 외벽은 검은색에 가까운 짙은 색이었고, 왠지 음산하면서도 섬뜩한 분위기를 풍겼다. 길고 좁은 길 하나가 성의 입구까지 이어져 있었다.

　"아직까지는 인간이 이 성에 접근했던 적은 없어."

　캘럼이 말했다.

　"안개가 성으로 향하는 길을 숨겨 주거든."

　성에 가까이 다가갈수록 회색 안개가 점차 걷혔고, 성 아래쪽이 호수라는 걸 알 수 있었다. 이번에도 좁은 다리 하나가 성과 호수를 잇고 있었다. 그때 구름 사이로 햇빛이 부서져서 안개 사이로 빛줄기가 쏟아져 내렸다. 거대한 무지개가 호수 위에 맺혔다. 바로 지금 눈앞에 펼쳐지는 광경이 이 세상의 것이라고 믿기 힘들었다.

　"엠마, 여기가 아발라야. 마법 세계의 존재들이 의회를 여는 곳이지."

　캘럼의 목소리가 떨렸다.

　"아발라…… 아발론."

　작은 목소리로 중얼거렸다. 캘럼이 전에, 마법 세계의 존재들이 고대 웨일스 어를 사용한다는 걸 말해 준 적이 있다. 예전에 아서 왕과 랜슬롯, 귀네비어 왕비에 대한 책들을 재미있게 읽었던 기억이 났다. 물론 이들의 사랑 이야기도 비극으로 끝나긴 했지만 말이다.

"이 성문은 글래스톤베리Glastonbury에서만 열리는 게 아니야. 아발라는 전 세계 각지에 흩어져 있는 인도자들을 연결시켜 주는 통로이기도 해."

에릭슨 박사가 설명해 주었다.

천천히 성의 입구를 통과하니, 놀랍게도 성 내부의 광장에는 약 20여 대의 자동차들이 주차되어 있었다. 다른 손님이 있을 거라고는 상상도 못 했는데 말이다. 의아하다는 표정으로 캘럼을 바라보니, 그가 웃으며 설명했다.

"물론 '마법 세계의 존재들'도 인간들의 하이테크놀로지가 편리하다는 건 알고 있어. 뱀파이어들조차 어두운 산속을 걸어 다니는 대신 자동차를 애용하는 시대니까 말이야."

"마법 세계의 존재들도 인간의 문화를 즐긴다고 생각하니까 좀 안심이 되네."

차에서 내려 캘럼의 손을 잡으며 말했다. 주위를 둘러보니 성은 놀랄 정도로 잘 보존되어 있었다. 아마도 누군가가 계속 관리해 온 것 같았다.

"이곳은 지난 몇 세기 동안 계속 사용되어 왔어. 전 세계에 흩어져 있는 각 종족의 청년들이 여기서 교육을 받아. 의회가 열릴 때는 수업이 없지."

에릭슨 박사가 설명해 주었다.

"대학 같은 건가요?"

내가 묻자 박사가 고개를 끄덕였다.

"비슷해. 역사와 법률, 마법을 배워."

캘럼이 대신 설명해 주었다.

"이 모든 게 가능했던 건 당신 덕분이죠, 에릭슨 박사님."

우리 뒤에서 청아한 목소리가 들렸다. 깜짝 놀라서 뒤를 돌아보니, 긴 금발의 키가 크고 아름다운 남자가 서 있었다. 그는 청바지에 티셔츠, 털실로 뜬 겉옷을 입고 있었는데, 마치 성 내부의 관광 안내원 같은 느낌이었다. 하지만 자세히 보니 머리카락 사이로 뾰족한 귀가 보였다. 물론 의회에 모일 때에는 인간들의 시선을 피하기 위해 평범한 옷차림을 한다는 걸 에릭슨 박사에게 들었지만, 아무리 그래도 머릿속으로 상상해 오던 엘프의 모습과는 좀 달랐다.

"의회가 시작될 때까지는 좀 기다려야 해."

엘프로부터 눈빛을 거두지 못하는 내게 캘럼이 속삭였다. 그러자 엘프가 나와 캘럼을 돌아보았다.

"캘럼, 반가워요."

그가 짧게 인사하고는 나를 바라보았다.

"네가 엠마구나."

그의 눈빛이 나를 찬찬히 훑었다. 하지만 무례하거나 언짢을 정도는 아니었다.

"우리들의 초대를 이렇게 승낙해 주어서 고맙다. 대단한 용기가 필요했을 텐데."

그가 말을 이었다.

"아무것도 두려워할 필요 없어. 무사히 집에 돌아갈 수 있을 테니."

그의 반말이 귀에 거슬리긴 했지만, 별로 논쟁거리는 아닌 것 같아서 미소 지으며 고개를 끄덕여 보였다. 그리고 다 같이 그를 따라 성 내부로 들어갔다.

성 안은 마치 동화 속 세상 같았다. 대리석이 깔린 바닥 위에는 두꺼운 카펫이 깔려 있었고, 로마풍의 손잡이가 달린 단지와 향기로운 꽃이 담긴 그릇이 곳곳에 장식되어 있었다. 높은 천장에 연결된 긴 쇠사슬에는 백여 개의 촛불로 장식된 대형 샹들리에가 매달려 있었고, 벽마다 오래된 그림이 걸려 있었다. 입구 홀에는 소그룹의 사람들…… 아니 마법 세계의 존재들이 모여서 담화를 나누고 있었다. 아마도 다들 방금 도착한 모양이었다.

"올해는 뱀파이어가 의장을 맡았어."

캘럼이 작게 속삭였다.

"엘프들은 안내 및 행사 진행을 맡았고."

저 앞에서 한 젊은 남자가 다가와서 우리에게 열쇠 하나를 주었다. 톨킨이 쓴 소설의 '레골라스'를 연상시키는 엘프였다. 그가 에릭슨 박사에게 숙박 장소를 친절하게 설명해 주며 덧붙였다.

"모두 저녁 7시의 저녁 만찬에 참석해 주시면 감사하겠습니다.”

　그러고는 가볍게 고개를 숙이고 인사한 다음 사라졌다. 다른 그룹에게도 같은 방식으로 열쇠를 주고 설명하는 것 같았다. 주위를 둘러보니 계단 근처에 검은색 양복을 입은 한 무리의 남자들이 서 있는 게 보였다. 마치 월 스트리트의 회사원 같은 차림이었다. 이상할 정도로 피부가 창백하고 입술이 붉은 것만 빼면 말이다.

　“저들은 뱀파이어 귀족들이야.”

　캘럼이 내 시선을 의식하고는 설명해 주었다. 벽난롯가에는 한 무리의 젊은 남녀가 앉아 있었는데, 그중에는 밖에서 우리에게 인사하고 안내를 해 주었던 엘프도 있었다.

　“저쪽에 서 있는 건 엘프의 왕 코린이야.”

　캘럼이 속삭였다.

　“다들 엄청 젊어 보여.”

　“엘프들은 나이를 먹지 않아. 일정 나이까지 자라면 성장이 멈추고 영원 불사의 존재가 되지.”

　코린이라고 불린 남자가 입구로 가서 다른 일행을 맞았다. 벽난로 근처에 서 있던 엘프 무리 중에 붉은 머리 소녀 하나가 우리 쪽으로 다가왔다. 그러자 갑자기 행복한 기분이 들었고, 나쁜 일은 영영 일어나지 않을 것만 같았다.

　“캘럼, 다시 보니 반가워.”

　소녀가 영롱한 목소리로 캘럼에게 인사를 건넸다.

　“얘는 레이븐이야.”

캘럼이 소녀를 내게 소개해 주었다.

"우리는 아발라에서 같이 공부했고, 졸업도 같이 했어."

캘럼의 소개에 소녀가 미소 지었다.

"레이븐, 그거 그만해."

캘럼이 레이븐에게 나직이 속삭였다. 무슨 말인지 몰라서 어리둥절하게 서 있자 캘럼이 설명해 주었다.

"엘프는 인간의 감정을 컨트롤할 수 있거든."

"하지만 너무 긴장하고 있는 것 같아서. 무리도 아니지. 이런 분위기니까 말이야."

레이븐이 말했다. 그 순간, 방금 전까지 느꼈던 행복감과 안도감이 사라지고 다시 슬픔과 두려움이 밀려왔다. 약간 겁이 나서 캘럼의 팔에 달라붙자, 그가 내 어깨를 감싸 주었다. 레이븐이 우리를 보며 장난스럽게 말했다.

"네가 아미아 말고 다른 사람을 만날 수 있을 거라는 걸 알았다면 나도 대시해 볼걸."

"이제는 숙소로 가자."

에릭슨 박사가 제안했다.

"피터와 엠마는 분명히 저녁 식사 자리에서 겪는 일만으로도 벅찰 거다."

캘럼이 내 가방을 대신 들고 계단을 올랐다. 숙소로 향하는 길에는 호기심 어린 눈으로 우리를 바라보는 무리와 계속 마주쳤다.

"저들은 파우누스 무리고, 저쪽은 늑대인간 무리야. 이쪽 그림 아래쪽에 서 있는 건 요정들이고."

캘럼이 속삭였다.

계단을 올라가는데, 프런트가 웅성거리더니 문이 열리는 소리가 났고, 은빛의 긴 머리칼을 가진 남자 무리가 들어오는 게 보였다. 셸리코트들이었다.

"캘럼, 저기 봐!"

말할 필요도 없이 캘럼과 에릭슨 박사, 피터는 이미 걸음을 멈추고 그들을 바라보고 있었다. 캘럼의 눈이 엘린을 발견하고는 활활 불타올랐다.

"사악한 무언가가 다가오는군."

캘럼이 들릴 듯 말 듯 한 목소리로 《맥베스》를 인용했다. 아레스 옆에 선 엘린은 음흉한 눈빛으로 우리를 바라보았고 아레스도 이쪽을 바라보며 슬픈 미소를 지어 보였다. 캘럼이 내 손을 꼭 잡고 계단을 올랐다.

"엘린이 직접 나타날 거라는 거 알고 있었어?"

"아니, 하지만 그럴까 봐 두려웠지. 원래 배후에 숨어서 이리저리 조종하는 걸 좋아하거든. 하지만 이번만큼은 자신이 고발했으니 직접 나서기로 한 것 같아. 지금 방에 데려다줄 테니 나나 피터, 에릭슨 박사 외에는 아무도 방 안으로 들여보내지 마. 무슨 말인지 알지?"

"응. 그 정도는 알아들었어."

"코린한테 부탁해서 레이븐과 방을 같이 쓰게 해 줄게. 밤에 널 혼자 둘 순 없어."

"잠깐, 뭐?"

내가 항의했다.

"우리 방 같이 쓰는 거 아니었어?"

그가 어이없다는 듯 고개를 흔들며 웃었다. 그러고는 나를 안아 주었다.

"엠마, 도대체 어떻게 그런 생각을 한 거야?"

캘럼이 내게 입 맞추려고 다가왔을 때, 나는 화가 나서 고개를 돌려 버렸다.

캘럼은 나를 방 안으로 들여보낸 다음, 문을 잠그겠다는 약속을 받아 냈다. 그의 발소리가 멀어지자 문을 잠그고 방 안을 둘러보았다. 천장은 까마득히 높았고 벽에는 실크 벽지가 발라져 있었다. 방 중앙에는 네 개의 기둥이 달린 흰색의 커다란 침대가 있었고 그 안에는 짙은 녹색 실크 천을 씌운 쿠션이 놓여 있었다. 사방이 꽃으로 장식되어 있었기 때문에 방 안이 온통 꽃향기로 가득했다. 한쪽 벽에는 문이 있었는데, 호기심에 문을 열어 보니 작은 욕실이 준비되어 있었다. 창틀에는 작은 접시에 향기로운 입욕제 구슬이 색깔별로 준비되어 있어서 즉시 뜨거운 물을 받아서 입욕제를 넣고 욕조 안에 몸을 뉘였다. 거품과 향기, 따스한 온기가 전신을 녹여 주는 것 같았다. 마치 럭셔리 호텔에 놀러 온 기분이었다. 들떠서 애초에 여기 온 목적마저 잊어버릴 지경이었다. 눈을 감고 목욕을 즐기고 있는데 누군가가 문을 쾅쾅 두드리는 소리가 들렸다. 소스라치게 놀라서 겁에 질렸다.

"잠시만요!"

어떻게 해야 할지 잠시 고민하다가 벽에 걸린 샤워 가운을 걸쳐 입고 문으로 다가갔다. 발걸음을 옮길 때마다 하얀 거품이 대리석 바닥 위에 묻어났다.

"누구죠?"

조심스럽게 물었다.

"나야, 캘럼. 문 열어 봐."

"암호를 대."

거들먹거리며 뜸을 들였다.

"엠마, 제발."

그제야 잠긴 문을 열었다. 그러자 캘럼의 걱정 가득한 얼굴이 보였다. 그가 나의 젖은 머리칼과 욕조 가운 속의 분홍빛 살결을 바라보며 말했다.

"오늘 만난 것들 중 가장 위험한 존재군."

그가 문은 닫고 들어오면서 나를 끌어안고 젖은 머리칼 속으로 손가락을 밀어 넣었다. 그의 입술이 나의 입술과 호흡마저 가져가 버렸다.

"저녁…… 먹으러 내려가야 되지 않아?"

잠시 후 눈을 감은 채로 중얼거렸다.

"흠."

그가 입술로 천천히 귀와 목덜미에 입 맞추곤 한숨을 쉬었다.

"이성을 잃으면 안 되겠지?"

그가 내 체취를 들이마시며 말했다.

"그래야겠지."

캘럼이 나를 놓아 줄 생각이 없었기 때문에 어쩔 수 없이 그의 팔을 살짝 풀고 몸을 빼냈다.

"여기 얌전히 앉아 있어. 난 옷 갈아입을게."

최대한 부드럽게 말했다. 캘럼이 고개를 끄덕이면서도 자꾸만 나를 다시 붙잡으려고 했다.

"아직 30분은 족히 남았잖아."

그가 애절한 눈빛으로 바라보았다.

"안 돼. 아멜리가 없으니까 나 혼자 다 해야 한단 말이야."

욕조로 들어가 옷을 갈아입으면서 물었다.

"아레스는 만나 봤어? 엘린은 무슨 계획인 것 같아?"

캘럼이 욕실 문가에 서서 나를 바라보는 동안 화장품을 늘어놓고 오늘 아침 아멜리가 해 준 것과 비슷한 결과를 내 보려고 노력했다.

"엘린이 나에 대한 개인적인 탄원을 제출했어. 게다가 자기 추종자 6명을 데려왔어. 아마 다수결에서 셸리코트들의 의견을 반영했다는 걸 보여 주려는 거겠지."

"상황이 많이 나쁜 거야?"

캘럼의 눈빛이 진지해졌다.

"대의회의 결정은 모든 사람한테 똑같이 적용돼. 각 종족마다 열 명의 배심원을 세울 수 있지. 누가 우리를 위해 목소리를 내 줄지 모르겠어. 하지만 적어도 엘린 패거리 6명은 반대 의견을 낼 거야. 아까 코린이 널 무사히 돌려보내 줄 거라고 약속한 게 그나마 다행이야."

입술을 깨물었다. 생각보다 상황이 너무 불리했다.

머리를 말리는 동안 우리는 각자의 생각에 빠져서 가만히 침묵을 지켰다.

"준비됐어?"

준비를 마치자, 캘럼이 물었다.

"응."

적어도 목소리만이라도 떨지 않으려고 노력하면서 고개를 끄덕였다.

26장

캘럼과 함께 계단을 내려가 저녁 만찬회장으로 들어가니, 감미로운 피아노 소리가 들려왔다. 긴 연회상은 흰색 식기로 덮여 있었고, 그 위에는 거대한 촛대가 장식되어 있었다.

우리에게 방 열쇠를 건네주었던 젊은 엘프가 자리를 안내해 주었다. 내 옆에 각각 아레스와 캘럼이 앉게 되었다는 사실이 무엇보다도 기뻤다.

아레스가 밝은 얼굴로 나를 바라보았다.

"네가 정말 자랑스럽구나."

그가 속삭였다.

"네 엄마만큼이나 아름답게 자라 주어 고맙다."

대답 대신 감사의 눈길을 담아 미소 지어 보였다. 아레스는 지난번보다 훨씬 강인한 모습을 되찾은 것 같았다. 눈빛에 슬픈 기미가 없었고, 오히려 싸울 준비가 된 전사 같았다.

피터는 내 건너편에 앉아서 신기해하다 못해 얼빠진 얼굴로 참석자들을 관찰하고 있었다. 갑자기 사방이 조용해졌고, 음악 소리와 웅성거림도 잦아들었다.

"오늘 이 자리에 참석해 주신 친애하는 여러분을 감사와 존경을 담아 환영하는 바입니다."

연회장의 맨 앞쪽에서 목소리가 들려왔다. 여태껏 들어 본 적 없는 기괴하고 특이한 목소리였다.

"특히 손님으로 참석해 주신 분들께 가장 먼저 두 팔 벌려 환영의 인사를 건넵니다."

창백하고 매력적으로 보이는 한 남자가 우리 일행과 다른 몇몇 그룹을 바라보며 말했다. 그의 눈빛이 매우 강렬해서 차마 눈을 마주칠 엄두도 내지 못하고 고개를 돌렸다. 그의 말이 끝나기가 무섭게 회장 안은 박수 소리로 가득 찼다.

"언제나처럼 우리가 당면한 몇 가지 문제들이 있습니다. 우리는 이 문제들을 가지고 의회 앞에 서서 올바른 결정을 내려야 합니다. 그리고 우리와 인간과의 관계에 대한 발전적인 논의도 이루어지게 됩니다."

그 순간 날카로운 엘린의 시선을 느꼈다. 그가 증오로 활활 타오르는 눈으로 나를 노려보았다. 얼른 눈을 돌려서 앞을 바라보았다.

"논의에 앞서, 특별한 만찬을 들면서 우리 사이의 화해와 친목을 나눌 수 있기를 바랍니다. 오늘의 만찬은 요정 족이 준비했다고 합니다. 모두 즐거운 시간 되시길!"

그가 회장 안을 둘러본 후 자리에 앉았다.

식탁의 양 끝에는 거대한 문이 있었는데 그 문들이 열리면서 긴 금발의 요정들이 들어왔다. 두 살 어린이의 키보다 작은 이 신비한 존재들의 손에는 커다란 은쟁반이 들려 있었고 그 위에는 향기로운 냄새가 나는 음식들이 놓여 있었다. 그제야 오늘 하루 종일 아무것도 안 먹었다는 걸 깨달았다. 위에서 꼬르륵 소리가 났다.

피터가 요정들을 바라보는 얼굴이 하도 웃겨서 나도 모르게 큭큭거리자 캘럼이 옆구리를 찔렀다. 내 바로 옆에 요정 하나가 날아왔다. 가까이서 보니 요정의 옷이 특이했다. 옷을 지은 천—천이라고 말할 수 있을지 모르겠지만—이 투명한 무지개색으로 빛났는데, 투명하면서도 속이 들여다보이지 않았다. 정말 신기해서 만져 보고 싶어 나도 모르게 손을 들었다가 분명 예의에 어긋날 거라는 생각에 조용히 손을 거뒀다.

"뭐라도 좀 먹어 봐."

캘럼이 권했다. 요정의 은 접시 위에는 이제까지 본 적 없는 음식이 놓여 있었다. 버섯 같기도 하고 꽃 같기도 했다. 용기를 내서 그중 몇 개를 집으니 요정이 인사하고 다음 사람에게 날아갔다.

"이게 뭐예요?"

아레스에게 물었다.

"글쎄, 사실은 나도 잘 모르겠구나. 요정들의 특별식이란다.

먹는 사람마다 다른 맛을 느낀다고 하더구나. 자신이 제일 좋아하는 음식 맛이 난단다."

매우 신기해서 눈을 휘둥그레 떴다.

"이번 만찬을 맡은 게 요정이길 천만다행이지……. 지난번에는 늑대인간들이 담당이었는데 그건…… 흠."

아레스가 고개를 흔들며 한숨을 쉬자 깔깔 웃고 말았다. 조심스럽게 음식 하나를 집어 입으로 가져가 천천히 음미하며 씹어 보았다. 그러자 입안의 미각이 마치 꽃이 피어나듯 활짝 피어나더니, 이제까지 느껴 보지 못한 맛들의 황홀경에 빠졌다. 딸기와 나무딸기, 약간의 레몬 향이 느껴지는 진기한 맛이었다.

잠시 후에는 작은 남자 요정이 다가와 커다란 은색 호리병에 담긴 투명한 액체를 잔마다 따라 주었는데, 산딸기와 민트향이 감도는 청량하고 시원한 생수 맛이 났다.

한 코스가 끝나면 다음 코스가 이어졌다. 주변을 둘러보니 늑대인간과 뱀파이어 무리도 보였다. 그들이 요리한 음식은 어떤 맛이 날까? 식탁 위의 분위기는 흥겨웠다. 모두 즐거운 표정으로 요정들이 날라다 주는 음식을 맛보았고, 곳곳마다 웃음소리와 감탄사가 터져 나왔다. 엘린과 그의 추종자들만 조용히 앉아서 두 명의 엘프와 담소를 나누고 있는 캘럼을 주시하고 있었다.

시간이 얼마나 흘렀는지 알 수 없었다. 그 모든 게 말할 수 없이 신기해서 지루하지 않았다. 후식이 나올 무렵, 파우누스

들이 악기를 연주하며 낯선 언어로 노래를 시작했다. 그들의 낮은 목소리가 연회장을 울리며, 연회장의 벽에 상상의 그림을 그려 냈다. 인간과 싸우는 모습, 사랑을 나누는 연인들의 열정적인 모습, 모닥불 주변을 춤추는 어린아이들의 모습이 보였다.

노래가 끝나자 의장을 맡은 뱀파이어가 큰 목소리로 연회장 내의 사람들에게 말했다.

"훌륭한 음식이 오랜 여행으로 지친 몸에 힘이 좀 되었으리라 믿습니다. 분명 여러 가지 새로운 정보도 교환하셨으리라 사료됩니다. 이제 의회를 시작할 시간이 된 것 같습니다. 30분 후에 의회장에 모여 주시기 바랍니다."

모두가 고개를 끄덕였고 자리에서 일어났다. 캘럼과 나, 에릭슨 박사와 피터는 홀에 가서 아레스를 기다렸다.

곳곳에서 벽난로가 활활 타오르고 있었지만, 내 손발은 차디차게 식어 갔다. 긴장감이 극도로 고조되었다는 뜻이었다. 캘럼이 내 손을 꼭 잡고 따뜻한 온기를 나눠 주었다.

"다 잘될 거야."

그게 나에게 해 준 말인지 스스로에게 한 말인지는 알 수 없었다.

홀 끝의 문이 열렸고, 우리는 벽면에서 횃불이 타오르며 밝히는 통로를 지나 지하로 연결되는 계단을 내려가기 시작했다. 캘럼과 나는 손을 잡고 조심스럽게 한 발 한 발 내디뎠다.

계단은 끝없이 이어졌다. 마치 비늘이 번쩍거리는 뱀 한 마리가 지하까지 구불거리면서 쭉 뻗어 있는 것 같은 긴 행렬이었다. 드디어 거대한 문 하나가 보였고 문이 열리면서 넓은 회의장이 모습을 드러냈다. 마치 로마 시대의 원형 극장 같은 형태였다. 반원 모양의 긴 의자가 늘어서 있었고, 회의장 중앙에는 돌로 만든 원탁과 다섯 개의 의자가 놓여 있었다. 벽면에는 다음과 같은 핏빛 글귀가 새겨져 있었다.

너희는 뱀처럼 지혜롭고, 비둘기처럼 순결할지라.

분명 어디선가 들어 본 말인 것 같았다. 회의장 내에는 세 개의 거대한 기둥이 천장을 받치고 있었고, 좌석마다 붉은색 우단 쿠션이 놓여 있었다. 자세히 보니 모든 의자는 돌로 만들어져 있었는데 마치 지하의 암석을 그대로 깎아서 만든 것 같았다. 수많은 양초와 횃불이 회장 내부를 환하게 밝혔다.

회의장의 분위기에 압도된 채 캘럼 옆에 마련된 좌석에 앉았다. 그러자 엘린의 추종자들인 셸리코트 무리가 심하게 반발했다. 아레스도 내 옆에 앉았다. 에릭슨 박사와 피터는 인도자들을 위해 마련된 좌석에 앉았다.

의회가 시작되었다. 이번에는 뱀파이어가 의장을 맡았기 때문에 다섯 명의 뱀파이어가 의회를 진행하기 위해 중앙의 탁자 위에 앉았다.

"각 종족별로 열 명이 투표할 수 있지. 얼마나 많이 이 자리에 참석했느냐는 중요하지 않아."

아레스가 속삭여 주었다. 부디 다른 종족들이 나와 캘럼을 위해 투표해 주길 바라는 수밖에는 없었다.

뱀파이어 의장이 회의를 개시했다. 그의 이름이 미론이라고 아레스가 알려 주었다. 먼저 난쟁이 족과 요정 족 사이의 분쟁 건이 제기되었는데 거기에 엘프 족이 난쟁이 족의 광산을 약탈한 사건도 끼어 있는 듯했다. 각 종족 간에 열띤 논쟁이 벌어졌고 각 종족 대표 간에 입장 표명의 기회도 주어졌다. 그다음에는 의장단의 질문이 이어졌다. 마지막으로는 참석자 중 판결 결과를 제시해서 투표에 붙였다. 붉은색 카드는 유죄, 초록색 카드는 무죄였다.

"판결 결과는 곧바로 적용돼. 하지만 동시에 분쟁자들도 서로의 입장을 조율하기 위해 노력하지. 그래서 판결 결과가 당사자들 모두의 수긍을 얻을 수 있어."

캘럼이 설명해 주었다.

잠시 후 새로운 안건을 알리는 종이 울렸다.

"다음은 셸리코트 족 엘린이 자신의 의붓 형제인 캘럼을 종족 기만 죄로 고소한 건입니다. 엘린은 캘럼이 인간 여성과 관계를 맺었을 뿐 아니라 종족의 존재에 대해 다수의 인간들에게 알렸다고 주장하고 있습니다. 엘린과 캘럼은 앞으로 나와 주십시오."

엘린이 오만하게 고개를 치켜들고 당당하게 의회 앞에 섰다. 뺨의 상처는 어느덧 아물어서 붉은 기가 감돌았다. 엘린은 큰 소리로 자신이 여태껏 우리 둘을 감시해 왔다는 사실을 고했고, 종족의 비밀을 누설한 죄로 '인도자'인 에릭슨 박사도 기소했다.

그의 말을 듣고 있자니 얼마나 인간을 증오하는지 알 수 있었다. 캘럼은 그의 옆에서 아무런 표정의 변화 없이 잠자코 그의 말을 듣고 있었다.

"……따라서 오늘 이 몸은 의회 앞에 서서 캘럼의 처벌을 요구하는 바입니다. 그는 우리 모든 종족의 가장 중요한 원칙과 규율을 짓밟았습니다. 이는 어떠한 형태로도 가볍게 넘길 수 없습니다. 우리들의 비밀을 알게 된 인간은 처형해야만 합니다. 그게 우리의 전통입니다. 이자들의 죄를 결코 가볍게 넘길 수는 없습니다!"

엘린의 말이 끝나자 좌석에서 웅성거림이 일었다. 나는 딱딱하게 굳어진 채 가만히 앉아 있었고, 군중들은 흥분해서 머리를 흔들거나 호기심 어린 눈으로 나를 훑어보았다.

"캘럼, 반론하겠는가?"

미론이 물었다.

캘럼이 몸을 굽혀 의장단에게 예를 표한 후 입을 열었다.

"경외하는 의회와 이 자리에 참석하신 모든 분들께 이 자리를 빌려 저의 죄를 인정하는 바입니다. 저는 제 종족의 규율에 어긋나는 행동을 저질렀습니다."

군중이 야유를 보냈지만 캘럼은 아랑곳하지 않고 계속 말을 이었다.

"저의 형제 엘린의 기소 내용과 같이 저는 한 인간 여성을 사랑하게 되었습니다. 하지만 그의 주장과는 달리 그녀와 깊은 관계를 맺지는 않았습니다."

군중의 소요가 잦아들었다. 모두 놀란 눈으로 속삭이는 소리가 들렸다.

"엠마도 저도 제 종족의 법을 짓밟는 행동은 범하지 않았습니다. 하지만 그녀에게 종족의 비밀을 누설한 건 인정합니다."

"보름달 밤에 그녀와 함께 물속에 들어갔는데, 그녀가 널 거부할 수 있었다고 말하는 건가?"

엘린이 캘럼을 향해 고함을 질렀다.

"고작 인간 주제에 우리를 거부할 수 있었다고? 너도 네 말이 얼마나 가소로운 거짓인지 알고 있겠지!"

"엘린, 네 말이 맞아. 하지만 어쨌든 그러지 않았어. 우리는 법에 저촉되는 행동을 한 게 아니야."

그날 밤의 일이 떠오르자 얼굴이 빨개져서 차마 고개도 들지 못한 채 발끝만 바라보았다. 아레스가 내 손을 꼭 잡아 주었다.

"그럼 이 자리에는 왜 데리고 나타난 거지?"

엘린은 끝까지 물고 넘어질 심산이었다. 그의 물음에 캘럼이 침묵했다. 대답을 고심하는 것 같았다. 엘린의 얼굴에 날카로운 비웃음이 스쳤다.

"이건 문제가 안 됩니다."

캘럼이 큰 목소리로 말했다.

"어쨌든 모든 게 제 잘못이니 처벌 받는 것도 저 하나로 충분합니다. 엠마는 보내 주십시오."

엘린이 가소롭다는 듯 웃음을 터뜨렸다.

"캘럼, 이 모든 게 그렇게 만만한 문제가 아니야. 인간과 사귀더니 생각이 짧아졌군. 우리 존재에 대해 알게 된 이상 죽음을 면할 수는 없어."

좌석에서 엘린의 말에 동의하는 웅성거림이 일었다. 나는 겁에 질렸고, 캘럼의 안색도 창백해졌다.

미론이 판결봉을 두드리며 좌중에게 정숙을 요구했다.

"엘린, 그대에게 판결을 내릴 권한은 없네."

미론의 말에 약간 안도했다.

"하지만 우리 규율에 따르면······."

엘린이 미론을 향해 외쳤다.

"처벌을 면할 방법은 없습니다. 그녀는 인간입니다!"

엘린이 '인간'이라는 말을 내뱉을 때, 그가 얼마나 우리를 미워하고 경멸하는지 느낄 수 있었다. 그러자 나도 모르게 벌떡 일어서서 외쳤다.

"엘린, 난 인간이 아니에요. 나의 아버지는······ 셸리코트예요!"

엘린이 놀라서 몸을 움찔했다. 좌중이 술렁거렸다. 캘럼이 내 곁으로 다가와 나를 보호하듯 섰다. 입술을 깨물며 바닥을 노려보았다. 내가 지금 무슨 짓을 한 거지?

미론이 좌중의 혼란을 진정시키는 데에만 많은 시간이 걸렸다.

"엠마, 지금 네가 무슨 말을 하는지 아는 게냐? 네 아버지가 누구인지 지금 이 자리에서 밝힐 수 있는가?"

미론이 눈을 가늘게 뜨고 나를 바라보았다. 이는 분명 그에게도 큰 호기심을 불러일으킨 것 같았다. 모두가 내 얼굴만 바라보는 가운데, 견딜 수 없이 무거운 침묵이 흘렀다.

"접니다."

아레스가 몸을 일으켜 내 곁에 섰다. 웅성거림과 놀라움으로 인한 탄식이 빗발쳤다.

"아레스, 그게 뭘 의미하는지 분명히 알고 있소?"

아레스가 고개를 끄덕였다.

"저도 제 딸의 존재에 대해 평생 모르는 채 살아오다가 지난 몇 주 전에야 알게 되었습니다. 어떤 처벌이든 달게 받겠습니다만 제 딸에 대해서는 선처를 부탁드리는 바입니다."

그가 굳은 음성으로 담담히 말하는 동안 내 눈에 눈물이 차오르더니 볼을 타고 흘러내렸다.

"엘린은 엠마의 엄마를 살해했습니다. 물론 그에게는 그럴 자격이 있습니다. 엠마의 엄마, 브렌다는 수 년 전 보름달 의식을 몰래 지켜봤습니다."

아레스가 말을 이었다.

"하지만 사실 죽일 필요까지는 없었습니다. 그날 이후, 그녀는 평생 동안 두 번 다시는 물에 접근하지 않았고, 아무에게도 우리 종족의 비밀을 누설하지 않았습니다. 딸인 엠마조차 우리의 존재나 자신의 비밀에 대해 몰랐습니다."

"엘린, 그대가 브렌다를 살해했다는 게 사실인가?"

미론이 물었다.

"인간에게 우리 종족의 존재를 누설하는 건 금지되어 있습니다. 그 비밀을 알고 있는 인간은 죽어야만 합니다!"

엘린의 말에 나는 두 주먹을 꽉 쥐고 벌떡 일어나 소리를 질렀다.

"하지만 넌 죄 없는 마리아도 죽였잖아!"

모두가 나를 쳐다보았다. 입술을 깨물며 천천히 다시 자리에 앉았다.

"그 계집에는 우리의 성지를 더럽혔어!"

엘린이 이를 갈며 쏘아붙였다. 그로써 심증뿐이었던 사건의 전말을 스스로 인정한 셈이었다.

"하지만 네가 마리아를 물속으로 유혹했잖아! 죽이려고!"

나도 지지 않고 외쳤다. 캘럼이 고개를 저으며 나를 제지하는 바람에 입은 다물어야 했지만 하고 싶었던 말은 다 한 셈이었다. 미론이 손을 까딱여서 나를 발언석에 세웠다.

"엠마, 그대가 혼혈이라는 건 언제 알게 된 건가?"

"몇 주밖에 되지 않았습니다."

에릭슨 박사가 대신 대답했다.

"저는 처음부터 모든 진실을 알고 있었습니다. 하지만 브렌다는 딸이 진실을 알게 되길 원하지 않았고, 저도 그 뜻을 존중했습니다. 엠마의 사촌인 피터는 제 뒤를 이어 인도자가 되기 위한 자격을 검증받게 될 겁니다. 제 슬하에 자녀가 없기 때문입니다. 그런 이유로 엠마의 가족도 비밀을 공유하게 된 겁니다."

에릭슨 박사가 의장단을 향해 예의를 갖춰서 머리를 조아렸다. 피터가 그의 곁에 섰다. 미론이 피터에게 물었다.

"피터, 자네는 인도자가 될 준비를 마치고 그 자격을 검증받을 준비가 되었는가?"

"네."

미론이 원탁에 앉은 의장단과 작은 소리로 의논한 후 입을 열었다.

"우리는 본 기소 건에 대해 다음과 같이 판결하는 바이다."

홀 안이 쥐 죽은 듯 고요해졌다.

"우리 존재에 대한 사실은 피터와 엠마 가문에서 대대로 보호되어야 한다. 인도자에 한하여 그 가정의 구성원과 비밀을 공유할 수 있다. 하지만 모든 것에 앞서, 먼저 인도자의 자격을 검증 받는 게 우선이다. 엘린은 에릭슨 박사가 피터를 후계자로 정한 사실을 알지 못했으니 그의 기소는 정당하다. 우리 의장단의 판단으로, 이 일은 형식과 절차에 대한 문제임을 알리는 바이다. 각 종족의 배심원단은 앞으로 나와 이 문제를 표결해 주길 바란다. 캘럼과 에릭슨 박사가 우리 종족의 비밀을 누설한 데 따른 죄를 물어야 하는가?"

좌중이 주위를 두리번거렸다. 엘린의 추종자들은 붉은색 카드를 들어 올렸다. 하지만 그들을 제외한 나머지는 초록색 카드를 들어 올렸다. 안도의 한숨이 새어 나왔다.

"다음 문제로 넘어가서 캘럼과 엠마의 관계에 대한 건 엠마가 혼혈이라는 사실을 고려해 볼 때 셀리코트 장로 회의에서 논의되어야 할 문제지, 여기 대의회에서 다룰 안건이 아니라고 판단된다. 캘럼이 셀리코트 족의 규율에 어긋나는 행동을 범했으니 그 종족이 그를 처벌해야 한다."

아레스의 표정이 굳어졌다. 분명 우리에게 유리한 판결은 아닌 것 같았다. 엘린의 입가에 잔혹한 미소가 떠올랐다.

"엘린의 살해 사건에 대해서는 모두의 의견을 묻고 싶다. 그는 타당한 이유 없이 인간들을 살해했다. 타당한 이유나 판결 없이 인간을 죽이는 건 용납할 수 없다."

엘린이 새파랗게 질린 얼굴로 미론을 바라보았다. 배심원 대다수가 붉은색 카드를 들어 올렸다.

"엘린, 의회에서 최종 판결을 내릴 때까지 방으로 돌아가 있을 것을 명한다."

엘린이 고개를 끄덕인 후 회의장을 나갔다. 그의 추종자들도 그의 뒤를 따랐다. 우리의 눈이 그의 뒷모습을 바라보았다.

"이제 마지막 문제를 다룰 차례인 것 같군. 아레스, 그대는 인간과의 깊은 관계가 위법이라는 사실을 알고 있을 터. 게다가 혼혈인은 수 세기 동안 금기시되어 온 존재다. 과거에는 혼혈인을 지상에서 멸절하여 종족의 혈통을 순수하게 보존해 왔다."

미론의 말에 등골이 서늘해져서 손발이 차디차게 식었지만, 그가 나를 안심시키려는 듯 미소 지었다.

"아레스, 자네가 엠마의 존재를 몰랐다는 건 변명에 지나지 않네. 그대의 일탈로 우리 모두가 위험에 처할 뻔했어."

아레스가 고개를 끄덕이며 미론을 바라보았다.

"이미 일어난 일에 대해서는 할 말이 없습니다. 제 잘못을 부인할 생각도 없습니다. 단지 엠마에 대한 선처를 부탁드릴 뿐입니다."

"아레스, 자네도 알다시피 의회가 다른 결정을 내리지 않는 한, 우리의 법률은 모두에게 해당되네. 내 그대를 아끼긴 하지만 어느 누구도 법의 판단에서 자유로울 순 없네."

미론이 진지하게 말하자, 아레스가 입을 다물고 침묵했다.

미론이 좌중을 둘러보았다.

"아레스의 위법 행위를 표결에 부치겠다. 그는 이제부터 의회에 참석할 수 없으며, 발언권을 잃게 된다."

대다수가 붉은색 카드를 들어 올렸다. 유죄였다. 다들 판결에 수긍하는 눈치였다. 물론 그게 무엇을 의미하는지는 알 수 없었지만, 아레스의 입가에 미소가 떠오르자 그도 판결의 내용에 만족한다는 걸 느낄 수 있었다. 아레스가 나에게 다가와 안아 주었다. 아마도 미론이 더 극심한 처벌을 막기 위해 수를 쓴 것 같았다. 나중에 에릭슨 박사에게 물어볼 생각이었다. 미론도 미소 지으며 아레스에게 고개를 끄덕여 보였다.

"매년 그래 왔듯 이번에도 이곳에 모인 참석자들에게 묻겠다. 우리 존재를 인간에게 알리는 게 타당한가? 누군가가 그에 대해 발언하겠는가?"

미론이 좌중을 둘러보자 침묵만이 맴돌 뿐, 다들 서로의 눈치만 보고 있었다. 마지막으로 미론이 캘럼과 나를 바라보며 말했다.

"비록 우리와 인간과의 관계가 현재 그리 올바르다고 할 수는 없지만, 내 소견으로는 앞으로 얼마든지 좋은 관계를 형성해 나갈 수 있다고 보는 바다."

그가 잠시 침묵했다.

"엠마, 우리 마법 세계의 종족들은 인간으로 인해서 많은 고통에 처해 왔다. 그 점을 이해해 주길 바란다. 셀리코트 종족의 판결이 어떻게 나든 간에 그대에게 앞으로 행운이 함께하길."

그러고는 좌중을 둘러본 후 자신의 안건을 표결에 부쳤다. 예상대로 자신들의 존재를 인간에게 알리고 싶어 하는 이는 단하나도 없었다.

"이로써 대의회를 마친다."

미론이 나와 캘럼을 번갈아 바라보며 말했다.

"캘럼, 엠마를 방으로 데려다주게. 피터는 남아서 인도자의 자격을 검증 받도록."

방으로 돌아가고 싶지 않았지만, 어쩔 수 없이 캘럼의 손에 이끌려서 계단을 올랐다. 캘럼은 단 한마디 말도 하지 않았다. 사실은 나도 뭐라 말해야 할지 몰랐다. 이제 우리 둘의 운명은 셀리코트들의 손에 달리게 된 것이다. 아레스와 엘린의 영향력은 어떻게 작용하게 될까? 앞으로 엘린은 어떻게 되는 걸까? 의문에 의문이 이어졌다. 하지만 모든 게 예상보다 나쁘지는 않았다. 지난 몇 주간 머릿속으로 그려 왔던 것에 비하면 말이다. 캘럼이 나를 방 안으로 밀어 넣으며, 문을 단단히 잠그라고 당부했다. 그의 모습은 마치 이별을 준비하는 듯, 차갑고 거리감이 느껴졌다. 완전히 지쳐서 침대 위로 쓰러졌다. 도대체 몇 시인지 알 길이 없었다.

그때 노크 소리가 들렸다. 겁이 나서 소리쳤다.

"누구시죠?"

"나야, 레이븐. 캘럼이 네 곁에 있어 달라고 부탁하더라. 문밖에서 자기는 싫으니 안으로 들여보내 줘."

천천히 문을 여니 레이븐의 모습이 보였다.

"캘럼이 널 혼자 두는 게 두려웠던 모양이야. 의회의 결정 때문에 직접 네 곁에 있어 주지는 못하게 됐으니까."

레이븐이 안됐다는 눈으로 바라보았다.

"레이븐, 미안한데 아무튼 난 더 이상 못 버틸 것 같아."

눈꺼풀이 무거웠다.

"걱정 마. 네가 자는 동안 널 지켜 줄 테니."

"인도자의 자격 검증 운운하는 건 얼마나 걸려?"

침대에 누워서 웅얼거렸지만 레이븐의 대답도 듣지 못한 채, 곧장 깊은 잠에 빠져들었다.

21장

한밤중에 깜짝 놀라 잠에서 깨어났다. 밖에서 괴성과 비명이 들려왔다. 레이븐이 창가에 서서 달빛이 쏟아지는 광장을 내려다보고 있었다.

"레이븐, 무슨 일이야?"

레이븐은 대답 없이 창밖만 바라보았다. 두꺼운 이불을 발로 걷어찬 다음 창가로 달려가 보니, 성 아래쪽이 아수라장이었다. 모두가 정신이 나간 것처럼 이리저리 뛰어다녔다.

"무슨 일이야?"

두려움이 엄습했다.

"엘린이 도망쳤어."

레이븐의 말에 놀라서 숨이 탁 막혔다.

"의회의 결정에 거역하다니……."

레이븐도 믿을 수 없다는 듯 고개를 흔들었다.

"말도 안 돼. 정말이지 한 번도 이런 적은 없었어. 아마도 너희를 엄청나게 증오하고 있었나 봐."

"엘린을 감시하지 않은 거야?"

레이븐이 나를 바라보며 말했다.

"감시는 필요하지 않아. 의회의 결정을 거스를 수 있는 존재가 없으니 말야. 도망친다는 건 말도 안 되는 일인 거야. 우리가 사고할 수 있게 된 이후부터, 우리의 사법 체계는 충성과 신용을 바탕으로 현재까지 아무 문제 없이 준수되어 왔다고. 단한 번의 예외도 없었어."

이 모든 게 믿기지 않아서 고개를 저었다. 물론 인간과 비교해서는 안 된다는 걸 알았지만, 그들이 진심으로 순수하고도 바보 같다는 생각이 들었다.

"어디로 도망쳤을까?"

레이븐이 입을 열려는 찰나, 다급한 노크 소리가 들렸다. 문을 여니 피터와 캘럼이 뛰어 들어왔다.

"하나님 감사합니다! 무사해서 다행이야."

피터가 나를 끌어안았다. 그의 몰골이 마치 밤을 홀딱 샌 사람 같았다.

"캘럼, 엘린은 어디로 도망친 걸까?"

다급하게 물었지만 캘럼도 고개를 저었다.

"어디에 숨었는지는 모르겠지만 당분간 나타나지 않을 거야. 추종자들도 그를 따라갔어. 얼마나 더 그를 따를지는 장담

할 수 없어. 아레스가 장로 의회를 소집할 거야."

이 모든 전개에 아연실색할 수밖에 없었다.

"일단 집으로 데려다줄게. 걱정하지 마."

걱정하지 않을 수 없었다. 끔찍할 정도로 걱정이 되었다. 의회가 끝난 이후, 그는 단 한 번도 내 몸에 손을 대지 않았고, 눈조차 마주치지 않았다. 하지만 거기에 대해 피터나 레이븐 앞에서 물어볼 용기는 없었다.

"해가 뜨면 출발하자. 준비하고 있어."

그러고는 피터와 함께 방을 나섰다.

레이븐은 아직도 성 아래를 내려다보는 중이었다. 말없이 그녀 곁에서 아래를 보니, 몇몇 무리가 걱정스러운 얼굴로 이야기를 나누는 게 보였다.

"엘린을 찾아낼 수 있을까?"

작은 소리로 물었다.

"모르지."

레이븐이 한숨을 쉬었다.

"이런 경우에 대한 규정은 없을지도 몰라. 정말이지 단 한 번도, 아무도 의회에 거스른 적이 없었으니까."

레이븐이 잠시 침묵했다. 나에게 해 줄 말을 고민하는 것 같았다.

"다시 잠을 청해 봐."

레이븐이 고개를 저으며 말했다.

"내가 지키고 있을게."

하지만 잠이 올 리 없었다.

"몇 가지 물어봐도 돼?"

레이븐이 내 곁에 눕자 내가 조심스레 물었다.

"모든 종족마다 규정이나 법률이 같아? 인간과는 절대로 맺어질 수 없는 거야?"

"그 규정은 모든 종족에 동일하게 적용돼. 하지만 배우자 선택이나 결혼에 대한 조항은 꽤 차이가 있지. 예를 들어 우리 엘프 족은 파트너 선택에 대한 규정이 엄격하지 않아. 셸리코트 족같이 평생 한 배우자에 묶여 있는 건 말도 안 돼. 엘프 족에 그 규정을 적용하는 건 모두의 반발을 불러일으킬 거야. 하지만 요정 족이나 셸리코트 족은 다른 종족에 비해 폐쇄적이고 봉건적이지."

"무슨 뜻이야? 어떤 면이?"

"일단 생활권부터 우리와는 달라. 예를 들어 우리 엘프 족이나 뱀파이어, 늑대인간조차 인간 속에 섞여 살면서 그들의 법규를 어느 정도 받아들이고 있어. 다른 종족도 마찬가지야. 하지만 집단주의적 성향이 강한 씨족 사회인 셸리코트 족은 달라. 그들은 뭐랄까……. 한 종족이 마치 한 가족 같은 거야. 물론 우리도 한때 그런 시기가 있었지만, 시대가 변하면서 사회도 변했지. 쉽게 말하면 인간 사회의 시스템을 받아들이고 진보한 거야. 하지만 숨어 살면서 인간과의 교류를 차단한 종족의 경우에는 사회 시스템이 원시 상태에 머물러 있게 돼. 물론 젊은 셸리코트들을 인간 사회에 내보내서 그들의 문화와 지식을 교류하는 데 찬성하는 이들도 많지만, 대부분의 장로들은 그런 사고방식을 이해하지 못하는 늙은이들뿐이야. 세상이 변하면 우리도 그에 맞춰서 변화할 수밖에 없어. 그게 자연의 이치인데도, 대부분의 늙은 셸리코트들은 자기들이 만든 규율에 스스로를 얽매어서 눈먼 삶을 살고 있지."

"……마침내 한 사람이 그 틀을 깨고 나올 때까지 말이지?"

레이븐의 말에 짧게 덧붙였다.

"응. 정말 이해할 수 없어. 과거에 얽매여서는 미래 따위는 없다고."

레이븐이 마치 혼잣말처럼 중얼거렸다.

"우리 엘프들은 서로의 삶의 모습이 달라도 결국엔 근본적인 화합과 단결을 이루어냈는데……."

"피터는 시험에 합격할 수 있을까?"

질문의 주제를 바꿨다.

"아마 아침 일찍 시험을 치르게 되겠지. 원래는 하루 종일 걸려. 하지만 간밤에 일어난 일 때문에 모든 게 중단될 수도 있어. 나도 어떻게 될지는 몰라. 계속 말하지만, 전에는 없던 일이라서."

레이븐이 침대 등을 끄며 말했다.

"엠마, 잠시라도 눈 좀 붙여 둬."

아마도 레이븐은 혼자 생각할 시간이 필요한 것 같았다. 레이브에게서 몸을 돌려서 벽의 어두움을 응시하며 생각에 잠겼다. 무언가 결정될 거라 생각했지만, 결국 아무것도 달라진 건 없었다. 캘럼은 물로, 자신의 종족에게로 돌아가야 한다. 그리고 장로들의 결정에 승복할 거다. 거기에 반한다는 건 생각할 수조차 없는 일이었다. 우리에게 남은 시간이 별로 없었다. 눈물이 볼을 타고 흘러내렸다. 레이븐이 내 절망을 눈치 챘는지는 알 수 없었지만, 방 안에는 나의 소리 없는 흐느낌과 침묵만이 흘렀다.

"레이븐, 자?"

"엘프는 잠을 자지 않아. 우리의 생각은 다른 차원에 집중되고, 거기에 정신력을 모아 두기 때문에 육체적인 휴식은 필요 없어."

레이븐이 아주 당연하다는 듯 대꾸했다.

"아까 미론이 아레스에 대한 판결을 내린 거 말인데, 일부러 형벌을 가볍게 해 준 거 아냐?"

몸을 돌리며 물었다. 레이븐이 고개를 끄덕였다.

"뱀파이어는 인간과 가장 가까운 종족이야. 게다가 가장 나이 많고 현명하기도 하지. 그래서 아마도 캘럼과 너 사이의 흡인력을 이해해 준 것 같아."

"하지만 뱀파이어는 인간의 피를 먹고 살잖아. 인간은 단지 먹잇감일 거라고 생각했어."

"물론 네 말이 맞아. 하지만 뱀파이어 사이에서도 인간을 살해하는 건 엄격히 금지되고 있어. 오늘날에는 거의 모든 뱀파이어가 동물의 피로 연명하고 있지. 인간이 자유 의지로 자신의 피를 바칠 때만 예외야."

"그럼 그들도 뱀파이어가 되는 거야?"

"당연하지. 그래서 인간의 피를 금지하는 거야. 뱀파이어는 번식을 할 수 없기 때문에 종족을 유지하기 위해서는 정기적으로 젊은 인간을 뱀파이어로 만들어야만 하지. 만약 자원자가 있다면, 여기에서 교육을 받고 모든 과정을 이수해야 해. 그때까지도 그들의 결정에 변화가 없다면, 특수한 의식을 거쳐서 뱀파이어가 되는 거야."

"뱀파이어들은 나이를 먹지 않지?"

내 질문이 너무 어리석게 느껴졌지만, 마늘이나 말뚝, 박쥐 분장 같은 고정관념 때문에 어쩔 수가 없었다. 열두 살 때 처음으로 뱀파이어에 대한 책을 읽었던 날은 무서워서 잠을 잘 수 없을 정도였다.

"몸은 늙지 않지만 정신은 누구나 늙게 돼. 그리고 정신은 시대가 변화하는 걸 견디지 못하는 일이 종종 있어."

"전 세계에 있는 뱀파이어는 몇이나 돼?"

레이븐의 이야기가 어찌나 신기하던지 호기심이 들끓었다.

"수는 제한되어 있어. 6천 명을 넘어선 안 돼."

"다른 종족들의 수도 그렇게 제한되어 있어?"

"아니, 뱀파이어들 스스로가 그렇게 정한 거야. 그들은 죽지 않기 때문에 종족 자체의 노화를 막기 위해서 일정 연령에 다

다르면 스스로 죽음을 선택할 수 있어. 그들에게 있어서 죽음은 자유 의지인 거지. 우리 엘프들도 마찬가지야. 일정 나이가 되면 '불멸의 땅'으로 가서 이 땅을 떠나야 해."

어디서 많이 듣던 스토리여서 나도 모르게 슬쩍 미소 짓고 말았다.

"톨킨이 우리 종족에 대해서 정말 잘 알고 있었던 건 사실이야."

레이븐도 미소 지으며 말했다.

"그도 우리의 지식을 전수받은 사람이었거든."

"방금 내 생각 읽은 거야? 어떻게 내가 그 생각하고 있는지 알았어?"

깜짝 놀라 묻자, 미안하다는 듯 레이븐이 말했다.

"응. 미안. 인간의 머릿속을 들여다보는 건 최대한 자제하려고 노력하지만, 가끔 너무 자연스럽게 흘러들어 올 때가 있거든."

그렇게 계속 호기심 어린 질문들이 이어졌고, 레이븐은 기꺼이 모든 질문에 대답해 주었다.

어느덧 저편 하늘에 동이 터 오고 있었다. 침대에서 일어나 세면을 한 다음, 짐을 꾸렸다. 레이븐이 나를 물끄러미 지켜보았다.

"정말 안됐어."

레이븐이 어렵게 입을 열었다.

"모든 게 잘되길 바랐었는데……. 아마 셸리코트 족은 훨씬 더 가차 없을 거야."

그녀가 나를 꼭 안아 주며 작별 인사를 해 준 후 방을 나갔다. 슬픈 눈빛으로 레이븐의 뒷모습을 바라보았다. 아마 앞으로 다시 만날 일은 없겠지. 간밤에 그녀와 정말 친해졌는데 이렇게 이별이라고 생각하니 너무도 아쉬웠다. 잠시 후 피터가 방으로 와서 짐을 들어 주었다.

차에 오르는 동안 주위를 둘러보니 아무도 없었다. 이번에는 피터와 둘이 뒷좌석에 나란히 앉았다. 분노와 두려움이 치밀었다. 결국은 이곳을 찾았을 때나 지금이나 달라진 게 없었다. 아니, 근본적으로는 상황이 더 나빠졌다.

돌아가는 길에 에릭슨 박사와 피터가 인도자의 시험에 대해서 이야기를 나눴다. 아마도 시험은 중단된 모양이었다.

"그럼 이제 피터는 어떻게 되는 거죠?"

에릭슨 박사에게 물었다.

"아마 내년에 이어서 치르게 될 거다. 엘린이 도망친 일 때문에 시험이 중단된 건 매우 이례적인 일이니 말이다."

"시험은 어땠어? 어떤 걸 물어봤어?"

피터에게 물었다.

"엠마, 내가 시험에 대해 비밀을 지켜야 한다는 거 알잖아."

왠지 바보 취급 당하는 것 같아서 화가 났다. 고개를 돌려 창밖을 바라보다가, 에릭슨 박사에게 물어볼 게 생각났다.

"아레스의 형벌은 어떤 의미가 있는 거죠? 발언권을 잃게 되면 다른 셸리코트들한테 명망을 잃게 되지 않나요?"

"맞아. 원래는 가혹한 형벌이지만 어차피 내년에 후계자를 선출하게 되면 발언권도 잃게 돼. 미론은 그걸 알고 있었고, 아마 참석자들도 다 알고 있었겠지."

다시 침묵이 흘렀다. 한 번만이라도 좋으니 캘럼과 대화하고 싶었다. 가능하면 단둘이서 말이다. 끝까지 그가 나를 떠날 거라는 사실을 인정하고 싶지 않았다.

오후 늦은 시간에 집 앞에 도착해서야 안도의 한숨을 내쉴 수 있었다. 차 안의 침묵이 너무 무거워서 견딜 수 없었기 때문이다.

외삼촌 부부가 집 밖으로 뛰어나와 우리를 얼싸안았다. 아마도 밤새 한숨도 잠을 이루지 못한 모양이었다. 그러고는 에릭슨 박사와 피터를 보자마자 질문을 퍼부어 댔다. 아멜리는 쌍둥이를 데리고 영화관에 갔다고 했다. 어쩌면 이게 마지막 기회라는 생각에 캘럼의 손을 이끌고 정원으로 갔다. 물론 순순히 따라오려고 하지는 않았지만, 포기할 수는 없었다.

"잠깐만 같이 걷자."

간곡한 부탁에, 그가 천천히 내 뒤를 따랐다. 우리는 말없이 해안가 절벽으로 나 있는 산책길을 걸었다. 침묵을 먼저 깬 건 내 쪽이었다.

"아레스가 장로들을 소집했다고 들었어. 거기 나갈 거야?"

"그게 낫겠지."

그가 짧게 대꾸했다.

"그럼…… 이제 영영 너희 고향으로 돌아가야 한다는 거네."

캘럼이 괴로운 표정으로 고개를 끄덕였다.

"만약…… 보름달 밤에 돌아가면 다시 이쪽으로 올 수 있는 기회가 있는 거야?"

캘럼이 말없이 고개를 끄덕였다.

"돌아올 거야?"

그가 걸음을 멈추고 바다를 바라보았다. 수평선 너머로 저녁 해가 조용히 자취를 감추었다. 붉은 태양이 수평선에 거울처럼 비쳤다. 그를 재촉하고 싶지는 않았다. 그가 뭐라고 대답할지 이미 알고 있었지만, 그의 입에서 직접 듣고 싶었을 뿐인지도 몰랐다.

"의회는 오늘 소집될 거야. 아레스한테 내가 부탁했어."

그가 탁한 음성으로 말했다. 의외의 대답에 깜짝 놀라서 그를 바라보았다.

"오늘이 보름달 밤이니까, 일을 다 마무리하면 다시 네게로 돌아올 수 있어."

정말 아레스에게 그렇게 부탁했단 말이야?

"엠마, 내가 널 얼마나 사랑하는지 모르겠어? 너와 헤어져야만 한다는 사실 때문에 괴로워."

결국 그도 나와 같은 마음이었던 것이다. 그도 나만큼이나 이별이 힘겨울 거라는 생각에 가슴이 먹먹해졌다. 모든 일이 끝나면 셀리코트들이 그를 다시 내게로 돌려보내 주기만 바랄 뿐이었다. 우리는 풀밭 위에 누워서 마지막일지도 모르는 긴 입맞춤을 나누었다. 그의 가슴에 얼굴을 묻고, 그의 체취를 맡으며 따뜻함과 부드러움, 상냥함을 만끽했다. 천천히 보름달이 하늘 위로 떠올랐다. 잠시 후면 그를 보내야만 했다.

우리를 찾는 목소리가 들렸다. 벌떡 일어나 보니 외삼촌과 외숙모, 피터, 에릭슨 박사 부부가 우리를 찾고 있었다. 우리는 서둘러서 서로의 몸에 붙은 검불을 떼어 내며 킥킥거렸다. 그가 팔로 내 어깨를 끌어안았고, 걱정하지 말라는 듯 가족들을 향해 손을 흔들어 보였다.

그때였다. 어디선가 얼음처럼 차가운 바람이 불어닥쳤고, 하늘 위로 흉측한 검은 구름이 몰려와서 달을 가렸다. 평온하던 바다 위로 거짓말처럼 거대한 파도가 몰려오더니 폭풍이 휘몰아치기 시작했다.

"캘럼, 집으로 들어가자. 뭔가 이상해!"

하지만 그는 요동조차 하지 않고, 검게 일렁이며 울부짖는 파도를 노려보았다. 파도가 점점 하나로 뭉쳐지며 거대한 형상으로 우리를 향해 다가왔다.

"저게 도대체 뭐야?"

공포심을 억누르며 물었지만, 캘럼은 아무 말도 없었다. 그의 얼굴이 돌처럼 굳어졌다. 광란으로 요동치는 바다를 바라보며 그의 품에 파고들었다. 이제 파도는 거의 우리가 있는 벼랑

위까지 닿을 정도로 커졌다. 분명 정상적인 일은 아니었다.

피터가 우리를 향해 무어라고 소리쳤지만 파도 소리 때문에 들리지 않았다. 순간 거대한 파도 위에 엘린이 모습을 드러냈고 그의 양옆으로도 셸리코트들이 하나 둘 줄지어 나타났다. 그들의 손에는 삼지창이 들려 있었다. 뭘 하려는 거지? 엘린이 무어라 소리를 질렀지만 내가 알아들을 수 없는 말이었다. 캘럼이 움찔하더니 해안가로 몇 발짝 다가가 눈을 질끈 감았다. 이제까지는 물속에서만 정신 감응이 일어난다고 생각했지만 셸리코트끼리는 생각보다 더 깊게 연결되어 있는 모양이었다. 피터가 내 곁으로 다가와서 내 어깨를 단단히 붙잡아 주었다.

"엘린을 진정시키려는 거야."

그가 속삭였다.

"그게 먹힐 리가 없잖아!"

피터의 손을 뿌리치고 캘럼에게 외쳤다.

"캘럼! 도망쳐야 해. 여긴 너무 위험해!"

캘럼이 슬픈 눈으로 바라보며 대꾸했다.

"엠마, 이렇게 된 이상 우리가 도망칠 곳은 없어."

피터가 바다를 가리키며 고함을 질렀다. 점점 더 많은 수의 셸리코트가 바다에서 모습을 드러냈다. 그러다가 거친 파도 사이에서 거대한 파도 하나가 솟구치더니, 아레스가 모습을 드러냈다. 그는 혼자였지만 그 위풍만큼은 매우 강력해서 엘린 패거리 중 절반이 모습을 감출 정도였다. 하지만 엘린은 아버지의 등장에도 눈 하나 깜짝하지 않았다. 아레스가 뇌성 같은 고함을 발했지만, 엘린은 낄낄거리며 그를 비웃었다. 그러고는 삼지창을 들어 올리더니, 온 힘을 다해 아레스에게 던졌다. 내 입에서 비명 소리가 터져 나왔다. 삼지창은 그대로 날아가 아레스의 가슴을 꿰뚫었다. 엘린이 손을 뻗어서 아레스의 가슴에 꽂힌 삼지창을 빼내자, 아레스는 그대로 거품이 이는 바닷물 속에 삼켜지고 말았다.

첫 번째 승리에 도취된 광란의 웃음소리가 우리가 서 있는 곳까지 똑똑히 들려왔다. 엘린이 요동치는 바다를 향해 두 팔을 들자 일순 모든 게 잠잠해졌다. 하지만 그 침묵은 요란한 파도 소리보다 더욱 끔찍한 소음처럼 들렸다. 멍하니 아레스가 가라앉은 곳을 바라보노라니, 메마른 흐느낌이 북받쳤다. 하지만 엘린의 분노가 이번에는 우리에게로 향했다.

"캘럼!!!"

그가 소리쳤다.

"이제는 네 차례다. 동족 앞에서 심판을 받아!"

캘럼이 한 걸음 앞으로 나가 외쳤다.

"네 심판은 사양하마. 내 죄를 판단할 수 있는 건 의회뿐이야."

"우리가 새로운 의회를 만들 거다. 그리고 그들이 옳고 그름을 구별해 주겠지. 네 발로 심판대 앞에 서라! 네게 주어진 의무에 따라 동족의 뜻에 따르도록 해!"

"엘린! 제발 정신 차려!"

캘럼이 외쳤다. 하지만 엘린은 눈썹 하나 까딱하지 않았다.

"너냐, 아니면 그 여자냐?"

엘린이 기분 나쁜 미소를 지으며 중얼거렸다. 하지만 뭐라고 하는지 잘 들리지 않았다.

"이리 와서 심판을 받아! 아니면 파도가 거기 있는 모두를 삼켜 버릴 거다!"

공포로 몸이 굳었다.

"이런 식으로 반역자가 되어서는 안 돼!"

캘럼의 목소리에는 흔들림이 없었다.

"나는 그렇게 할 거고, 모든 건 내가 원하는 대로 될 거다. 드디어 변화의 시기가 온 거야. 너야말로 늘 변화 운운하지 않았던가? 아니면 나더러 어둠 속에서 더 참고 기다리라는 거냐?"

그 순간, 거대한 파도가 우리를 향해 점점 다가왔다. 집채보다 더 큰 파도가 해안 위를 덮치더니 마침내는 우리가 서 있는 절벽까지 덮칠 기세였다. 모두들 너무도 공포에 질린 나머지 움직일 수조차 없는 상태였다. 내 손을 꼭 쥔 캘럼의 손이 얼음처럼 차가웠다. 해안과 절벽을 덮쳐 오는 파도의 속도는 이루 말할 수 없을 정도로 빨랐다. 이대로라면 몇 초 이내에 절벽은 물론 우리 모두와, 집과 마을까지 덮쳐 버릴 듯했다.

캘럼이 나에게로 몸을 돌려서 내 눈을 바라보았다. 이미 결심을 굳힌 듯했다.

"엠마, 날 따라오지 않겠다고 약속해. 할 수 있지?"

그가 내 어깨를 꼭 잡고 말했다.

"날 위해서 늘 조심해 줘. 너에게 무슨 일이 생기면, 난 무너질 거야."

그가 날 끌어안았다.

"내 삶이 끝나는 순간까지 널 사랑할게."

그가 내 귓가에 속삭였다. 그러고는 내 손을 놓고, 다급하게 외쳤다.

"날 잊어. 알겠지? 그리고 너의 삶을 살아 줘!"

"내가 그럴 수 없는 걸 알잖아."

그가 알아듣지 못할 정도로 작게 속삭였다. 그러자 그가 손을 뻗어, 마지막으로 내 입술을 어루만졌다. 그 순간 내 주위의 세계가 산산이 무너져 내리는 것 같았다. 그가 내게서 몸을 돌려 바다 쪽으로 달리기 시작했다. 멍하니 그의 뒷모습을 바라보다가 갑자기 정신이 들었다. 안 돼! 그는 지금 스스로 목숨을 내던지려 하고 있었다.

도저히 그를 따라잡을 수 없다는 걸 알면서도 무작정 그의 뒤를 따라 달리기 시작했다. 아무것도 생각나지 않았다. 단지 그와 같이 있고 싶다는 열망뿐이었다. 그 길이 죽음을 의미할지언정, 그가 없는 삶은 아무런 의미도 없었다. 이렇게 보낼 수는 없었다. 그가 몸을 날려서 거대한 파도 속으로 뛰어들었다. 피터가 필사적으로 나를 끌어안고 어깨를 꽉 붙잡았다.

"아아아아안 돼애애애애!!!!!!!!!"

바다를 향해 울부짖었다. 캘럼이 뛰어들자마자 광란으로 미쳐 날뛰던 바다가 거짓말처럼 잠잠해졌다. 무릎에 힘이 풀렸다. 피터가 나를 천천히 놓자 그대로 주저앉고 말았다. 비명 같은 흐느낌을 쏟아내며 몸을 웅크렸다. 마치 모든 감각이 마비된 것 같았다. 외삼촌 부부가 하는 말도 알아들을 수 없었다. 피터가 나를 일으키려 해 보았지만, 몸에 힘이 들어가지 않았다. 소피가 내 귓가에 속삭였다.

"엠마, 모든 게 끝났어. 캘럼은 돌아간 거란다. 일단 집으로 들어가자꾸나."

그제야 비틀거리며 몸을 일으켰고, 가족들의 부축을 받아 집으로 향했다.

《문라이트 사가》 2권에서 계속.